le dossier
Molière

le dossier

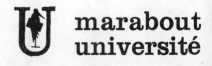

marabout
université

Molière

par Léon Thoorens

avec la collaboration de

Jean Anouilh
Jean-Louis Bory
Serge Creuz
S.Wilma Deierkauf-Holsboer
Roger Planchon et
René Rongé

Ce volume est le quarante-septième de la collection

marabout université

dirigée par
Jean-Jacques Schellens et Jacqueline Mayer.

La maquette des hors-texte
est de Jean Ramier.
Nous remercions les auteurs et éditeurs
qui nous ont autorisés à reprendre
certains textes de leur fonds
(pour ces copyrights, voir page 314).
Sources de l'iconographie : voir page 314.

PRÉFACE
par
Molière

Je sais qu'on attend de moi, dans cette impression, quelque préface qui réponde aux censeurs, et rende raison de mon ouvrage; et sans doute que je suis assez redevable à toutes les personnes qui lui ont donné leur approbation, pour me croire obligé de défendre leur jugement contre celui des autres; mais il se trouve qu'une grande partie des choses que j'aurais à dire sur ce sujet, est déjà dans une dissertation que j'ai faite en dialogue.

Bien des gens ont mis la main à cet ouvrage, et l'on en doit concevoir une assez haute attente. Comme tous les auteurs et tous les comédiens regardent Molière

*comme leur plus grand ennemi, chacun a donné un coup
de pinceau à son portrait.*

Ils critiquent mes pièces, tant mieux.

Et qu'est-ce que cela me fait?

*Est-ce moi, je vous prie, que cela regarde maintenant?
et lorsqu'on attaque une pièce qui a eu du succès,
n'est-ce pas attaquer plutôt le jugement de ceux qui
l'ont approuvée, que l'art de celui qui l'a faite?*

*On sait bien que les comédies ne sont faites que pour
être jouées. (C'est une étrange entreprise que celle
de faire rire les honnêtes gens). Le public est le juge
absolu de ces sortes d'ouvrages.*

*Ce n'est pas mon dessein d'examiner maintenant si
tout cela pouvait être mieux, et si tous ceux qui s'y sont
divertis, ont ri selon les règles.*

*Le devoir de la comédie étant de corriger les hommes
en les divertissant, j'ai cru que, dans l'emploi où je me
trouve, je n'avais rien de mieux à faire que d'attaquer,
par des peintures ridicules, les vices de mon siècle.*

*Les marquis, les précieuses, les cocus et les médecins,
ont souffert doucement qu'on les ait représentés, et ils
ont fait semblant de se divertir, avec tout le monde,
des peintures que l'on a faites d'eux; mais les hypocrites
n'ont point entendu raillerie.*

*Tous les jours encore, ils font crier en public des
zélés indiscrets, qui me disent des injures pieusement
et me damnent par charité.*

*J'en ferai ma déclaration publiquement. Je ne prétends
faire aucune réponse à toutes leurs critiques et leurs
contre-critiques. Je leur abandonne de bon cœur mes
ouvrages, ma figure, mes gestes, mes paroles, mon
ton de voix, et ma façon de réciter, pour en faire et dire
tout ce qu'il leur plaira, s'ils en peuvent tirer quelque
avantage. Je ne m'oppose point à toutes ces choses,
et je serai ravi que cela puisse réjouir le monde; mais
en leur abandonnant tout cela, ils me doivent faire
la grâce de me laisser le reste, et de ne point toucher
à des matières de la nature de celles sur lesquelles on*

m'a dit qu'ils m'attaquaient. C'est de quoi je prierai civilement cet honnête monsieur qui se mêle d'écrire pour eux, et voilà toute la réponse qu'ils auront de moi.

Molière.

SI MOLIÈRE VIVAIT ENCORE...

Ah, oui, s'il était encore là!

C'est un rêve. Comme dit Jean Vilar : POQuelin 00-00 ne répond pas. Mais est-il défendu de rêver, un peu, même au seuil d'un livre qui se veut recherche de la vérité?

Si Molière vivait encore, je serais allé le voir, le manuscrit de ce dossier dans ma serviette, pour lui demander une préface...

J'ai eu du mal à me faire recevoir, évidemment : les gens de théâtre sont toujours très occupés. J'ai erré dans les coulisses du Palais-Royal, guettant l'occasion de m'approcher de certain petit coin déjà repéré où, à la lueur d'un chandelier de scène posé sur un guéridon de scène, un homme, assis dans un fauteuil de scène — le fauteuil du *Malade*, grand Dieu! — travaillait calmement. Lui, le Maître! Tantôt il prenait des notes, dans les marges d'une brochure très fatiguée, tantôt il se penchait et fouillait dans un grand coffre débordant de livres et de papiers, tantôt il répondait par des monosyllabes distraits, à des gens qui arrivaient en coup de vent et repartaient de même. Car si M. de Molière possédait une belle bibliothèque bien meublée, dans sa fastueuse maison sise en face du théâtre, il travaillait toujours dans ce coin obscur des coulisses...

Et puis, au moment favorable, je me serais avancé, rabattant la serviette et en retirant mon manuscrit.

Il m'eût écouté, j'en réponds. C'était un génie, et conscient de l'être, mais, pour cela précisément, il ne croyait pas nécessaire de poser au génie. D'un abord très simple, il offrait à ses interlocuteurs la limpidité profonde de son regard. Tous les portraits qu'on a de lui s'accordent au moins là-dessus : la limpidité profonde de son regard d'homme fort et bon.

Le regard m'aurait néanmoins invité à faire vite, à être direct et concis.

Un livre, Monsieur! Un livre sur Molière! Mais c'est votre droit d'en écrire un, comme tout le monde... Quel genre de livre, au fait?

Et là eût été la difficulté : lui expliquer, en quelques mots, que j'avais réuni, dans un dossier ne pouvant, pour diverses raisons, dépasser un certain format, les documents essentiels qui permettent de reconstituer sa vie, ses luttes, d'évaluer l'importance de son œuvre, de comprendre les controverses allumées par cette vie et cette œuvre. Un dossier, très précisément le dossier que constituerait l'enquêteur chargé d'éclairer un jury — le jury de la postérité —, sur le phénomène unique, fascinant et aberrant que fut Molière, en son temps et dans les trois siècles qui suivirent. Ne pouvant tout citer, il fallut résumer, découper, commenter, plaider.

Plaider? A première vue, cela paraît étonnant, voire absurde, mais qu'on y réfléchisse un instant et on est convaincu — et qu'on poursuive le rêve, qu'on regarde Molière, sans perruque, le pourpoint dégrafé, le visage plombé de fatigue, dans son théâtre sans cesse menacé, où les triomphes se paient d'interdits, et on se convaincra davantage encore. On n'aurait à plaider ni pour Racine, ni pour Voltaire, ni pour Musset. Parlant de certains génies d'une autre famille, on se cabre, presque instinctivement, en attitude de défense. Racine occupe la place qu'il occupe, de plein droit et sans conteste. Molière est là où il se trouve — haut d'ailleurs, très haut — parce qu'il s'y est hissé à la force du poignet, sous le feu roulant de la cabale, de l'envie, de la calomnie; et il ne s'y maintient peut-être que parce que, trop grand, démesuré, il n'y a place pour lui nulle part ailleurs. Shakespeare, Rabelais et Balzac lui tiennent compagnie.

Devant lui, je n'eusse pas abordé le sujet. Il en souffrait tant! Mais lui, peut-être, l'eût abordé, me disant que le théâtre, partout et toujours, reste un art subversif, un art suspect de libérer insidieusement des forces redoutables, et que, dès lors, un homme incarnant le théâtre...

Et j'en serais venu au moment le plus difficile de l'entrevue : celui où je lui aurais demandé une préface, un texte de sa main, à placer en tête du dossier. J'imagine son sourire s'élevant vers les cintres, et le geste esquissé des deux mains. On n'en finira donc jamais de publier les gens malgré eux, et de les inviter, de les presser, de les forcer, à exprimer en deux pages ce qu'ils ont mis toute une existence à être... Un texte de lui! Quand on a là son œuvre entière!

Alors, j'aurais extrait de la liasse, outre le plan de mon livre, la *Préface* qu'on a lue en l'ouvrant. Un centon, des déclarations tirées de pièces, de préfaces...

Mais il faut interrompre le rêve. Cette préface *sollicitée* est de Molière sans être de lui, elle est de sa plume sans être de sa fabrication. Je crois y avoir capté sa pensée, mais sans avoir le moyen d'en faire la preuve. Et ce qui est vrai de la préface le sera sans doute aussi du choix des documents, et des commentaires qui les accompagnent.

Comme je l'ai écrit à la fin d'un autre ouvrage où j'essayais d'évoquer sa grande et écrasante silhouette, Molière est une ombre qui glisse sur les mains.

Ce livre, je le répète, se veut recherche de vérité. Si du faux s'y mêlait, et de la trahison, ce serait par erreur de jugement, ignorance, maladresse de *cet honnête monsieur qui se mêle d'écrire pour eux* que j'ai essayé d'être, mais non, certes non, par défaut d'amour et de vénération.

Léon Thoorens

NOTE : Le lecteur aura reconnu, au passage, l'origine des fragments qui composent la préface-centon de Molière. En voici néanmoins les références précises :

Je sais qu'on attend...	Préface de l'*École des femmes*.
Bien des gens ont...	*Impromptu de Versailles*.
Ils critiquent...	id.
Et qu'est-ce que...	id.
Est-ce moi...	id.

On sait bien que...	Préface de l'*Amour médecin*.
C'est une étrange...	Critique de l'*École des femmes*.
Le public est le juge...	Préface des *Précieuses ridicules*.
Ce n'est pas mon dessein...	Avertissement des *Fâcheux*.
Le devoir de la...	Premier placet sur *Tartuffe*.
Les marquis...	Préface de *Tartuffe*.
Tous les jours...	id.
J'en ferai ma déclaration...	*Impromptu de Versailles*.

Pour vous permettre de consulter ce dossier

Afin de permettre au lecteur de distinguer d'une part les documents historiques et les citations, et d'autre part les commentaires des collaborateurs directs du dossier, les textes de ces derniers ont été composés en plus grands caractères tandis que les documents sont placés entre guillemets et sont imprimés en petits caractères (comme celui que vous lisez). Dans la plupart des cas, les sous-titres, les italiques et les notes sont dus au «maître d'œuvre» du dossier, Léon Thoorens. Le manque d'unité de l'orthographe ancienne est responsable de la fantaisie qui préside au libellé des noms propres dans les documents cités.

On trouvera en fin de volume un tableau chronologique du XVIIe siècle, ainsi qu'un index qui renvoie non seulement aux noms des lieux et des figures historiques mentionnés dans ce dossier, mais aussi à tous les principaux personnages créés par Molière, ce qui permettra de les situer dans l'œuvre de celui-ci et dans les commentaires dont ils furent l'objet.

LA JEUNESSE DE MOLIÈRE
1622-1645

« Il y a lieu de s'étonner que personne n'ait encore recherché la vie de M. de Molière pour nous la donner. On doit s'intéresser à la mémoire d'un Homme qui s'est rendu si illustre dans son genre. Quelles obligations notre scène comique ne lui a-t-elle pas? Lorsqu'il commença à travailler, elle était dépourvue d'ordre, de mœurs, de goût, de caractères; tout y était vicieux. Et nous sentons assez souvent aujourd'hui que sans ce génie supérieur le théâtre comique serait peut-être encore dans cet affreux chaos, d'où il l'a tiré par la force de son imagination, aidée d'une profonde lecture et de ses réflexions, qu'il a toujours heureusement mises en œuvres. Ses pièces, représentées sur tant de théâtres, traduites en tant de langues, le feront admirer autant de siècles que la scène durera. Cependant, on ignore ce grand Homme... »

Ainsi débute la *Vie de Monsieur de Molière*, de Jean-Léonor Gallois, sieur de Grimarest, première biographie complète, publiée en 1705, et restée le document de base de toutes les recherches sur Molière, même après que la critique eût mis en doute à peu près tout ce qui y est dit.

Ce premier paragraphe, du moins, garde toute sa valeur aujourd'hui. Beaucoup de biographes, critiques, exégètes, analystes, laudateurs et contempteurs de la vie et de l'œuvre de Molière le citent en tête de leurs travaux. Beaucoup d'autres disent la même chose en d'autres mots. Je n'ai pas voulu manquer, ici, à ce qui est moins une tradition qu'une nécessité, en le citant aussi.

En effet, si Molière est l'un des deux *Monsieur Théâtre* de l'histoire occidentale, on n'a guère sur lui plus de certitudes inébranlées que sur son collègue anglais. Tout ce qu'on a raconté d'eux est discuté, et peut-être effectivement discutable. Cela va, pour l'un comme pour l'autre, jusqu'à faire planer un doute sur leur paternité de l'œuvre connue sous leur nom. Shakespeare était le prête-nom du comte de Derby, affirma Abel Lefranc — de Francis Bacon, du comte d'Oxford, de lord Rutland, dirent et disent d'autres. Corneille sous le masque de Molière, déclara Henry Poulaille...

Dans le cas de Molière, cette mise en doute, même si elle ne résiste pas à un examen approfondi, offre du moins l'avantage de braquer l'attention sur l'énigme essentielle : comment un Jean-Baptiste Poquelin peut-il devenir un Molière? et pourquoi ce Molière étend-il son influence et l'ombre de sa présence à travers le monde et à travers les siècles?

C'est à ces questions-là, en somme, que tentait déjà de répondre le sieur de Grimarest et comme, dès 1705, une enquête sur Molière, sa vie et sa présence, butait à chaque pas sur les nœuds de broussailles des légendes, des mystères, des ambiguïtés et des mensonges historiques, dès 1705 aussi s'imposait une prudence dont la nécessité n'a fait que s'affirmer depuis deux siècles et demi. La fin du chapitre liminaire du livre de Grimarest conserve aussi sa valeur :

« Le public est rempli d'une infinité de fausses histoires à son occasion. Il y a peu de personnes de son temps qui, pour se faire honneur d'avoir figuré avec lui, n'inventent des aventures qu'ils prétendent avoir eues ensemble. J'en ai eu plus de peine à développer la vérité; mais je la rends sur des mémoires très assurés, et je n'ai pas épargné les soins pour n'avancer rien de douteux (...) Je me flatte que le Public me saura bon gré d'avoir travaillé : je lui donne la Vie d'une personne qui l'occupe si souvent; d'un Auteur inimitable, dont le souvenir touche tous ceux qui ont le discernement assez heureux pour sentir à la lecture, ou à la représentation de ses Pièces, toutes les beautés qu'il y a répandues. »

COMMENT DEVIENT-ON UN MOLIÈRE?

Grimarest raconte :

« Molière avait un grand-père qui l'aimait éperdument; et comme ce bon homme avait de la passion pour la Comédie, il y menait souvent le petit Pocquelin, à l'hôtel de Bourgogne. Le père, qui appréhendait que ce plaisir ne dissipât son fils, et ne lui ôtât toute l'attention qu'il devait à son métier, demanda un jour à ce bon homme pourquoi il menait si souvent son petit-fils au spectacle? Avez-vous, lui dit-il, avec un peu d'indignation, envie d'en faire un Comédien? Plût à Dieu, lui répondit le grand-père, qu'il fût aussi bon Comédien que Bellerose (c'était un fameux Acteur de ce temps-là)! Cette réponse frappa le jeune homme; et, sans pourtant qu'il eût d'inclination déterminée, elle lui fit naître du dégoût pour la profession de Tapissier, s'imaginant que puisque son grand-père souhaitait qu'il pût être Comédien, il pouvait aspirer à quelque chose de plus qu'au métier de son père. »

L'anecdote se retrouve partout, avec des nuances. Le grand-père emmenait le *jeune homme* à l'Hôtel de Bourgogne, selon Grimarest. Selon d'autres, c'est *l'enfant* que le bon homme promène parmi les bateleurs du Pont-Neuf. Au XVIIIe siècle, l'histoire est si bien ancrée qu'on voit les moralistes la citer, au même titre que des traits tirés de Plutarque et des recueils de modèles et caractères offerts par les hommes illustres, pour démontrer, par exemple, l'influence du hasard sur l'évolution de la vie d'un homme.

Helvétius note dans son livre posthume, *De L'Homme* (tome 1, p. 27) publié en 1773 :

« C'est un hasard à peu près semblable qui décida le goût de Molière pour le théâtre. Son grand-père aimait la Comédie, il l'y menait souvent, le jeune homme vivait dans la dissipation : le père s'en apercevant demande avec colère si l'on veut faire de son fils un comédien. « Plût à Dieu! répond le grand-père, qu'il fût aussi bon acteur que Montrose. »

Ce mot frappe le jeune Molière : il prend en dégoût son métier, et la France doit son plus grand comique au hasard de cette réponse. Molière tapissier habile, n'eût jamais été cité parmi les grands hommes de sa nation. »

Helvétius cite vraisemblablement de mémoire. D'où le lapsus : Montrose pour Bellerose, mort en 1670, vedette et puis directeur de l'Hôtel de Bourgogne.

Comme on le verra dans l'acte de baptême, le grand-père, Jean Poquelin, était aussi parrain du petit Jean-Baptiste. Cela ajoute à ce qu'il y a déjà d'attendrissant dans cette belle histoire. Belle histoire qui serait encore plus belle, évidemment, si elle était vraie. Mais hélas, elle ne l'est pas. Du moins rien, strictement rien, n'autorise à la tenir pour vraie. Il est possible qu'on ait mené Jean-Baptiste au spectacle, comme il est possible que l'enfant, et plus tard le jeune homme, se soit attardé souvent, avec ses camarades, devant les tréteaux de bateleurs du Pont-Neuf. Mais la colère du père et la réponse prémonitoire, ou déterminante, du grand-père, sont de pures imaginations.

Pourquoi, alors, s'y attarder?

Parce que l'anecdote, elle aussi, nous braque sur la question essentielle : pourquoi et comment devient-on Molière? Question irritante, inquiétante même, si elle demeure sans réponse. Et elle demeure effectivement sans réponse. La postérité aimerait bien, en somme, que tout cela soit « la faute à pépé ». A son influence, de hasard, on ajoutera celle d'une femme, la terrible et fameuse Madeleine Béjart, surgie à propos pour faire germer la graine. Alors, tout rentre en quelque sorte dans l'ordre rassurant des causes et des effets. Selon sa tournure d'esprit, on peut bénir le bon vieux qui donne un génie au théâtre, ou dénoncer la fascination dangereuse du jupon des comédiennes. De toute façon, on est débarrassé de l'énigme irritante et menaçante que constitue la génération apparemment spontanée du génie, à la fois créateur d'ordre et semeur de désordre, sur une souche qui ne demandait qu'à mûrir, dans le calme et la paix obscurs, les fruits juteux mais sans poisons de sa bourgeoisie.

En toute objectivité, il faut renoncer à ces belles images, et à toutes les variations — qui rempliraient plusieurs volumes gros comme des dictionnaires — des moliéristes sur ces thèmes.

JEAN, TROISIÈME DU PRÉNOM

L'aventure de Jean-Baptiste Poquelin commence comme toutes les aventures humaines : à la mi-janvier de 1622, dans la boutique du tapissier Poquelin, rue Saint-Honoré, au quartier des Halles, à quelques pas du Pont-Neuf, un bébé lance son premier cri. Le père et le grand-père s'épanouissent : ce premier né est un garçon! Il sera donc Jean, troisième du prénom de la lignée Poquelin installée à Paris à la fin du siècle dernier — vers 1590, vraisemblablement. Le lendemain, ou le jour même, on ne sait, Jean Poquelin, parrain et Denise Lescacheux, grand-mère de la mère et marraine, présentent l'enfant au curé de Saint-Eustache.

ACTE DE BAPTÊME

« Du samedi, 15 janvier 1622, fut baptisé Jean, fils de Jean Pouguelin, tapissier, et de Marie Cressé, sa femme, demeurant rue Saint-Honoré; le parrain Jean Pouguelin, porteur de grains; la marraine Denise Lescacheux, veuve de feu Sébastien Asselin, vivant marchand tapissier. »

(Registre d'état-civil de la paroisse de Saint-Eustache)

Jean Poquelin (orthographié ici Pouguelin), parrain de l'enfant, est le grand-père paternel.

Denise Lescacheux, veuve Asselin, est la grand-mère maternelle.

L'orthographe des noms, on vient d'en voir un exemple, n'était pas très rigoureuse sous l'Ancien Régime. Molière, comme son grand-père Jean I, écrit toujours *Poquelin*. C'est cette forme que j'adopte ici. Les autres membres de la famille orthographient le plus souvent *Pocquelin*.

Les Poquelin étaient originaires de Beauvais. C'étaient des bourgeois aisés, des marchands, assumant à l'occasion des charges syndicales et administratives. On connaît un Jean Poquelin, arrière-grand-père de Jean-Baptiste, échevin de la ville en 1566 et 1568. L'un de ses fils — sans doute l'aîné, puisqu'il porte le prénom paternel —, émigra à Paris et s'associa avec le marchand pelletier Tournemine, dont il épousa la fille, Simone, en 1586. Simone mourut en 1590, et les deux enfants issus de ce mariage, Jacqueline et Marie, ne vécurent pas. Le 11 juillet 1594, Jean Poquelin épousa en secondes noces Agnès Mazuel, fille d'un violon du roi.

L'aîné de leurs dix enfants était Jean, deuxième du prénom, né en 1595, et qui devait mourir le 27 février 1669. Ce Jean II ouvrit boutique de marchand-tapissier rue

Saint-Honoré, ayant épousé, en 1621, Marie Cressé.
Ils eurent six enfants :

Jean-Baptiste	1622 - 1673
Louis	1623 - 1633
Jean	1624 - 1660
Marie	1625 - 1630
Nicolas	1627 - 1644
Madeleine	1628 - 1665

Comme on voit, foyer béni du ciel, heureux et actif.
La clientèle et la fortune du tapissier s'étendaient autant
que sa famille. Le 2 avril 1631, Jean acheta (à son frère
Nicolas) la charge de *tapissier ordinaire* du roi. Promotion
sociale, qui supposait et imposait un certain rang, et
certains moyens, mais la charge était lucrative autant
qu'honorifique. Les tapissiers ordinaires étaient, de droit,
valets de chambre. Ils assuraient à tour de rôle un service
au palais : en fait, trois mois par an. Cela leur valait
l'honneur de faire le lit royal, et une rente annuelle de
trois cents livres, augmentée d'une *récompense* de trente
sept livres dix sols, du couvert les jours de service — et,
évidemment, de commandes régulières du roi et des dignitaires de la cour. Cette charge était si lucrative que Nicolas
regretta de l'avoir abandonnée, surtout lorsque Jean
prétendit la rendre héréditaire. On a gardé trace de la
transaction par laquelle Jean dédommagea son frère
Nicolas, en 1637, obtenant, contre versement de trois cents
livres tournois, possession pleine et entière de la charge.
Le 14 décembre 1637, Louis XIII accorda des *lettres de
provision* assurant la survivance au fils aîné, et Jean-
Baptiste, âgé de 15 ans, prêta solennellement serment.

Ce bonheur et cette prospérité furent cependant rude-
ment ébranlés de 1630 à 1633. Le tapissier se retrouva,
veuf, avec quatre enfants.

Jean II était un homme positif, qui n'avait pas de temps
à perdre. D'ailleurs, une femme était nécessaire, au foyer
et dans la boutique. Il épousa, en secondes noces,
le 30 mai 1633, Catherine Fleurette, fille d'Eustache
Fleurette, gros bourgeois de Paris. Catherine lui donna
deux enfants : Catherine, née en 1634, et qui devait se
retirer dans un couvent; et Marguerite, qui ne vécut que
quelques jours. Catherine Fleurette elle-même mourut le
12 novembre 1636.

★

C'est Jean-Baptiste qui nous intéresse en premier lieu, et on peut, je crois, retenir de tout ceci un certain nombre d'éléments qui ont, pour lui, pour son développement humain, une importance évidente.

Il est né et a passé son enfance et sa jeunesse à Paris, en plein cœur de Paris, dans le quartier des Halles, près du Pont-Neuf.

Il a été élevé et éduqué dans un milieu aisé, de franche et solide bourgeoisie; dans un milieu d'artisans à fortes traditions professionnelles et sociales. Milieu fermé, mais famille entreprenante, et en pleine ascension.

Il perd sa mère à l'âge de dix ans et pendant trois ans, le foyer est dirigé par une jeune marâtre.

Des critiques ont tiré de là des conclusions, cherchant dans le milieu familial les modèles des pères autoritaires, abusifs et avares, et des marâtres qui abondent dans l'œuvre.

L'absence totale de documents autobiographiques, et même de documents tout court, impose une grande prudence dans cette recherche des sources. Mais de fait, la mère est un personnage pratiquement inexistant dans le théâtre de Molière, alors que les pères y jouent toujours des rôles importants. Quant aux marâtres, s'il y a l'odieuse femme du *Malade Imaginaire*, il y a aussi la marâtre du *Tartuffe*, alliée très aimée, semble-t-il, des enfants du premier lit. Jean II, ou Jean I, sont-ils les sources d'Harpagon? Ni l'un ni l'autre ne furent des avares, mais tenaces en affaires, ils fournirent certainement des traits qui, élaborés, amplifiés, allaient servir de base vécue à tous les pères bourgeois, positifs, exagérément prudents ou « près de leurs sous » des grandes pièces futures.

L'élément essentiel reste, très certainement, l'absence de la mère : et une absence d'autant plus profondément ressentie que le garçon avait dix ans lorsqu'elle mourut. A dix ans, et surtout à cette époque et dans ce milieu, où l'on mûrissait vite, un enfant a déjà amassé, sinon des souvenirs conscients durables (encore qu'il en ait déjà beaucoup), en tout cas tout un trésor de mémoire inconsciente qui, normalement, doit être le support invisible de son évolution affective. La rupture brusque, par la mort de la mère, crée un état de frustration évident.

L'artiste est un homme qui éprouve, plus que d'autres, le besoin de s'exprimer, et ce besoin irrépressible d'expression résulte toujours d'une blessure profonde. Il va de soi que si cela est nécessaire, ce n'est pas suffisant. Jean-Baptiste Poquelin n'est pas devenu Molière pour la seule raison qu'il perdit sa maman à l'âge de dix ans, mais cette perte, avec le déséquilibre affectif qui en résulte, est l'un des éléments qui, après coup, expliquent la mystérieuse mutation d'un petit tapissier-garnisseur en génie du théâtre.

LES ÉTUDES DE JEAN-BAPTISTE

Grimarest raconte :

« Les parents de Molière l'élevèrent pour être tapissier, et ils le firent recevoir en survivance de la Charge du père dans un âge peu avancé; ils n'épargnèrent aucuns soins pour le mettre en état de la bien exercer : ces bonnes gens n'ayant pas de sentiments qui dussent les engager à destiner leurs enfants à des occupations plus élevées; de sorte qu'il resta dans la boutique jusqu'à l'âge de quatorze ans, et ils se contentèrent de lui faire apprendre à lire et à écrire pour les besoins de sa profession. »

Après l'anecdote sur les visites à l'Hôtel de Bourgogne, en compagnie du grand-père, Grimarest poursuit :

« ...revenant un jour de la Comédie, son père lui demanda pourquoi il était si mélancolique depuis quelque temps? Le jeune Pocquelin ne put tenir contre l'envie qu'il avait de déclarer ses sentiments à son père : il lui avoua franchement qu'il ne pouvait s'accommoder de sa profession; mais qu'il lui ferait un plaisir sensible de le faire étudier. Le grand-père, qui était présent à cet éclaircissement, appuya de bonnes raisons l'inclination de son petit-fils. Le père s'y rendit, et se détermina à l'envoyer au Collège des Jésuites.

Le jeune Pocquelin était né avec de si heureuses dispositions pour les études, qu'en cinq années de temps il fit non seulement ses Humanités, mais encore sa Philosophie. »

C'est, on le voit, la belle histoire qui continue, très logique et, tout compte fait, très vraisemblable. Il est difficile d'en faire la critique serrée. On peut néanmoins se permettre quelques remarques.

Et tout d'abord, qui est réellement ce grand-père providentiel? Tout donne à penser qu'il s'agit de Jean I. Mais on a de sérieuses raisons de croire que Jean I mourut en 1626, alors donc que Jean-Baptiste a quatre ans. S'agirait-il alors du grand-père maternel, Louis Cressé? C'est possible, encore que rien ne prouve que Jean Poquelin soit resté en rapports suivis, après son second mariage, avec la famille de sa première femme.

Ensuite, la remarque un rien dédaigneuse sur les « bonnes gens n'ayant pas de sentiments qui dussent les engager à destiner leurs enfants à des occupations plus élevées » dessine de la famille, et du père, des images fausses. Jean Poquelin n'a rien d'un lettré, mais ce n'est pas davantage un inculte grossier. Il ne faudrait pas l'imaginer plaçant des tentures, retendant des fauteuils et roulant des tapis, en tablier, des outils dans la poche et des clous entre les lèvres. Il est maître-tapissier, patron, et comme les maîtres-tapissiers d'aujourd'hui, il dirige le travail de ses ouvriers, n'intervenant manuellement que pour indiquer une méthode de travail ou ajouter le fini, le détail raffiné qui parachèvera. Dans son office de valet de chambre, de même, il paraît au Louvre flanqué de deux valets. Il désire certainement que son fils aîné lui succède, dans la boutique comme au palais, mais il a de l'ambition. Il n'est pas homme à s'installer, même dans l'aisance. S'il a fait donner une instruction élémentaire à son fils à domicile, plutôt que de l'envoyer à l'école de quelque maître à écrire du quartier, il est peu probable que ce soit par dédain ou ignorance de la valeur de l'instruction : je pencherais plutôt à croire que ce serait par fierté, par souci de tenir son rang. D'ailleurs, quand on examine le plan d'études des collèges jésuites de l'époque, (ils s'apparentent à celui que décrit Rabelais dans *Gargantua*) on conçoit qu'un jeune homme, si heureuses que soient ses dispositions natives pour les études, n'aurait pu l'aborder avec le seul bagage du « lire et écrire pour les besoins de sa profession ».

Une tradition veut d'ailleurs que Pinel, le précepteur de Jean-Baptiste, ait été un latiniste distingué. Comme la tradition a de l'imagination, et le sens des effets dramatiques, elle ajoute que c'était un savant dégradé par le vin et travaillé par la passion du théâtre. Elle le veut souffleur à l'Hôtel de Bourgogne. Quand, âgé de vingt ans, Jean-Baptiste se lance dans l'aventure, dans le sillage de Madeleine Béjart, c'est Pinel que, toujours selon la tradition, Jean Poquelin charge de parler raison au jeune homme et, coup de théâtre bien amené, loin de convaincre le jeune homme de renoncer à sa folie, Pinel se laisse convaincre par lui de l'accompagner. Effectivement, on

trouve un Pinel dans la première troupe de Molière...
Est-ce le même?

Un fait, donc, semble établi : Jean-Baptiste reçut une
instruction élémentaire qui lui permit de suivre les
cours réguliers du collège de Clermont, plus tard lycée
Louis-le-Grand, situé rue Saint-Jacques.

C'était un établissement très important — 1 800 élèves —,
fréquenté par la noblesse et la haute bourgeoisie. Il n'y
avait cependant pas de rapports possibles entre les élèves
nobles et les «non-nés» : dans les salles de classes, une balus-
trade dorée les séparait. Légende pure donc que l'amitié
de Jean-Baptiste avec le prince de Conti (le frère du
Grand Condé) qui allait devenir plus tard son protecteur.
D'ailleurs, Conti était de sept ans plus jeune que Jean-
Baptiste.

Pour les non-nés, l'admission au collège de Clermont
constituait un privilège, et une épreuve. Chez eux, dans
leur rue, dans leur quartier, ils étaient de petits personnages, fils de leur papa. A l'école, ils se retrouvaient au
fond des classes, prolétariat anonyme, toujours supplantés
par les élèves « du haut », qui arrivaient en carrosse et que
des laquais en livrée installaient respectueusement dans un
fauteuil surélevé. C'était dans l'ordre, un ordre qui ne se
discutait pas — mais qui blessait peut-être certaines natures.

L'amitié avec Conti est donc une légende. Par contre,
Jean-Baptiste a pu se lier, dès cette époque, avec quelques
élèves de son âge et de son rang qui devaient rester, plus
ou moins longtemps, ses amis : Chapelle le gai lurron,
fils naturel du conseiller Luiller, Bernier qui allait faire
des voyages fameux en Extrême-Orient, Jean Hesnaut, le
libertin, et peut-être aussi Cyrano de Bergerac (encore que
celui-ci soit de trois ans l'aîné de Jean-Baptiste : au XVIIᵉ
siècle les « grands » de dix-huit ans ne devaient pas
copiner plus volontiers qu'aujourd'hui avec les « petits »
de quinze).

Selon Grimarest, Jean-Baptiste avait quatorze ans
lorsqu'il entra au collège de Clermont et il y demeura
cinq ans (humanités et philosophie). Cela se situerait
donc entre 1636 et 1640. Certains biographes distendent
— mais sans raisons bien déterminantes — cette scolarité
de 1632 à 1640.

En 1640, et 1641, Jean-Baptiste hante le petit cercle
libertin — cela signifie plus ou moins libre-penseur —,

qui se réunit chez Chapelle et où on retrouve Hesnaut, Bernier, Cyrano de Bergerac et La Mothe le Vayer. La légende dit que le groupe se réunissait autour du philosophe Gassendi. Jean-Baptiste aurait donc subi, vers sa dix-huitième année, c'est-à-dire à un moment crucial de sa formation morale et spirituelle, de fortes influences matérialistes et libertines, combattant les bonnes influences des régents jésuites du collège. Ce sont évidemment les adversaires de Molière, ceux qui le tiennent pour un impie, pour un contempteur des pures et saines valeurs chrétiennes, qui insistent sur cet épisode des années de formation. Quand un jeune homme « tourne mal », au jugement des bien-pensants de toutes les époques, ces bien-pensants cherchent toujours la mauvaise femme et les mauvais compagnons, auxquels ils prêtent — assez illogiquement peut-être — le pouvoir de défaire en un tournemain tout ce qu'avait fait la bonne éducation traditionnelle.

L'influence directe de Gassendi semble bien être une légende de plus. Pierre Gassend, dit Gassendi (1592-1655) se trouvait vraisemblablement aux Pays-Bas en 1640-41, et était en tout cas absent de Paris.

Les réunions chez Chapelle, dans l'hôtel du conseiller Luiller, perdent, dès lors, le caractère sinon scolaire du moins d'écolage, qu'on leur prêtait en y plaçant un maître adulte et célèbre, poursuivant systématiquement la formation de jeunes esprits devant perpétuer l'œuvre diabolique de destruction engagée par lui depuis vingt-cinq ans. On est sans doute plus près de la vérité en imaginant une réunion d'amis de collège, très gais, tous taquinant plus ou moins la muse et se libérant, en discussions passionnées et audacieuses, de la lourde férule des professeurs du collège. Avec des nuances, cela est de tous les temps. Mais le fait est que Jean-Baptiste entreprit une traduction de Lucrèce, en collaboration avec Jean Hesnaut. Ces jeunes gens allaient évidemment au théâtre, où un astre nouveau montait depuis quelques années : Pierre Corneille, dont *Le Cid* avait été créé en 1636.

COMMENT ON DEVENAIT AVOCAT

Molière fit-il des études de droit? devint-il avocat? La tradition l'affirme, mais n'en avance aucune preuve.

Il n'y a pas davantage de preuves du contraire. On a cru trouver cette preuve du contraire dans la chronologie. Puisque Jean-Baptiste achève sa philosophie en 1640 et que, dès 1642, on le trouve occupé de tout autre chose, quand aurait-il eu le temps de les faire, ces études? En 1641, il se trouve à Paris, et c'est la même année qu'il aurait été reçu docteur en droit à l'Université d'Orléans!

Si on tient à ce que Molière ait été avocat, pour expliquer la connaissance de la chicane qui s'affirme dans tant de ses œuvres, l'argument chronologique ne prouve ni n'empêche rien. Jean-Baptiste n'a pas eu le temps de faire des études de droit, mais papa Poquelin était assez riche pour lui procurer néanmoins un diplôme de docteur. Un certain désordre régnait, en effet, dans l'Université du temps. Voici comment Charles Perrault, l'auteur des *Contes de ma Mère l'Oye*, le metteur à feu de la *Querelle des Anciens et des Modernes*, devint docteur en droit, une dizaine d'années plus tard.

« Au mois de juillet de l'année 1651, j'allais prendre des licences à Orléans avec M. Varet, depuis grand vicaire de Mgr l'archevêque de Sens, et avec M. Monjot qui vit encore. On n'était pas en ce temps-là si difficile qu'aujourd'hui à donner des licences ni les autres degrés du droit civil et canonique. Dès le soir même que nous arrivâmes, il nous prit fantaisie de nous faire recevoir, et ayant heurté à la porte des écoles sur les dix heures du soir, un valet qui vint nous parler à la fenêtre ayant su ce que nous souhaitions nous demanda si notre argent était prêt. Sur quoi, ayant répondu que nous l'avions sur nous, il nous fit entrer et alla réveiller les docteurs qui vinrent, au nombre de trois, nous interroger avec leur bonnet de nuit sous leur bonnet carré. En regardant ces trois docteurs à la faible lueur d'une chandelle, dont la lumière allait se perdre dans l'épaisse obscurité des voûtes du lieu où nous étions, je m'imaginais voir Minos, Aeacus et Rhadamante qui venaient interroger des ombres.

Un de nous à qui l'on fit une question dont il ne me souvient pas, répondit hardiment : *Matrimonium est legitima maris et fœmine conjunctio, individuam vitae consuetudinem continens,* et dit sur ce sujet une infinité de belles choses qu'il avait apprises par cœur. On lui fit encore une question sur laquelle il ne répondit rien qui vaille. Les deux autres furent ensuite interrogés et ne firent pas beaucoup mieux que le premier. Cependant ces trois docteurs nous dirent qu'il y avait plus de deux ans qu'ils n'en avaient interrogé de si habiles et qui en sussent autant que nous. Je crois que le son de notre argent que l'on comptait derrière nous, pendant que l'on nous interrogeait, fit la bonté de nos réponses. Le lendemain, après avoir vu l'église de Sainte-Croix, la figure de bronze de la Pucelle qui est sur le pont, et un grand nombre de boiteux et de boiteuses parmi la ville, nous reprîmes le chemin de Paris. Le 27 du même mois, nous fûmes reçus tous trois avocats. »

LE VOYAGE A NARBONNE
AVRIL A JUILLET 1642

Et voici l'un des plus beaux, des plus profonds mystères, de la vie de Jean-Baptiste Poquelin, qui va prendre bientôt le nom de Molière et, comme une chrysalide pour sa métamorphose, se cachera, pendant douze ans, au fond de la province, pour revenir soudain à Paris étant Molière en effet.

Le mystère du voyage à Narbonne est beau, profond : rien, strictement rien, n'y est assuré — ni le moment exact, ni les causes, ni les objectifs, ni les circonstances — ce qui impose et permet des suppositions infinies.

Grimarest raconte :

« Quand Molière eut achevé ses études, il fut obligé, à cause du grand âge de son père, d'exercer sa Charge pendant quelque temps; et même il fit le voyage de Narbonne à la suite de Louis XIII. »

Le voyage de Narbonne, c'est celui qu'entreprirent Louis XIII, Richelieu et la Cour, pour aller rétablir, dans le sud, une situation que Gaston d'Orléans, éternel conspirateur, avait une fois encore envenimée, et assez gravement cette fois. Cette deuxième grande entreprise de Gaston (la première datait de 1632) est connue dans l'histoire sous le nom de *Conspiration de Cinq-Mars*. Le jeune Cinq-Mars (il avait vingt-deux ans), favori de Louis XIII, mais haïssant Richelieu, était entré dans les vues de Gaston et avait bel et bien fait alliance avec l'Espagne, contre son pays. Arrêté le 13 juin, à Narbonne même, Cinq-Mars, et son ami de Thou furent exécutés, cependant que Gaston s'entendait dire, sans sourciller, par Richelieu, cette parole historique et peut-être exacte, car Armand Duplessis avait du style et du panache : « Je vous alloue pour pension, la somme que le roi d'Espagne vous promettait pour prix de votre trahison ! »

Des biographes racontent que Cinq-Mars, traqué par la police, fut recueilli et caché, un moment, au château même où résidait la cour, par un valet de chambre. De là à décider que ce valet de chambre se prénommait Jean-Baptiste, il n'y a qu'un pas qui ne coûte rien.

Ce qui ne semble nullement apocryphe, c'est que Jean-Baptiste, survivancier de la charge paternelle depuis 1637, ait pris la place de Jean Poquelin dans la suite domestique du roi.

Pourquoi?

Le « grand âge » de Jean II, invoqué par Grimarest? Le père Poquelin avait quarante-sept ans! On vieillissait plus vite sous l'Ancien Régime, paraît-il, mais tout de même... Et Jean II était un gaillard solide, qui allait vivre jusqu'à sa soixante-quatorzième année, sans infirmités ni maladies graves. Jean II ne semble pas homme à se faire remplacer par son fils, dans une charge qui lui tient à cœur, pour un rhume ou une rage de dents.

Il n'y a d'autres explications possibles :

Jean-Baptiste n'ayant pas de goût pour le métier, le père lui impose cette manière de stage.

Jean-Baptiste devant succéder à son père, celui-ci l'envoie en voyage à sa place, parce que les occasions de rencontres intéressantes, avec le roi et les grands de la cour, s'offrent plus nombreuses dans le désordre des déplacements.

Jean-Baptiste avait des raisons personnelles de se rendre à Narbonne avec la cour, et a demandé à remplacer son père. Le père a accepté, pour l'une des raisons ci-dessus, ou peut-être pour les deux à la fois.

Que de suppositions! Et puis, ce voyage a-t-il tant d'importance?

En ce qui concerne le petit jeu des suppositions auquel je me livre, je dirai une fois pour toutes qu'il serait évidemment plus logique, et plus facile, de n'inclure dans le dossier que des pièces authentiques et établissant les faits avec une clarté scientifique. Mais nous ne possédons pas de telles pièces. Nous ramassons des bribes, des morceaux, des échos, des allusions, là où nous les trouvons. Supposer devient alors à la fois une nécessité, et une forme de prudence.

Quant à l'importance du voyage... Un seul fait, déjà, suffirait à l'assurer : la naissance, en février 1643, d'une petite fille : Menou, Armande, que Molière épousera exactement vingt ans plus tard. Si cette petite fille est bien, comme on a de sérieuses raisons de le croire, l'enfant de

Madeleine Béjart, et puisque Madeleine Béjart faisait partie de la troupe qui donna la comédie au roi et à la cour pendant le voyage de Narbonne, il est assez important de savoir — juin 1642 - février 1643 : comptez sur vos doigts —, si Jean-Baptiste se trouvait dans la région, s'il connaissait Madeleine, s'il l'a rencontrée, s'ils étaient amants et si Madeleine avait à cette époque un autre amant. On a accusé publiquement Molière d'avoir épousé sa propre fille!

Revenons à nos suppositions.

Elles sont toutes également plausibles.

Jean-Baptiste n'a certainement plus aucun goût, ni pour la tapisserie, ni pour la charge de valet de chambre. Le garçon qui, le 3 janvier 1643, réclame à son père cinq mille livres d'héritage de sa mère; qui, le 6 janvier, renonce officiellement à la survivance de charge et, le 30 juin, rompt définitivement avec son milieu et la carrière qu'on lui a préparée en signant le contrat d'association d'une troupe de théâtre, pensait déjà au théâtre, et hantait les milieux du théâtre, un an auparavant. Il est tout aussi raisonnable de penser que le père était informé des goûts et projets — ou rêves — de son fils. La famille Béjart étant, massivement, présente dans la troupe fondée en 1643, tout donne à penser que Jean-Baptiste la connaissait dès 1642. On ne sait rien des allées et venues de Madeleine Béjart entre le début de 1639 — moment de la rupture de sa liaison avec le comte de Modène —, et juin 1643, moment où elle signe aussi le contrat, sauf qu'elle se trouvait à Paris en juin 1640, et qu'elle joua devant le roi et la cour en juin 1642. Elle habitait rue Saint-Honoré, à quelques pas de la boutique de Jean Poquelin.

Pourquoi Jean-Baptiste se joignit-il à la suite royale? Très certainement parce que son père le voulait, peut-être aussi parce que Jean-Baptiste désirait revoir Madeleine.

A-t-il réellement rencontré Madeleine à Montfrin? Madeleine avait-elle, peu avant, revu Modène, en disgrâce, impliqué dans la conjuration que Richelieu liquidait?

Tallemant des Réaux, grand ramasseur de ragots, et qui en appréciait le piquant plus que l'exactitude, note dans ses *Historiettes*, rédigées à partir de 1657 :

« Je n'ai jamais vu jouer la Béjart; mais on dit que c'est la meilleure actrice de toutes. Elle est dans une troupe de campagne;

elle a joué à Paris, mais ç'a été dans une troisième troupe, qui n'y fut que quelque temps...

Un garçon nommé Molière quitta les bancs de la Sorbonne pour la suivre; il en fut longtemps amoureux, donnait des avis à la troupe, et enfin s'en mit et l'épousa. »

Il écrit avant le retour de Molière à Paris, en 1658, et rapporte des bourdes : Jean-Baptiste n'est jamais allé à la Sorbonne et n'a jamais épousé Madeleine. La « troupe de campagne » est celle de Molière. La « troisième » troupe parisienne était l'Illustre Théâtre. L'anecdote indique pourtant quelque chose : qu'il était de notoriété que la liaison avec Madeleine avait précédé la fondation de cet Illustre Théâtre.

On peut creuser davantage les suppositions (on y reviendra au sujet du mariage de Molière) mais on ne sait, de science sûre, rien de plus. Par définition, les beaux mystères demeurent entiers !

Ce mystère entier, Grimarest le formule fort bien, à sa façon, qui écrit en 1705, à une époque où Molière est déjà devenu une grande ombre sacrée, où il y a encore des survivants de ses aventures, et où le Soleil déclinant de Versailles impose un peu de prude prudence aux mémorialistes :

« Molière, en formant sa troupe, lia une forte amitié avec la Béjart, qui, avant qu'elle le connût, avait eu une petite fille de M. de Modène, gentilhomme d'Avignon, avec qui j'ai su, par des témoignages très assurés, que la mère avait contracté un mariage caché. Cette petite fille, accoutumée avec Molière qu'elle voyait continuellement, l'appela son mari dès qu'elle sut parler; et à mesure qu'elle croissait, ce nom déplaisait moins à Molière; mais cela ne paraissait à personne tirer à aucune conséquence. La mère ne pensait à rien moins qu'à ce qui arriva dans la suite; et, occupée seulement de l'amitié qu'elle avait pour son prétendu gendre, elle ne voyait rien qui dût lui faire faire des réflexions. »

LA TRIBU BÉJART

Le contrat d'association de 1643, acte décisif, par lequel Jean-Baptiste épouse son destin, coupant tous les ponts derrière lui, est signé par douze aspirants-comédiens, parmi lesquels on relève trois Béjart, et par Marie Hervé, qui est la mère de ces Béjart. L'acte est d'ailleurs rédigé, par notaire, dans la maison de Marie Hervé.

Les Béjart sont :
Joseph   (1616 - 1659)
Madeleine (1618 - 1672)
Geneviève (1624 - 1675).

Un quatrième Béjart, Louis (1630-1678) rejoindra le groupe plus tard.

Les Béjart jouent donc un rôle assez important dans la vie de Molière. Qui étaient-ils?

Une famille de très modestes petits bourgeois, mais qui ne se résignait visiblement pas à cette modestie et s'efforçait de « monter » par tous les moyens.

Marie Hervé eut au moins dix enfants de son mari, Joseph Béjart, dont on ne sait rien, sinon qu'il fut huissier à l'administration des eaux et forêts, et qu'il mourut en 1643 ou 1641 (voir plus loin, *Mariage de Molière*). Un faible, un pauvre type, qui ne faisait pas le poids devant sa femme, forte nature, entreprenante, décidée et peu regardante quant à la moralité des voies et moyens. Elle ne fut sans doute pas l'entremetteuse que des biographes trop sévères ont voulu voir en elle, mais elle n'en admettait pas moins que ses filles exploitent à bon escient le capital de charmes que la nature pouvait leur avoir donné...

A l'âge de dix-huit ans, la fille aînée, Madeleine, est « émancipée d'âge » et achète une petite maison rue de Thorigny, non loin du Théâtre du Marais, où elle joue les petits rôles (on remarquera, dans le contrat cité plus loin, que Jean-Baptiste se déclare domicilié rue de Thorigny). La même année, 1636, elle adresse un quatrain à Rotrou, qui l'imprime en exergue à sa pièce *Hercule mourant*. La belle rousse avait donc des lettres, de l'esprit, et un grand nombre de témoignages concordent pour lui prêter aussi du talent. Tous les témoignages concordent aussi pour dire ou suggérer qu'elle « versa dans la galanterie », et des pamphlets, plus tard, devaient pousser loin la suggestion. Une mise au point s'impose donc.

Dès l'âge de dix-huit ans, Madeleine vécut dans le monde très corrompu du spectacle. Elle fut « remarquée » par le comte de Modène, qui la « protégea » pendant trois ans, et eut d'elle une fille (Françoise, née le 3 juillet 1638) et peut-être deux (Armande?). Ce Modène était évidemment marié, mais sa femme, Marguerite de la Baume de la Suze (veuve du maréchal de Lavardin) était son aînée de vingt ans et résidait à demeure dans son château du Maine. Le comte menait joyeuse vie à Paris, avec son ami et complice Gaston d'Orléans. Gaston « protégeait » aussi une comédienne : la de Villiers, du Théâtre du Marais, elle aussi.

En 1639, Modène, impliqué dans une conspiration (on conspire terriblement, à cette époque!) avec le duc de Guise et le comte de Soissons, quitte Paris, et en profite pour rompre avec sa maîtresse. Madeleine, à ce moment, rappelons-le, habite rue Saint-Honoré.

Madeleine n'est pas une courtisane, ni même une fille facile. Elle « joue le jeu », sans scrupules. Il y a quelque vraisemblance dans la légende — sans preuves, évidemment — selon laquelle Marie Hervé aurait vivement reproché à sa fille son amourette avec le jeune Poquelin : ce n'était pas là l'amant pouvant assurer l'avenir!

Les autres Béjart, ayant eu un rôle moins important, nous sont moins connus.

Joseph, l'aîné (du moins des survivants de la progéniture nombreuse de Marie Cressé) se peint dans le titre d'un livre qu'il publia, et dans une phrase qu'il prononça un soir en sortant de scène.

Le livre s'intitule : *Recueil des titres, qualités, blasons et armes des seigneurs barons des États de Languedoc tenus en 1654*, et est dédié au prince de Conti.

Ce n'était sans doute pas l'ouvrage de sa vie, mais un travail commandé, pour honorer les seigneurs qui protégeaient la troupe (Molière, on le verra plus loin, joua régulièrement pour les États Généraux du Languedoc, et fut protégé par Conti). Mais qu'on le lui ait commandé suppose qu'il avait une certaine compétence dans la science si complexe du blason et de la généalogie.

Le mot historique peint le comédien, et est cité, aujourd'hui encore, dans les théâtres, comme la plus belle expression de la conscience professionnelle du comédien : « On crève, mais on finit son rôle ».

Joseph mourut le 25 mai 1659, au soir d'une représentation. Il était, paraît-il, bègue, mais perdait ce défaut dès qu'il entrait en scène.

Geneviève, qui jouait sous le nom de Mlle Hervé, nous est la moins connue de tous les Béjart. Elle était moins jolie, moins brillante, moins piquante que sa volcanique sœur Madeleine, et vécut dans son ombre. Admirative ou envieuse? On dit qu'elle était plus utile — dans la troupe

itinérante et puis, à Paris, au Petit-Bourbon et au Palais-
Royal — dans les loges et les coulisses que sur la scène,
où elle ne pouvait tenir que les rôles secondaires. Elle
copiait les brochures, veillait aux costumes, etc. On a dit
aussi qu'elle eut des bontés, comme toutes les comédiennes
de la troupe, pour Jean-Baptiste devenu le patron. Mais
on dit tant de choses...

Louis Béjart (qui n'a que treize ans au moment du
contrat, et rejoint ses aînés quatre ou cinq ans plus tard)
était, lui, boiteux. Et c'est pourquoi il y a des boiteux dans
les pièces de Molière. Son infirmité s'aggravera en 1668,
des suites d'un coup d'épée, reçu au cours d'une rixe, dans
la jambe déjà faible. Il prendra sa retraite en 1670 et
mourra en 1678.

L'ILLUSTRE THÉÂTRE

En 1643, les Béjart avaient peu d'argent, beaucoup
d'ambition et un goût prononcé pour le théâtre. Quelques
amis, parmi lesquels Jean-Baptiste Poquelin, se joignent
à eux, et ils fondent une troupe.

Grimarest présente les choses ainsi :

« C'était assez la coutume dans ce temps-là de représenter
des pièces entre amis; quelques Bourgeois de Paris formèrent
une troupe dont Molière était; ils jouèrent plusieurs fois pour
se divertir. Mais ces Bourgeois, ayant suffisamment rempli
leur plaisir, et s'imaginant être de bons acteurs, s'avisèrent
de tirer du profit de leurs représentations. Ils pensèrent bien
sérieusement aux moyens d'exécuter leur dessein; et, après
avoir pris toutes leurs mesures, ils s'établirent dans le jeu de
paume de la Croix-Blanche, au faubourg Saint-Germain. Ce fut
alors que Molière prit le nom qu'il a toujours porté depuis.
Mais lorsqu'on lui a demandé ce qui l'avait engagé à prendre
celui-là plutôt qu'un autre, jamais il n'en a voulu dire la raison,
même à ses meilleurs amis.

L'établissement de cette nouvelle troupe de comédiens
n'eut point de succès, parce qu'ils ne voulurent point suivre les
avis de Molière, qui avait le discernement et les vues beaucoup
plus justes que des gens qui n'avaient pas été cultivés avec
autant de soins que lui. »

On reviendra au choix du nom de Molière.

Jean-Baptiste, mieux préparé, et dont on n'écoute pas
les conseils, ce qui provoque l'échec : c'est toujours la belle
histoire, où le génie a du génie dès le berceau, et où les
échecs de jeunesse sont toujours dus aux autres.

Ce qu'on peut retenir du texte, c'est, sinon le fait, du moins la thèse d'un groupe d'amis faisant du théâtre en amateurs et décidant de sauter le pas.

Le saut est radical et pénible. Jean-Baptiste, au début de l'année, force son père à lui verser les cinq mille livres d'héritage de sa mère, que Jean Poquelin ne « lâche » qu'à contre cœur. La thèse du père avare, tentant de capter l'héritage de ses enfants — et par conséquent la thèse de Jean II modèle d'Harpagon et des pères abusifs du théâtre de Molière — vient pour une bonne part de là. Mais on peut tout aussi valablement supposer que Jean II, effrayé par la décision de son fils, use de tous les moyens de persuasion et de pression pour « sauver les meubles ».

Du côté Béjart, l'effort n'est pas moins radical : Marie Hervé hypothèque au maximum sa maison de la rue de la Perle.

Que Jean-Baptiste mise aussi audacieusement tout son avoir dans l'aventure qui commence n'étonne pas trop : il a vingt et un ans, il aime le théâtre, avec Madeleine il ira au bout du monde arracher la gloire aux dragons. Du côté Béjart, et surtout du côté Marie Hervé, l'audace de l'engagement surprend davantage. Miser tout le petit bien si péniblement acquis sur un rêve est un acte difficilement explicable. A moins que l'homme de tête de la bande soit, non pas Jean-Baptiste, mais Madeleine ; à moins que l'aventure qui commence soit, non pas l'aventure de Jean-Baptiste, où Madeleine le suit par amour (mais les autres, pourquoi ?) ; mais bien l'aventure de Madeleine qui, sûre de son talent, de son charme, de son métier, de ses projets, et l'âme ravivée par la présence d'un amant jeune, enthousiaste, frais, décide de tenter sa chance.

Tout le monde ne voit pas les choses sous cet aspect. En 1670, le grand ennemi de Molière, Le Boulanger de Chalussay, publie *Élomire hypocondre*, pamphlet cinglant en forme de pièce de théâtre, d'une injustice flagrante et d'une méchanceté évidente. Toute l'histoire de Molière y est racontée au pire. Mais comme toutes les œuvres de haine, celle-ci repose sur du vrai. Dégager le vrai du faux nous est impossible. Il faut citer, en faisant des réserves. On en fait aussi pour Grimarest, après tout.

Voici la genèse de l'Illustre Théâtre, telle que Le

Boulanger de Chalussay la fait raconter par Élomire (anagramme de Molière) :

« Me voyant sans emploi, je songe où je pouvais
Bien servir mon pays des talents que j'avais.
Mais ne voyant point où, que dans la comédie
Pour qui je me sentais un merveilleux génie,
Je formai le dessein de faire en ce métier
Ce qu'on n'avait point vu depuis un siècle entier,
C'est-à-dire en un mot, ces fameuses merveilles
Dont je charme aujourd'hui les yeux et les oreilles. »

Quant au recrutement des compagnons d'aventure :

« Ayant donc résolu de suivre cette route,
Je cherchai des acteurs qui fussent comme moi
Capables d'exercer dans un si grand emploi ;
Mais, me voyant sifflé par les gens de mérite
Et ne pouvant former une troupe d'élite,
Je me vis obligé de prendre un tas de gueux,
Dont le mieux fait était bègue, borgne ou boiteux.
Pour des femmes, j'eusse eu les plus belles du monde,
Mais le même refus de la brune et la blonde
Me jeta sur la rousse, où malgré le gousset,
Grâce aux poudres d'alun, je me vis satisfait. »

Gousset : creux de l'aisselle, nous apprend le dictionnaire !

Tout cela, on le voit, est d'un goût des plus discutables. Si Grimarest infléchit sa relation pour tout ennoblir, Le Boulanger de Chalussay fait flèche de tout bois pour tout salir. Mais en la circonstance, ils racontent à peu près la même histoire.

Une jeune troupe

Le 30 juin 1643, les candidats comédiens se réunirent donc, chez Marie Hervé, rue de la Perle, autour d'un notaire flanqué de son clerc, et mirent leur signature au bas du contrat qui les lierait désormais. Le nom choisi pour la troupe, *L'Illustre Théâtre*, indique qu'ils étaient jeunes, confiants, naïfs un peu. Voici leur texte :

CONTRAT D'ASSOCIATION DES COMÉDIENS DE L'ILLUSTRE THÉÂTRE

« Furent présents en leurs personnes : Denis Beys, Germain Clerin, Jean-Baptiste Poquelin, Joseph Béjart, Nicolas Bonenfant, Georges Pinel, Magdelaine Béjart, Magdelaine Malingre, Catherine de Surlis et Geneviève Béjart, tous demeurant savoir : Ledit Beïs rue de la Perle, paroisse Saint-Gervais ; ledit

Clerin rue Saint-Antoine, paroisse Saint-Paul; ledit Poquelin rue de Thorigny, paroisse susdite; lesdits Béjart, Magdelaine et Geneviefve Béjart, en ladite rue de la Perle en la maison de madame leur mère, paroisse susdite; ledit Bonnenfant en ladite rue Saint-Paul; ledit Pinel rue Jean-de-Lespine, paroisse Saint-Jean-en-Grève; ladite Magdelaine Malingre, Vieille-Rue-du-Temple, paroisse Saint-Jean-en-Grève; et ladite de Surlis, rue de Poictou, paroisse Saint-Nicolas-des-Champs;

Lesquels ont fait et accordé volontairement entre eux les articles qui ensuivent, sous lesquels ils s'unissent et se lient ensemble pour l'exercice de la comédie, afin de conservation de leur troupe sous le titre de l'Illustre Théâtre; c'est à savoir :

Que, pour n'ôter la liberté raisonnable à personne d'entre eux, aucun ne pourra se retirer de la troupe sans en avertir quatre mois auparavant, comme pareillement la troupe n'en pourra congédier aucun sans lui en donner avis les quatre mois auparavant.

Item que les pièces nouvelles de théâtre qui viendront à la troupe seront disposées sans contredit par les auteurs, sans qu'aucun puisse se plaindre du rôle qui lui sera donné; que les pièces qui seront imprimées, si l'auteur n'en dispose, seront disposées par la troupe même à la pluralité des voix, si l'on ne s'arrête à l'accord qui en est pour ce fait envers lesdits Clerin, Pocquelin et Joseph Béjart, qui doivent choisir alternativement les héros, sans préjudice de la prérogative que tous les susdits accordent à ladite Magdelaine Béjart de choisir le rôle qui lui plaira.

Item que toutes les choses qui concerneront leur théâtre et les affaires qui surviendront, tant de celles que l'on prévoit que de celles qu'on ne prévoit point, la troupe les décidera à la pluralité des voix, sans que personne d'entre eux y puisse contredire.

Item que ceux ou celles qui sortiront de la troupe à l'amiable, suivant ladite clause des quatre mois, tireront leurs parts contingentes de tous les frais, décorations et autres choses généralement quelconques qui auront été faites depuis le jour qu'ils seront entrés dans ladite troupe jusque à leur sortie, selon l'appréciation de leur valeur présente qui sera faite par des gens experts dont tous conviendront ensemble.

Item ceux qui sortiront de la troupe pour vouloir des choses qu'elle ne voudra, ou que ladite troupe sera obligée de mettre dehors faute de faire leur devoir, en ce cas ils ne pourront prétendre à aucun partage et dédommagement des frais communs.

Item que ceux ou celles qui sortiront de la troupe et malicieusement ne voudront suivre aucun des articles présents seront obligés à tous les dédommagements des frais de ladite troupe et pour cet effet seront hypothéqués leurs équipages

tesse: Aga' Voila Gaultier Cocu de toutes farces
mots: Voila fracasse aussy filou roy des Escros:
uplesse Et Turlupin encor: ce Maquignon de farces
us sots Touts trois ne vallent pas vng Guillaumde G

Gros Guillaume, personnage à succès des farces qui
triomphaient au Théâtre de l'Hôtel de Bourgogne. A droite, ses
compères·Gaultier Garguille, le capitaine Fracasse et Turlupin.

Une tr

comédiens italiens en tournée à Paris à la fin du XVIe siècle.

La comédie italienne vue par le peintre Nicolas Lancret.

et généralement tous et chacun leurs biens présents et à venir en quelque lieu et en quelque temps qu'ils puissent être trouvés.

À l'entretènement duquel article toutes les parties s'obligent comme s'ils étaient majeurs pour la nécessité de la société contractée par tous les articles ci-dessus.

Et de plus il a été accordé entre tous les dessus dits que, si aucun d'eux voulait auparavant qu'ils commenceront à monter leur théâtre se retirer de ladite société, qu'il sera tenu de bailler et payer au profit des autres de la troupe la somme de trois mille livres tournois pour les dédommager incontinent et dès qu'il se sera retiré de ladite troupe, sans que ladite somme puisse être censée peine comminatoire. Car ainsi a été accordé entre lesdites parties promettant, obligeant chacun.

Fait et passé à Paris, en la présence de noble homme André Mareschal, avocat en Parlement, Marie Hervé, veuve de feu Joseph Béjart, vivant bourgeois de Paris, mère desdits Béjart, et Françoise Lesguillon, femme d'Étienne de Surlis, bourgeois de Paris, père et mère de ladite de Surlis, en la maison de ladite veuve Béjart devant déclarée. L'an mil six cent quarante-trois le trentième et dernier jour de juin après-midi, et ont tous signé les présentes sujettes au scel sous les peines de l'édit.

Beys,	G. Clerin,
Jean-Baptiste Poquelin,	J. Béjart,
Bonnenfant,	George Pinel,
M. Béiart,	Magdale Malingre,
Geneviefve Béjart,	Catherine Desurlis,
A. Mareschal,	Marie Hervé,
Françoise Lesguillon,	
Duchesne, (*notaire*)	Fieffé. (*notaire*) »

★

On connaît Jean-Baptiste Poquelin, Madeleine, Geneviève et Joseph Béjart, et Marie Hervé. Qui sont les autres? On les connaît mal, mais ils ne semblent pas être des « Bourgeois de Paris » jouant pour se divertir. On s'est même demandé s'ils n'auraient pas été — les trois Béjart y compris — les débris d'une autre troupe en faillite, décidant d'affronter à nouveau la chance avec les armes de l'expérience (ce qui expliquerait les clauses si fermes du contrat) et de l'argent frais obtenu de Marie Hervé et de ce bon jeune homme de Jean-Baptiste?

Beys : Il s'agit de Denis Bey. On connaît un autre Beys, qui signait Charles. Poète et ivrogne, auteur de quelques comédies. Embastillé en 1639 pour avoir brocardé Richelieu avec trop de verve. Ami de Scarron. Denis et Charles ne sont pas, comme on l'a longtemps cru, un seul et même homme, mais des frères. Denis quitta Molière en 1645.

Bonnenfant : Prénommé Nicolas. Orphelin de père. Sa mère s'était remariée avec un artisan et avait placé son fils, adolescent, comme clerc (coursier?) chez un procureur. Le garçon fit au moins deux fugues. Se faisait appeler *sieur de Croizac*. Quitta Molière en 1644.

G. Clerin : Germain. Frère d'une comédienne du Marais.

George Pinel : Il se disait « maître écrivain ». Ami du père Poquelin. Son débiteur, en tout cas. Ivrogne et latiniste? Souffleur au Marais? Précepteur de Jean-Baptiste? Fidèle à Molière jusqu'en 1645.

Magdale Malingre : Madeleine, mais Magdale sonnait mieux, pour un nom de théâtre. Fille d'un menuisier, voisin de quartier des Poquelin et des Béjart.

Catherine de Surlis : Fille d'un commis au greffe du conseil privé du roi. Son frère sera plus tard, comme elle-même, de la troupe du Marais, et sa sœur épousera le comédien Brécourt. On écrit aussi Catherine des Urlis.

Enfants « de famille » se prenant au jeu? Il ne semble pas. Gueux ramassés dans le ruisseau? Pas davantage. Il faut se rabattre, je crois, sur une opinion plus nuancée et une situation plus banale. Il y a, à cette époque — on en parlera dans le chapitre suivant — un renouveau du théâtre, et l'enthousiasme a touché les couches jeunes de la population. Ces jeunes gens d'extraction modeste rêvent d'une carrière sortant de l'ordinaire. Ils sont liés avec les Béjart, qui ont fait du théâtre, et avec Jean-Baptiste, qui rêve d'en faire. Ils disent : allons-y! et ils y vont.

Une remarque importante : il est question de jouer la comédie, et pas du tout d'en écrire. La plupart des jeunes gens qui fondent l'Illustre Théâtre ont un peu écrit. Jean-Baptiste a fait des traductions. Mais ni lui, ni aucun de ses amis, ne rêvent de devenir Molière.

Aux Métayers

Le 12 septembre 1643, la troupe loue à Noël Gallois, le jeu de paume des Métayers, « sur le fossé et proche la tour de Nesle » (rue Mazarine, actuellement). Un bail est signé pour trois ans. Noël Gallois exigea la caution d'un débiteur solvable (ce fut Marie Hervé) et s'engagea à mettre le local en bon état. Loyer annuel : dix-neuf cents livres tournois.

La troupe quitta Paris, pour aller « faire » la foire de

Rouen, en octobre et novembre.

A son retour, le 28 décembre, la salle était équipée et nettoyée, mais ils remarquèrent le mauvais état de la chaussée. Ils chargèrent Léonard Aubry de paver la rue devant le théâtre, de manière à en faciliter l'accès aux carrosses. Car ces jeunes attendaient des carrosses!

Le 1er janvier 1644, *L'Illustre Théâtre* ouvrit ses portes.

Ils allaient jouer aux Métayers pendant toute l'année. On ne connaît pas leur répertoire complet, à peine les titres de quelques pièces : *Artaxerce* de Magnon, *Scévole* de Ryer, *La Mort de Sénèque* et *La Mort de Crispe*, de Tristan L'Hermite.

Le 15 janvier, le Théâtre du Marais fut détruit par un incendie. Événement heureux, pour la jeune troupe, qui n'eut plus dès lors à subir que la concurrence de l'Hôtel de Bourgogne.

En juin, la troupe s'augmenta de deux compagnons : Nicolas Desfontaines, auteur de tragédies, et Denis Mallet, danseur. Est-ce parce que la jeune compagnie avait le vent en poupe qu'elle s'offrit le complément d'un danseur et put s'attacher un comédien-auteur, ou au contraire parce que les affaires allaient mal qu'elle fit un effort financier?

A la fin de l'année, en tout cas, la trésorerie était au plus bas, malgré la protection de S.A.R. Gaston d'Orléans, obtenue par Tristan L'Hermite, et la commandite d'un François Pommier qui, en échange de son argent, commença à jouer les dictateurs. Deux comédiens préférèrent tenter leur chance ailleurs : Catherine de Surlis (ou des Urlis) et Nicolas Bonnenfant. En décembre, un coup du sort remit tout en question : en vue de la construction du Collège Mazarin, l'Université de Paris bouta dehors et expropria plusieurs locataires et propriétaires du quartier, dont ceux des Métayers.

Molière enfin...

Au bas du contrat d'engagement du danseur Denis Mallet, daté du 28 juin 1644, on trouve une signature et une seule : Molière.

Jean-Baptiste a donc choisi le nom de théâtre qu'il gardera jusqu'à sa mort, et de plus, le fait qu'il signe, et seul, indique que, dès cet instant, il fait figure de chef.

C'est ce que rapporte Le Boulanger de Chalussay, qui fait dire à Elomire :

« Donc ma troupe ainsi faite, on me vit à sa tête,
Et, si je m'en souviens, ce fut un jour de fête,
Car jamais le parterre, avec tous ses échos,
Ne fit plus de ah! ah! ni plus mal à propos.
Les jours suivants n'étant ni fêtes ni dimanches,
L'argent de nos goussets ne blessa point nos hanches,
Car alors, excepté les exempts de payer,
Les parents de la troupe et quelque batelier,
Nul animal vivant n'entra dans notre salle. »

D'où vient ce nom : *Molière?*

Les raisons de prendre un pseudonyme, tout d'abord,
sont évidentes. De tous temps, les comédiens l'ont fait :
parce que les familles n'aiment pas voir « galvauder »
des noms honorables sur la scène, et parce que, se forgeant
soi-même un nom, on peut le choisir sonore, beau, ronflant,
fracassant.

Pourquoi Molière? On a beaucoup épilogué là-dessus,
excité à chercher des explications raffinées par la remarque
déjà citée de Grimarest :

« Lorsqu'on lui demandait ce qui l'avait engagé à prendre
ce nom plutôt qu'un autre, jamais il ne voulut dire la raison,
même à ses meilleurs amis. »

Il existe en France plusieurs localités nommées
Molière(s). Deux de ces localités se situent, plus ou moins,
dans la partie du Midi (le Languedoc et ses franges) où
Molière résidera longtemps : Molières (Tarn et Garonne),
à 20 km de Montauban, et Molières-sur-Cèze (Gard)
à 24 km d'Alais.

Molière(s) existe aussi comme nom de famille, et on
connaît un Molière d'Essertine, impie et libertin, qui
mourut assassiné en 1624.

Mais à chercher ainsi des correspondances plus ou
moins ésotériques, ne risque-t-on pas de commettre la
même erreur que ce dramaturge qui faisait dire à un
seigneur allemand partant en campagne : « En route, mes
hommes d'armes, pour la guerre de Sept Ans! »

Lorsque, vers 1643-1644, Jean-Baptiste pense à se
donner un pseudonyme, il n'est, ne l'oublions tout de
même pas, qu'un jeune homme de vingt-et-un ans lancé
dans une belle aventure, et qui ignore autant que quiconque
qu'il écrira un jour *Tartuffe*.

Il a cherché un beau nom, sonore, euphonique,
« affiche ». Il l'écrivait Moliere, sans accent. Or, qu'on
remarque les noms de guerre de la plupart des comédiens

de l'époque : Du Fresne, Du Parc, Des Rosiers, Des Œillets, Beau Chêne, La Fleur, etc. Cette insistance botanique et jardinière indique certainement une mode. Jean-Baptiste peut fort bien, le plus simplement du monde, avoir cherché un nom basé sur *lierre :* Du Lierre, Le Lierre, Mont-Lierre, etc... Et comme il était sensible au comique verbal, il a pu s'écrier un jour qu'il en avait assez de chercher un nom en partant du mot lierre...

Supposition purement gratuite, mais pas plus idiote, au fond, que celle d'une filiation spirituelle entre un libertin mort en 1624 et un jeune comédien jetant sa gourme en 1644, et qui ne se découvrira son vrai destin qu'à partir de 1658.

En janvier 1645, *L'Illustre Théâtre* s'intalle à la Croix Noire. Tout va mal. Les comédiens se lassent, la caisse se vide, les créanciers menacent.

En août, nous retrouvons Jean-Baptiste au Châtelet : en prison pour dettes! Le marchand de chandelles Antoine Fausser est sans pitié.

Il reste des amis fidèles : Léonard Aubry, l'entrepreneur qui pava l'année précédente, devant les portes des Métayers, paie la caution. Jean Poquelin rembourse.

Mais c'est la déconfiture, le découragement, l'effondrement.

Vers la fin de l'été, Molière et le clan Béjart quittent Paris pour le midi. Avec une troupe dirigée par Dufresne? Pour rejoindre cette troupe? Sans but ni engagement précis? On ne sait. Les quelques mois de la fin de 1645 sont parmi les plus obscurs de la vie de Molière.

Une historienne, Mme Deierkauf-Holsboer, s'est appliquée à débrouiller un peu cette obscurité. Voici ses conclusions.

LES DIFFICULTÉS
D'UNE JEUNE COMPAGNIE
AU XVIIe SIÈCLE
par
S. Wilma Deierkauf-Holsbœr

Dans la seconde moitié de l'année 1645, Jean-Baptiste Poquelin dit Molière, Madeleine Béjart et les autres membres de la troupe de l'Illustre Théâtre sont dans une situation critique. Le transfert de leur jeu de paume des Métayers au tripot de la Croix-Noire n'avait apporté aucune amélioration : la salle continuait à être boudée par le public et les acteurs jouaient devant les banquettes; le nombre de fournisseurs que les comédiens n'étaient pas en mesure de payer augmentait sans cesse; il leur était impossible de faire face aux obligations signées par eux; les créanciers se montraient de plus en plus menaçants; l'argent pour acquitter le loyer du jeu de paume commençait même à leur faire défaut.

Plusieurs membres de la troupe, venus se joindre à elle

pleins d'enthousiasme deux ans plus tôt, perdirent courage et se retirèrent. Il ne restait plus que sept associés; encore ce nombre n'était-il atteint que grâce au retour de Joseph Béjart; outre celui-ci on comptait Molière le directeur, Madeleine Béjart, Germain Clérin, Georges Pinel, Catherine Bourgeois et Geneviève Béjart.

Ces jeunes compagnons de l'Illustre Théâtre avaient renoncé, au profit de leurs créanciers, à tous les bénéfices provenant de leurs représentations tant que les dettes ne seraient pas éteintes. Ils travaillaient donc sans obtenir aucune part de la recette. En outre, ils avaient donné en garantie les biens de leur société « les bois des loges et galeries » qui leur appartenaient, tous les décors, et solidairement ils avaient engagé leurs biens personnels pour satisfaire aux exigences des bailleurs de fonds.

Maintenant il ne reste plus à Molière et à sa fidèle compagne qu'à mettre fin à cette âpre lutte, à accepter l'échec et à fermer définitivement le jeu de paume de la Croix-Noire ou... à sacrifier à leur théâtre ce qu'ils possèdent de plus précieux : un bien qu'ils avaient réussi à conserver dans la débâcle jusqu'à présent.

Il y a longtemps qu'ils redoutaient que ce nouveau sacrifice leur fût encore demandé, si les affaires ne tournaient pas à leur avantage; cependant ils avaient toujours espéré pouvoir garder ce à quoi ils tenaient le plus. Grâce à ce trésor une dernière chance leur était donnée pour remonter le courant et assurer les représentations de l'Illustre Théâtre.

Mais lorsque Molière et Madeleine Béjart se rendent compte qu'il ne leur reste pas d'autre chance de salut, ils sortent *leur garde-robe de comédien* des armoires et des malles. Ils disposent délicatement devant eux les costumes aux riches coloris.

Devant cette collection de somptueux costumes, leur unique richesse, les deux acteurs, qui avaient fondé l'Illustre Théâtre avec tant d'illusions, il y a deux ans, demeurent silencieux en songeant que sur la scène, en ces habits de grand luxe, ils avaient incarné les héros et les héroïnes des tragédies de leur répertoire. Ils font le total des sommes déboursées autrefois pour l'achat de ces costumes par eux-mêmes et par Son Altesse Royale, le duc Gaston d'Orléans. En effet, avant son départ de Paris, ce prince avait partagé entre les chefs de troupe de l'Hôtel de Bourgogne, du théâtre du Marais et de l'Illustre Théâtre une partie de sa garde-robe. Tout en calculant ils arrivent à plusieurs milliers de livres tournois. S'ils pouvaient seulement se procurer la moitié de cette somme en ayant recours à quelque prêt, ils seraient sauvés.

Emportés par leur besoin pressant d'argent, ils essaient d'augmenter encore la valeur du gage en y ajoutant d'autres objets précieux. Madeleine accourt avec un tableau « peint en huile, garny de sa bordure noire où est représenté une Magdelaine » et Molière, tout heureux de sa trouvaille, montre à sa camarade « un baston de ballaine, garny d'une pomme blanche d'ivoire »…

Une fois que tout est empaqueté, ils partent avec leurs grandes richesses. Trois des cinq membres de la troupe de l'Illustre Théâtre les accompagnent : Joseph Béjart, Geneviève Béjart et Georges Pinel. Ils vont au domicile de Mlle Anthoinette Simony, dont le commerce était, sans doute, quelque prototype du Mont-de-Piété de nos jours.

La prêteuse sur gage examine les pièces, calcule ce qu'elle pourra leur avancer sans courir aucun risque, pour une période déterminée, contre l'intérêt d'usage. Finalement elle offre à Molière et à ses associés, qui s'étaient promis monts et merveilles, la somme de cinq cent vingt-sept livres tournois !

Lorsque tous les efforts pour obtenir une majoration ont échoué, une obligation de Molière et ses associés à Anthoinette Simony est dressée. Cette transaction s'effectue en payant au comptant et immédiatement les intérêts dus pour ce prêt jusqu'au 18 décembre 1645. Ils rentrèrent consternés et désillusionnés avec les cinq cents livres tournois.

ASSIGNATION POUR DETTES

Cependant ceci ne peut sauver l'Illustre Théâtre de la ruine : c'est à peine suffisant pour prolonger son existence chancelante de quelques semaines. Ce ne sont pas des centaines, mais des milliers de livres qu'il faudrait pour éviter la débâcle.

Une chance de salut leur serait donnée si le jeu de paume de la Croix-Noire se trouvait subitement trop petit pour recevoir la foule des spectateurs se pressant aux portes. Ce que Molière, en sa double qualité d'acteur et d'auteur pourra réaliser plus tard, le jeune tragédien débutant n'y réussit pas. C'est ainsi que les dettes s'accroissent d'une façon inquiétante et que Molière voit les portes de la prison du Grand Châtelet se fermer sur lui. Bientôt il devra quitter Paris.

Sur la date présumée de ce départ, on a émis de nombreuses suppositions. Nous ne pouvons en fixer avec certitude le jour, mais nous allons pouvoir fournir un complément d'information : Molière a dû quitter Paris avant le 19 décembre 1645; et cette précision nous la devons à Anthoinette Simony.

Le jour où les cinq cent vingt-sept livres tournois doivent lui être remboursées contre restitution de la garde-robe, Mlle Simony, se présente à l'Illustre Théâtre, elle désire qu'on lui rende son argent à l'échéance stipulée; sinon elle a l'intention de vendre, dans le plus bref délai, les costumes de théâtre.

Mais les comédiens se refusent à lui donner les autorisations nécessaires. Anthoinette Simony est dans l'impossibilité de procéder à la vente de la garde-robe de son propre chef; il lui faut une sentence du Châtelet. Son procureur, Me Mathieu Huot, fait les démarches nécessaires et, le 19 décembre, « l'exploit d'assignation de la part de la dite Simony » est remis par le sergent Pesart.

A qui? Est-ce à Molière lui-même, le chef de la troupe, celui qui est l'intéressé principal dans cette affaire? Non, l'exploit est signifié à Mlle Béjart et autres comédiens et comédiennes de l'Illustre Théâtre. Il n'est pas question de Molière, son nom n'est même pas mentionné. On ne peut donner à cette omission que cette explication : Molière est absent de Paris.

Ce qui suit donne plus de force encore à notre affirmation : lorsque les acteurs ont pris connaissance de l'exploit de signification, la frayeur les saisit; il leur est impossible de renoncer aux costumes; aussi décident-ils de s'opposer à la vente par tous les moyens en leur pouvoir. Ils choisissent Me André Delamare comme procureur, celui-ci avait déjà défendu les intérêts de Molière lorsqu'il était emprisonné pour dettes au Grand Châtelet, dans le mois d'août de l'année 1645. Ce même avoué intervient donc, le 22 décembre 1645, pour la mise en œuvre d'une seconde instance. Le jour suivant il fait, en effet, délivrer un exploit d'assignation à Anthoinette Simony par le sergent Gandeau.

Ce serait à Molière de faire la demande en justice; or le nom de Molière n'est pas cité dans le document auquel nous empruntons nos données, c'est Madeleine Béjart qui proteste. La conclusion qui s'en dégage est que Molière n'est à Paris ni le 19 ni le 22 décembre 1645. Il a donc quitté la capitale.

PROCÈS AUTOUR D'UNE GARDE-ROBE

Deux procès sont donc entamés, le premier, par Anthoinette Simony, pour pouvoir disposer des costumes de théâtre donnés en gage; le second, par la petite troupe de l'Illustre Théâtre, pour reprendre la garde-robe à la prêteuse.

A ce moment-là on s'attend, naturellement, à une lutte serrée entre les deux parties. Cependant, si peu logique que cela puisse paraître, nous constatons que la partie Béjart et compagnie n'a pas défendu sa cause et a renoncé à poursuivre son procès.

Mieux encore : le 2 janvier 1646, date à laquelle le Châtelet désire entendre les deux parties, les membres de l'Illustre Théâtre ne sont pas présents. Anthoinette Simony obtient ainsi, une première fois, gain de cause du seul fait que la partie adverse a laissé passer l'occasion d'exposer ses moyens de défense devant le tribunal.

Cette première sentence n'est pourtant pas définitive. Les ordonnances exigeaient que, par quatre fois consécutives, le défaut du défendeur ait été constaté avant que le juge puisse prononcer condamnation contre le défaillant. Le procès continue donc. Le 15 janvier, la première sentence du Châtelet par défaut est signifiée aux défendeurs et, le jour suivant, le tribunal dans une seconde séance constate de nouveau que la Béjart et son procureur n'ont pas comparu pour exposer leurs moyens de défense; il en suit une deuxième sentence par défaut.

Le 27 février, un mois plus tard, cette affaire est inscrite au rôle du tribunal, pour la troisième fois. Les défendeurs persistant à ne pas comparaître, un jugement est prononcé, c'est la troisième sentence par défaut. Anthoinette Simony, se rendant compte qu'elle pourra obtenir très facilement gain de cause, fait poursuivre son procès en toute diligence. Le 13 mars, à l'audience du tribunal — les défendeurs, une fois de plus, ne faisant pas signifier leurs défenses — le Châtelet prononce un quatrième jugement par défaut portant, cette fois-ci, forclusion de toute défense à l'encontre de Mlle Béjart et ses camarades.

Dans tous les procès intentés antérieurement contre Molière les jugements ont toujours été rendus avec moins de rigueur que ne l'exigeaient ses adversaires et dans ce dernier procès de Mlle Simony contre Molière, il n'en aurait certes pas été autrement si les comédiens s'étaient défendus. Il n'y a qu'une explication valable : Madeleine Béjart est absente de Paris, le 2 janvier 1646, premier jour où elle avait à comparaître au Châtelet. Ainsi, elle qui était encore à Paris le 22 décembre 1645, se dirigeait vers les provinces du sud de la France, le 2 janvier 1646, pour rejoindre Molière. Celui-ci était parti le premier dans le double but de se faire de nouveau comédien et de trouver un engagement pour sa partenaire qui avait enduré tant de soucis et de privations avec lui. Il semble y avoir réussi, lorsque la Béjart quitte la capitale.

Ce départ prouve, en premier lieu, que celle-ci et Molière ont rompu avec Paris. A cette capitale qui leur a valu tant de déboires et de désillusions, ils ont tourné le dos et ont renoncé à l'Illustre Théâtre. Ils en ont assez des misères endurées, et en ce qui concerne la somptueuse garde-robe, que les créanciers s'arrogent le droit de se l'approprier, si tel est leur bon plaisir. C'est déjà vers un meilleur avenir qu'ils se sentent appelés.

Du départ de Paris de Madeleine Béjart, nous tirons encore un autre renseignement précieux sur le moment où Molière a quitté la capitale. Nous avons exposé plus haut qu'il était parti de Paris avant le 19 décembre 1645. Il est impossible de fixer exactement combien de temps avant cette date le départ a eu lieu. Cependant, il est certain que si Molière a réussi à créer des ressources pour Madeleine et lui-même, il a dû aller en province quelques semaines avant elle. L'agonie de l'Illustre Théâtre, que tant d'érudits, faute de données, ont fait durer des mois, se trouverait ainsi considérablement raccourcie. Elle aurait probablement pris fin au mois d'octobre 1645.

Ceci cadre parfaitement avec la triste histoire de cette jeune compagnie.

Quant à la garde-robe, c'est le 10 avril 1646 qu'une nouvelle sentence du Châtelet est prononcée « adjugeant à ladite Simony le profit des défauts obtenus par elle contre ses adversaires et l'admettant à vérifier ses conclusions par titres, enquêtes et productions ».

LA FIN DE L'ILLUSTRE THÉÂTRE

Environ quatre semaines plus tard, le 5 mai 1646, le dernier jugement est prononcé. Tous les costumes de théâtre seront vendus au plus offrant et dernier des enchérisseurs à la manière accoutumée, les intérêts de la somme principale à partir du 19 décembre 1645, « et les despens, les frais de la vente et ceulx faits pour y parvenir » seront déduits d'abord après l'adjudication du produit de la vente; sur la somme restante la damoiselle Simony recevra les cinq cent vingt-sept livres tournois qui lui sont dues. Si les costumes rapportent moins, une dette à la Simony subsistera et au cas où il y aurait un excédent, celui-ci reviendra aux adversaires. De plus, le Châtelet a décidé qu'à la vente aux enchères les parties intéressées seront présentes, et, en cas d'absence de celles-ci, le procureur du roi ou un de ses substitués. Madeleine Béjart devra donner les pouvoirs nécessaires.

Mais celle-ci est absente, comme Molière d'ailleurs. L'Illustre Théâtre n'existe plus. Joseph et Geneviève Béjart sont les seuls qui restent. C'est à eux et à leur mère, Marie Hervé, que Molière et Madeleine Béjart donnent pleins pouvoirs pour agir en leur nom. Le 3 juin 1646, les deux notaires, maîtres Drouyn et Motelet, se rendent au domicile de Marie Hervé, dans la rue de Poitou, paroisse Saint-Nicolas-des-Champs, C'est là que l'acte est dressé donnant « pouvoir et puissance » à Me André Delamare, procureur au Châtelet de Paris.

Quelques jours plus tard la mise en vente aux enchères des costumes de théâtre de Molière et de Madeleine Béjart a lieu.

Nous ignorons quel a été le produit de cette vente, Nous savons seulement qu'Anthoinette Simony n'a pas inquiété Molière plus tard afin d'obtenir le paiement d'un restant de dette. De cette suspension des poursuites nous pouvons peut-être conclure que la somme reçue par la Simony a couvert le principal de la dette et que tous les frais ont été payés.

Le jour où les Parisiens à l'affût de costumes somptueux pour une bagatelle se pressent à la mise en vente publique de la garde-robe de Molière et de Madeleine Béjart, ceux-ci jouent la comédie sur quelque scène du Midi de la France. Ils tiennent leurs rôles dans les costumes que le directeur de la troupe leur a prêtés ou qu'ils ont eux-mêmes loué chez quelque fripier. Mais cela ne les émeut pas — ils ne regrettent pas leurs magnifiques costumes d'autrefois; convaincus que des jours prospères adviendront, c'est plein de courage qu'ils affrontent cette existence de comédiens nomades.

LE THÉÂTRE FRANÇAIS
AVANT MOLIÈRE

Jean-Baptiste Poquelin, dit Molière, quitte donc Paris, avec ses amis, en 1645. Il y reviendra, avec l'intention bien arrêtée de triompher, en 1658.

Une question se pose évidemment aux jeunes audacieux qui vont désormais courir la province dans un chariot de Thespis : quel est le répertoire? Cette question se posait déjà aux directeurs de l'Illustre Théâtre, mais d'une manière beaucoup moins urgente, et surtout beaucoup moins contraignante. L'Illustre Théâtre, troupe de quasi-amateurs, jouait dans une salle, pour un public déterminé. A partir de 1646, les conditions changent. La troupe sera désormais vraiment professionnelle : cela signifie, en clair, que les comédiens mangeront, resteront fidèles au directeur, dans la mesure où la recette couvrira les dépenses et assurera le salaire. La troupe, d'autre part, jouera dans des granges, sur la place du village, dans une prairie, dans le jeu de paume d'une petite ville, dans une salle quelconque, dans un château, devant toutes les espèces possibles de publics. Très vite, Molière devient chef de la troupe : à la fois meneur de jeu, metteur en scène et programmateur. Quand on dit qu'au cours des douze ans que dure le vagabondage en province, il apprend son métier, on n'exagère en rien. Il apprend son métier d'acteur, de meneur de jeu, d'organisateur de spectacles, mais aussi et surtout, par la force même des choses, il inventorie le répertoire existant et il cherche par tous les moyens à en combler les lacunes. Si le directeur dispose d'une importante réserve de pièces sérieuses, de tragédies, les pièces gaies, les comédies, manquent. Pour alimenter la partie sérieuse des programmes, il y a Corneille, Tristan L'Hermite, Rotrou et une foule d'autres (des mémorialistes, les frères Parfait, dénombrent cent quarante-sept poètes écrivant pour la scène entre 1628 et 1658). Mais un bon programme, au XVIIe siècle comme aujourd'hui, doit être équilibré. Le répertoire comique français étant insuffisant, Molière va puiser dans le fonds populaire (en somme, la tradition du fabliau) et le répertoire italien. Cela fournit des thèmes, des canevas, non des textes. On improvise sur ces canevas, dans la tradition des bateleurs du Pont-Neuf et de la Commedia dell' Arte italienne. Mais comme chacun sait, improviser fatigue. On n'est pas en verve tous les jours, sur commande. D'ailleurs, les bonnes improvisations se préparent soigneusement. Molière, qui rêvait d'écrire des tragédies (et qui, comme acteur, se voulait également tragédien) fut amené ainsi, insensiblement, sans s'en rendre compte, voire contre son gré, à devenir auteur comique. Aucun texte ne peut appuyer cette déduction, mais elle paraît logique et de bon sens.

Quand Molière rentrera à Paris, en 1658, il s'y présentera enrichi de science, de technique, et d'une conscience aiguë des besoins dramatiques du public. Cette science, cette technique, cette conscience, il ne les aura pas acquises parce que, homme de lettres, voué aux manuels et aux anthologies de l'avenir, il voudra justifier l'opinion des critiques et historiens qui le sacreront rénovateur de la scène française, mais, tout simplement, parce qu'il aura pratiqué le répertoire, en directeur qui doit faire vivre sa troupe.

LE RÉPERTOIRE DU GRAND SIÈCLE

Qu'était-ce que ce répertoire? Où en était le théâtre français, vers 1650?

Il faut rappeler ici quelques faits, universellement connus, sans doute, mais qu'il est néanmoins utile de souligner.

La période dénommée « Siècle de Louis XIV » est une réalité et non une simple découpe arbitraire. Ce siècle ne coïncide pas avec le XVIIᵉ siècle. Le classicisme français ne coïncide, ni avec le XVIIᵉ siècle, ni avec le Siècle de Louis XIV. L'âge classique français couvre plusieurs générations (celle de Corneille et Pascal ; celle de Molière, Racine et Bossuet ; celle de La Bruyère et Fénelon, et peut-être faut-il encore y ajouter celle de Bayle, Fontenelle et Saint-Simon). Les grands noms du XVIIᵉ siècle ne sont pas des îles autour desquelles s'étendrait un océan vide, mais des personnalités éminentes, engagées dans la vie de leur époque, et dont la postérité retint les noms alors qu'elle oubliait tous les autres. Le théâtre classique se résume, pratiquement, en trois noms : Corneille, Molière et Racine, mais ces trois dramaturges n'alimentaient pas à eux seuls les théâtres de leur temps, et leurs confrères moins favorisés par le génie, et la postérité, n'étaient pas pour autant des nullités.

La liste que voici reprend les noms de vingt-quatre dramaturges ayant produit entre 1600 et 1715 (ce sont, en gros, les limites du XVIIᵉ siècle littéraire) et remporté de gros succès. Ces vingt-quatre auteurs sont sélectionnés d'une liste de plusieurs centaines de noms d'auteurs ayant fait jouer des pièces avec un *certain* succès.

Alexandre Hardy	1560-1630
François le Metel de Boisrobert	1592-1662
Jean Desmarets de Saint-Sorlin	1595-1662 (?)
Georges de Scudéry	1601-1662
Tristan L'Hermite	1601-1655
Jean Mairet	1604-1686
Pierre du Ryer	1605-1658
Pierre Corneille	1606-1684
Jean de Rotrou	1609-1654
Paul Scarron	1610-1660
Savinien Cyrano de Bergerac	1620-1655
Jean-Baptiste Poquelin, dit Molière	1622-1673

Thomas Corneille	1625-1709
Nicolas Pradon	1632-1698
Raymond Poisson	1633-1690
Philippe Quinault	1635-1688
Edme Boursault	1638-1701
Jean Racine	1639-1699
Antoine Jacob (Montfleury fils)	1640-1685
Charles Rivière Dufresny	1646-1724
Jean Palaprat	1650-1721
Jean Galbert de Campistron	1656-1723
Jean-François Regnard	1656-1709
Baron de Longuepierre	1659-1721

Louis XIV régna, en titre, à partir de 1643. Il fut déclaré majeur, à l'âge de treize ans, en 1651, mais ce n'est qu'à la mort de Mazarin, en 1661, qu'il devint son propre premier ministre (« L'État, c'est moi », n'a-t-il pas dit).

Corneille n'appartient pas au siècle de Louis XIV, mais à l'époque de Louis XIII, de Richelieu, de la Fronde. *Le Cid,* occasion de la grande bataille de rénovation de la tragédie française, est créé en 1636 et, vers 1659-60 (début approximatif du Grand Siècle) il a fait jouer l'essentiel de son œuvre.

Molière, lui, débute à Paris en 1659, et toute sa carrière se déroulera pendant la partie éclatante du règne de Louis XIV.

UN SIÈCLE ET DEMI DE THÉÂTRE FRANÇAIS

L'histoire du théâtre français, jusqu'à ces débuts de 1659, présente quelques dates-pivots qui permettent de la résumer en un tableau.

1548   Le Parlement de Paris interdit les *Jeux de la Passion*. La Confrérie qui en assurait les représentations en plein air acquiert une salle où elle reprend son activité : l'Hôtel de Bourgogne. Les Confrères en resteront propriétaires jusqu'en 1677.

1599   Les Confrères cessent de jouer et louent leur salle à la troupe de Valleran Lecomte. Cette troupe a un auteur à gages, qui ne produit que pour elle : Alexandre Hardy.

1600   Hardy donne quatre pièces par mois. Il tient ce
-1630   rythme pendant plus de vingt ans, produisant près

de sept cents œuvres! Il n'en retiendra que quarante et une dans l'édition de ses Œuvres.

1631 Mairet, autre dramaturge à succès, formule le premier la théorie classique des trois unités, empruntée aux Anciens.

1635 Richelieu fonde l'Académie Française. Chapelain le convertit à la théorie des unités.

1636 Création du *Cid*.

1641 Par son édit du 16 avril, Louis XIII, sous la dictée de Richelieu, qui s'intéresse fort au théâtre, réhabilite la profession de comédien et lui prescrit un code de moralité.

1657 Publication de la *Pratique du Théâtre*, de l'abbé d'Aubignac. Ce livre présente, élaborée en doctrine, la théorie des unités, et se veut charte du théâtre classique.

1658 Installation de Molière à Paris.

1659 Création des *Précieuses Ridicules*.

Au risque d'anticiper, il faut ajouter à cette liste trois autres dates encore :

1673 Mort de Molière.

1677 Un édit royal, mettant fin à de longs procès, confisque les biens de la Confrérie de la Passion au profit de l'Hôpital Général.

1680 Un édit royal fusionne la troupe de l'Hôtel de Bourgogne et celle de l'Hôtel de Guénégaud (ancienne troupe de Molière), créant ainsi la Comédie-Française.

EN PLEINE ANARCHIE

Si le Parlement interdit les *Jeux publics*, survivances des *mistères* médiévaux, c'est qu'ils sont devenus les occasions d'un débridement séditieux. De tous temps, ces grandes représentations sacrées s'accompagnaient de « libérations » comiques. A l'époque où le mistère se jouait dans l'église, la farce se déroulait sur la place, devant le parvis. Le mistère se laïcisant, la représentation eut lieu sur le parvis, et puis sur le marché. La farce s'intégrait de plus en plus au mistère : la dérision s'introduisait dans la célébration même. On allait jusqu'à des parodies d'une parfaite irrévérence. L'Église condamna, et le théâtre, et les comédiens. L'arrêt du Parlement ne faisait qu'entériner cette condamnation. Mais le double besoin d'exalter des héros incarnant les valeurs essentielles de la société et de se libérer de cette exaltation par le rire, la moquerie, la dérision, demeure et exige satisfaction, en dépit de tous les arrêts, de toutes les condamnations religieuses. Interdits sur la place publique, les Confrères inventent le théâtre en salle et y rejouent leurs textes traditionnels, retouchés dans le sens de la demande publique, et appelés tragédies, ou tragi-comédies, pour les besoins de la cause et sous l'influence des lettrés auxquels la Renaissance a révélé le théâtre antique. Ces lettrés se mettent à écrire des pièces, plus ou moins imitées de l'antiquité, cependant que le théâtre « populaire » s'inventera des formes nouvelles, ou renouvelées, sur le Pont-Neuf et partout ailleurs où se trouve une foule qui a besoin de rire, de vibrer, de se libérer.

Vers 1600, le théâtre français est anarchique, sans tradition, écartelé entre les bonnes intentions de lettrés qui ignorent tout des besoins du public, et la démagogie des comédiens et bateleurs qui ne connaissent que trop bien les pentes naturelles de ce public.

Une opposition existe, et agit (elle ne désarmera pas et les querelles successives, qui jalonnent la carrière de Molière, en sont la preuve), qui demande des lois, des règlements, des interdictions.

Voici, par exemple, un extrait des *Remontrances au Roy* du Parlement, en 1588. Le roi, à ce moment, c'est Henri III, frère de Charles IX et beau-frère de Henri IV, qui lui succédera. Il n'est pas sans intérêt de rappeler que 1588, c'est l'année de la Ligue, de la Journée des Barricades, de l'assassinat du duc de Guise. Le Parlement juge, néanmoins, qu'il n'est pas inopportun d'attirer l'attention du roi sur ce qui se passe à l'Hôtel de Bourgogne.

« En ce lieu se donnent mille assignations scandaleuses au préjudice de l'honnêteté et pudicité des femmes, et à la ruine des familles des pauvres artisans, desquels la salle basse est toute pleine, et lesquels, plus de deux heures avant le jeu, passent leur temps en devis impudiques, en jeux de cartes et de dez, en gourmandise et ivrognerie tout publiquement, d'où viennent plusieurs querelles et batteries. Sur l'échafaud l'on y dresse des autels chargés de croix et ornements ecclésiastiques, l'on y présente des prêtres revêtus de surplis, mêmes aux farces impudiques, pour faire mariages de risées. L'on y lit le texte de l'Évangile en chant ecclésiastique, pour y rencontrer un mot plaisir qui sert au jeu. Et au surplus, il n'y a farce qui ne soit orde, sale et vilaine, au scandale de la jeunesse qui y assiste, laquelle avale à long trait ce venin et ce poison, qui le couve en sa poitrine, et en peu de temps opère les effets que chacun sait et voit trop fréquemment.

Par ce moyen Dieu est grandement offensé, tant en ladite transgression des fêtes que par les susdits blasphèmes, jeux et impudicités qui s'y commettent. D'avantage Dieu y est courroucé en l'abus et profanation des choses saintes dont ils se servent, et le public, intéressé par la débauche et jeux des artisans. Joint que telle impiété est entretenue des deniers d'une confrérie, qui devraient être employés à la nourriture des pauvres, principalement en ces temps desquels il fait si cher vivre, et auquel plusieurs meurent de faim.

Or, Sire, toute cette ordure est maintenue par vous; car vous leur avez donné vos lettres de permission pour continuer cet abus commencé devant votre règne : vous avez mandé à votre cours de Parlement et Prévôt de Paris de les faire jouir du contenu en vos lettres, ce qu'ils ont très bien exécuté, ayant maintenu un tel abus contre Dieu et la défense des pasteurs ecclésiastiques, et nonobstant la clameur universelle de tous les prédicateurs de Paris, lesquels continuent encore journellement à s'en plaindre, mais en vain, n'ayant pu pour tout obtenir sinon une défense de jouer, durant une année, pour recommencer au bout de l'an plus que devant. »

Cette seule page, même si les termes en semblent un bien forcés, permet d'imaginer l'atmosphère des salles, des auditoires de bateleurs de la place publique et de diseurs de cabaret. Ces désordres, ces violences, cet immoralisme agressif, reflètent d'ailleurs très fidèlement l'époque même. Au temps de la Ligue, les villes sont des coupe-gorges. On complote, on prépare des coups de mains. La profession d'assassin à gages est florissante. Toute l'histoire est sanglante : Henri III fait tuer le Balafré, Jacques Clément poignarde Henri III, Ravaillac poignarde Henri IV, Luynes fait tuer Concini... L'apaisement s'opère lentement. Il faut attendre que Richelieu ait pris en main tous les leviers de l'État pour voir s'instaurer un semblant d'ordre.

PROTECTION ET MISE AU PAS

Si Richelieu s'intéresse tant à la littérature, au théâtre, fonde l'Académie, construit une salle de spectacle (le Palais-Royal), préside des discussions de lettrés sur l'art dramatique, se convertit à la théorie des unités et l'impose,

ce n'est pas uniquement parce qu'il est un homme cultivé
un lettré qui, s'il en avait le temps, écrirait lui-même pou
la scène : c'est aussi, et peut-être surtout, parce que l;
mise au pas de la littérature et du théâtre s'inscrit néces
sairement dans son plan de réorganisation de toutes le
activités du pays. Il convient d'ailleurs d'ajouter que s
Richelieu est un ministre autoritaire, qui travaille systéma
tiquement à imposer en tous domaines ses conception
personnelles, il est aussi l'incarnation de tendances latente
dans toute une partie de la population. Il a fond
l'Académie Française en 1635, mais les « académiciens »
se réunissaient chez Valentin Conrart depuis dix ans déjà
et le statut officiel organise et précise une société déjà
constituée. Quant aux réunions à l'Hôtel de Rambouillet
centre rayonnant de la mode « précieuse » qui réform;
la langue, le style et les mœurs, elles avaient lieu dès 1610

La date de 1599 marque un tournant important dan;
l'histoire du théâtre. A ce moment, les représentation
en salles ne sont plus des pis-aller, mais la règle. Un
troupe régulière et sédentaire joue, à jours et heures fixes
De plus, cette troupe s'attache les services d'un écrivain
d'un lettré. Le succès de la troupe de Valleran Lecomt
à l'Hôtel de Bourgogne, et des pièces de son auteu
Alexandre Hardy, est en somme la première conjonctio
réussie d'un courant populaire et d'un courant littéraire
Les lettrés qui écrivaient des pièces, à l'imitation de
anciens, et sur des thèmes tirés d'œuvres antiques, er
étaient réduits le plus souvent, jusque-là, à publier leur
œuvres en volumes. Hardy, bien plus que ses prédécesseur
Jodelle, Baïf ou Garnier, s'impose au public populaire
Son succès est tel que la troupe de l'Hôtel de Bourgogn
se scinde : le comédien Bellerose (l'une des première
vedettes du théâtre français) essaime, avec une douzain
de ses camarades, et s'installe à l'Hôtel d'Argent. Ains
on peut jouer du Hardy sur deux scènes à la fois.

Ce mouvement culmine en 1636 avec *Le Cid* d
Pierre Corneille — qui provoque une querelle que Richelie
veut faire trancher par sa toute neuve Académie, mai
en vain.

Le succès du nouveau théâtre, et le sens de la querell
du *Cid*, peuvent se résumer, grosso modo, à ceci : le
auteurs, sensibles aux exigences de leur public, et dan
une certaine mesure du pouvoir, mettent en scène de

héros incarnant des valeurs morales d'ordre, de loyauté, de fierté, de politesse, d'humanité, mais parfois, le héros échappe à son créateur et pose implicitement des revendications libertaires, individualistes, qui battent en brèche le projet d'unification communautaire de la nation. On attaque le *Cid* sur des questions de forme (Corneille n'y respecte pas l'unité de temps), mais c'est ce qu'il y a d'anarchiste dans Rodrigue qui est visé.

L'édit royal de 1641, qui réhabilite les comédiens, jusque-là excommuniés d'office et voués à l'exécration comme suppôts du diable et immoraux par nature, s'inscrit dans une politique générale du théâtre, force de propagande prodigieuse, qu'il faut utiliser, mais outil dangereux qu'il convient de contrôler.

Voici ce que dit un contemporain, Pellisson, dans son *Histoire de l'Académie Française*, de l'intérêt de Richelieu pour le théâtre :

« Tous ceux qui se sentaient quelque génie, ne manquaient pas de travailler pour le théâtre : c'était le moyen d'approcher les grands, et d'être favorisé du premier ministre, qui, de tous les divertissements de la cour, ne goûtait guère que celui-là.

Non seulement il assistait avec plaisir aux comédies nouvelles ; mais encore il était bien aise d'en conférer avec les poètes, de voir leur dessein en sa naissance et de leur fournir lui-même des sujets. Que s'il connaissait un bel esprit qui ne se portât pas de sa propre inclination à travailler en ce genre, il l'y engageait insensiblement par toutes sortes de soins et de caresses. Ainsi, voyant que M. Desmarest en était très éloigné, il le pria d'inventer du moins un sujet de comédie, qu'il voulait donner, disait-il, à quelque autre, pour le mettre en vers. M. Desmarest lui en porta quatre bientôt après. Celui d'Aspasie, qui en était un, lui plut infiniment ; mais, après lui avoir donné mille louanges, il ajouta que celui seul qui avait été capable de l'inventer serait capable de le traiter dignement, et obligea M. Desmarest à l'entreprendre lui-même, quelque chose qu'il pût alléguer. Ensuite, ayant fait représenter solennellement cette comédie devant le duc de Parme, il pria M. Desmarest de lui en faire une semblable tous les ans. Et lorsqu'il pensait s'en excuser sur le travail de son poème héroïque de *Clovis*, dont il avait déjà fait deux livres, et qui regardait la gloire de la France, et celle du cardinal même, le cardinal répondait qu'il aimait mieux jouir des fruits de sa poésie autant qu'il serait possible, et que, ne croyant pas vivre assez longtemps pour voir la fin d'un si long ouvrage, il le conjurait de s'occuper, pour l'amour de lui, à des pièces de théâtre dans lesquelles il pût se délasser agréablement de la fatigue des grandes affaires. »

Richelieu inspira directement de nombreuses œuvres à ses « poètes à gages » (parmi lesquels on note Boisrobert, Corneille, Rotrou, l'Estoile) comme aux autres. Ces pièces — *Mirame, Scipion, Roxane, Europe* — sont bien oubliées. Dans *Mirame*, il y avait dit-on cinq cents vers de Richelieu. C'est Richelieu encore qui élabora entièrement, acte par acte, la tragi-comédie *Europe*, que Desmarets de Saint-Sorlin mit en vers — ou faut-il dire en rimes. Cette *Europe* (reprise en 1954 par une jeune compagnie parisienne), qui date de 1642, raconte les démêlés de Francion (la France) avec Ausonie (l'Italie), Germanique (l'Allemagne), Ibère (l'Espagne) et d'autres personnages tout aussi allégoriques. C'est la dramatisation de la guerre de Trente Ans, et des projets « européens » du cardinal.

LES UNITÉS

La fameuse règle des trois unités (temps, lieu, action) et les autres règles, moins clairement formulées mais tout aussi contraignantes, du théâtre classique (sujets repris à l'antiquité ou à l'étranger, action racontée plutôt que montrée, aucune recherche de couleur locale, mais francisation de toute action, etc.) se trouvaient déjà dans un texte de Mairet, publié en 1631, mais il fallut l'initiative de Chapelain pour l'imposer. Chapelain exposa la théorie nouvelle, dans une conférence, devant le cardinal. L'auditoire, composé de poètes, réagit en sens divers, mais Richelieu « en fut charmé, écrit un critique contemporain, et, au sortir de la conférence, il accorda à Chapelain une pension de mille écus, et lui donna dès lors une pleine autorité sur tous ses poètes ». Un tel enthousiasme semble dépasser la seule joie intellectuelle ressentie devant une théorie esthétique...

La Pratique du Théâtre, de l'abbé d'Aubignac, codification définitive de la théorie, ne parut qu'en 1657, quinze ans après la mort du cardinal, mais c'était son influence encore qui se prolongeait, et très efficacement car le traité d'Aubignac régenta la tragédie française jusqu'à sa mise à mort en deux temps par le drame bourgeois de Diderot et le drame romantique de Dumas et Hugo.

Un critique écrit :

« Cet ouvrage fut « dressé » pour complaire à Richelieu

qui l'avait passionnément souhaité, dans la croyance où il était que ce traité pourrait soulager nos poètes de la peine qu'il leur eût fallu prendre et du temps qu'il leur eût fallu perdre s'ils eussent voulu chercher eux-mêmes dans les livres et au théâtre les observations que l'abbé d'Aubignac avait faites. »

Pour d'Aubignac, le seul modèle est et doit rester l'antiquité. Il est intéressant de noter que l'abbé se montre très sensible à certaines critiques qu'on lui fait, « au sujet des anciens qui ont travaillé pour leur temps, non pour le nôtre ». « Comme si la raison vieillissait avec les années » répond-il. C'est, déjà, l'amorce de la querelle des anciens et des modernes, qui éclatera à la fin du siècle.

LE CREUX DE LA VAGUE

En 1657, le théâtre français est en équilibre, nanti d'un répertoire abondant, de traditions, d'usages, et même d'une charte. Dans les grandes pièces du répertoire, la passion gronde, certes, mais endiguée, canalisée. La production nouvelle, et la vie des théâtres établis, manifestent même une lassitude, un enlisement. Quelque chose que nous appellerions aujourd'hui académisme désamorce les bombes d'autrefois. A l'Hôtel de Bourgogne, les Grands Comédiens déclament, psalmodient des vers, plutôt qu'ils ne jouent des tragédies. La recette baisse. Elle baisse tant, au Marais, qui abrite la troupe rivale des Grands Comédiens, qu'on y réduit le nombre des représentations (l'année suivante, la direction accueillera favorablement la demande d'un inconnu, Molière, qui offre de faire jouer sa troupe en alternance avec celle du Marais, moyennant location et intervention dans les frais généraux : vingt ans auparavant, cela eût été impensable).

Mais le public se presse aux Italiens : il ne comprend pas le texte, mais rit des mimes, cabrioles, acrobaties, bastonnades et pitreries de Scaramouche. Les bateleurs du Pont-Neuf, aussi, ont la faveur des masses populaires.

La situation budgétaire devient si précaire, au Marais (les Grands Comédiens sont largement subventionnés) que la direction cherche à innover et, rajeunissant de vieilles traditions des Confrères, du temps où ils jouaient en plein air, invente un théâtre à « machines ».

C'est le creux de la vague et, avec le recul, nous voyons parfaitement où le bât blesse : les théories, les règles, la faveur officielle et la police qui en est le revers, ont trop bien corseté le théâtre, l'ont enfermé dans une seule de ses tendances, en dépit des auteurs et du public.

Il y a, incontestablement, une place à prendre. Molière la prendra. Mais, on le verra, ce n'est pas pour la prendre qu'il vint à Paris.

MOLIÈRE EN PROVINCE
1645-1658

« Après quatre ou cinq années de succès dans la Province, la troupe résolut de venir à Paris. Molière sentit qu'il avait assez de force pour y soutenir un Théâtre comique, et qu'il avait assez façonné ses Comédiens pour espérer d'y avoir un plus heureux succès que la première fois. Il s'assurait aussi sur la protection de Monsieur le Prince de Conti.

Molière quitta donc le Languedoc avec sa Troupe; mais il s'arrêta à Grenoble, où il joua pendant tout le Carnaval. Après quoi ces Comédiens vinrent à Rouen, afin qu'étant plus à portée de Paris, leur mérite s'y répandît plus aisément. Pendant ce séjour, qui dura tout l'été, Molière fit plusieurs voyages à Paris, pour se préparer une entrée chez Monsieur, qui, lui ayant accordé sa protection, eut la bonté de le présenter au Roi et à la Reine mère.

Ces comédiens eurent l'honneur de représenter la pièce de *Nicomède* devant Leurs Majestés, au mois d'Octobre 1658. »

Grimarest n'en sait pas très long sur la deuxième partie de la vie de son personnage. Le départ de Paris se situant à la fin de 1645 et l'installation définitive en automne 1658, cette deuxième partie couvre douze ans!

Avec les rares renseignements dont il dispose, Grimarest complète sa « belle histoire ». Quatre ou cinq ans de succès. On passe donc sous silence les sept premières années. Molière est chef de la troupe et poursuit des objectifs absolument précis : se former, former ses comédiens, bâtir un théâtre comique (car sa vocation comique ne fait aucun doute) et puis triompher à Paris.

C'est trop beau, trop logique, trop conscient pour être vrai. On admet sans peine qu'en quittant Paris, la bourse plate et la cendre de l'échec aux dents, Molière et ses compagnons aient déclaré, peut-être même avec de grands gestes et une éloquence cornélienne : « Nous partons, mais nous reviendrons en triomphateurs! » C'est ce que disent encore, dans un autre vocabulaire, les jeunes comédiens renvoyés au vestiaire après une tentative de bouleversement du théâtre parisien. Ceci dit, commence pour eux le temps du bricolage, de l'expédient — de la vache enragée aussi.

LA COURSE AU CACHET

Ni Molière, ni aucun de ses compagnons d'alors, n'ont écrit leurs mémoires. Au temps des grandes batailles, et des victoires — entre 1659 et 1673, — ils furent avares de confidences sur leurs « années de campagne ». Nous sommes persuadés — et c'est d'ailleurs humainement et artistiquement logique — que ces « années de campagne » furent vraiment des « années d'apprentissage » (Goethe pense à Molière, quand il écrit les *Années d'apprentissage* de son *Wilhelm Meister*). C'est entre 1645 et 1658 que Molière devient Molière. Mais les documents probants font défaut. A grand peine, les érudits ont exhumé de minces indications qui permettent de reconstituer les allées et venues de Molière et de ses compagnons. L'examen des vieux registres d'état-civil, entre autres, a permis de tracer des itinéraires datés : les ménages de comédiens étaient très prolifiques et Jean-Baptiste et Madeleine aimaient être parrain et marraine. Il y a aussi quelques actes officiels, quelques lettres. Celle-ci, par exemple, que M. de Bréteuil, Intendant du Languedoc, adresse à la municipalité d'Albi le 9 octobre 1647.

« Messieurs,

Étant arrivé en notre ville, j'ai trouvé la troupe des comédiens de M. le duc d'Épernon, qui m'ont dit que votre ville les avait mandés pour donner la comédie pendant que M. le comte d'Aubijoux y a demeuré, ce qu'ils ont fait, sans qu'on leur ait tenu la promesse qu'on leur avait faite, qui est qu'on leur avait promis une somme de six cents livres et le port et la conduite de leurs bagages. Cette troupe est remplie de fort honnêtes gens et de très bons artistes, qui méritent d'être récompensés de leurs peines. Ils ont cru qu'à ma considération ils pourront obtenir votre grâce et que vous leur ferez donner satisfaction. C'est de quoi je vous prie et de faire en sorte qu'ils puissent être payés. je vous en aurai obligation. »

Cette lettre nous dessine toute une petite comédie — d'ailleurs dramatique. Le duc d'Épernon, gouverneur du Languedoc a accordé sa protection à la troupe de Dufresne, à laquelle se sont joints les rescapés de l'Illustre Théâtre. Les villes de la province font appel à cette troupe, lors des festivités, mais, imitant en cela M. le Gouverneur lui-même, elles oublient de payer. D'où démarches, réclamations respectueuses, plaidoiries, rappels... et sans doute querelles avec les hôteliers, les voituriers, qui exigent payement comptant !

Voici deux extraits d'un registre de l'administration municipale de Nantes :

« Du jeudi 23e jour d'avril mil six cent quarante-huit :

Ce jour est venu au Bureau le sieur Morlierre, l'un des comédiens de la troupe du sieur Dufresne, qui a remontré que le reste de ladite troupe doit arriver en cette ville et a supplié très humblement Messieurs de leur permettre de monter sur le théâtre pour représenter leurs comédies.

Sur quoi, de l'avis commun du Bureau, a été arrêté que la troupe desdits comédiens tardera de monter sur le théâtre jusque à dimanche prochain, au quel jour il sera avisé ce qui sera trouvé à propos. »

Ce « sieur Morlierre » est évidemment notre Jean-Baptiste. Il semble assumer certaines responsabilités dans la gestion et l'organisation des spectacles.

La troupe n'a pas de chance. A Nantes, le gouverneur de Bretagne, le duc de la Meilleraye, étant gravement malade, tout spectacle sera interdit jusqu'à nouvel ordre :

« Du dimanche 17e jour de mai 1648 :

Ce jour a été mandé et fait entrer au Bureau Dufresne,

comédien, au quel a été par Messieurs déclaré qu'ils entendent prendre la pièce qui doit être demain représentée pour l'hôpital de cette ville, ainsi qu'il a été pratiqué ci-devant aux autres troupes de comédiens. De quoi ledit Dufresne est demeuré d'accord. Et au moyen de quoi a été arrêté qu'il sera mis ordre à ce que l'argent soit reçu à la porte du jeu de Paume par personnes que l'on commettra pour cet effet. »

Les choses se sont arrangées. Mais l'administration contrôlera le guichet...

LES PÉRÉGRINATIONS DE THESPIS

En tournée

Voici, année par année, comment se dessinent les tournées de la troupe. Les érudits bataillent ferme autour des détails. On n'a retenu ici que les séjours attestés :

1646   Nantes
1647   Bordeaux — Toulouse — Albi — Carcassonne
1648   Nantes — Fontenay-le-Comte
1649   Poitiers — Angoulême — Limoges — Toulouse — Montpellier — Narbonne
1650   Narbonne — Agen — Pezenas
1651   Lyon — Vienne — Carcassonne — Lyon
1652   Lyon — Grenoble
1653   Lyon — Pézenas — La Grange-des-Prés — Montpellier
1654   Pézenas — Lyon
1655   Dijon — Avignon — Pézenas
1656   Narbonne — Bordeaux — Béziers
1657   Lyon — Dijon — Avignon — Pézenas
1658   Grenoble — Lyon — Rouen
       24 octobre : soirée au Louvre, à Paris.

La troupe, on le voit, « tourne » dans une région relativement étendue qui couvre la Gascogne, le Languedoc, le Lyonnais et le Dauphiné. L'embardée de 1648 à Nantes, en Bretagne, est exceptionnelle, et la traversée de toute la France, en flèche, vers Rouen, en 1658, pour le moins surprenante. Les centres les plus familiers sont ceux où se tiennent les États Généraux du Languedoc (Pézenas, Carcassonne) et, après 1650, la résidence du nouveau protecteur Conti, Lyon.

Y eut-il des retours à Paris et, d'autre part, existait-il une troupe, organisée, qui « tourna » douze ans avant de revenir à Paris, ou des troupes qui se débandaient et se reconstituaient chaque saison?

Parlant des troupes « de campagne », Chapuzeau dit ceci, dans son *Théâtre François*, publié pour la première fois à Lyon en 1674 :

« C'est dans ces troupes que se fait l'apprentissage de la comédie; c'est d'où l'on tire, au besoin, des acteurs et des actrices pour remplir les théâtres de Paris, et elles y viennent souvent passer le carême, pendant lequel on ne va guère à la comédie dans les provinces, tant pour y prendre de bonnes leçons auprès des maîtres de l'art que pour de nouveaux traités et pour des changements à quoi elles sont sujettes. »

On ne tranchera pas. On se bornera à constater que si on retrouve, dans la troupe qui « monte » à Paris en 1658, un certain nombre de comédiens figurant déjà dans celle de 1646 (les Béjart, Dufresne, Du Parc, Molière), la plupart des autres ont disparu (Réveillon, Desfontaines, Ragueneau, Marie Courtin, Vauselle et sa femme, Martin et sa femme).

CHEF DE TROUPE?

Quand Molière prend-il effectivement la direction de la troupe? Il semble que ce soit après la « crise » de 1650. A ce moment, la France est en effervescence depuis deux ans. A Paris, on chante, sur le Pont-Neuf, ces vers de Scarron :

> « Un vent de fronde
> A soufflé ce matin;
> Je crois qu'il gronde
> Contre le Mazarin. »

Troubles et intrigues gagnent les provinces et, en juillet, Épernon tombe en disgrâce. Une tradition veut que Molière ait pris le commandement, d'autorité, des mains de Dufresne découragé et, agissant seul et en son nom désormais, ait obtenu des dignitaires des États de Languedoc une confiance et une protection qui allaient se maintenir longtemps, en même temps que la protection officielle du nouveau gouverneur, le prince de Conti. Le fait est que la troupe, au plus bas en juillet-août 1650, reparaît triomphante aux États qui ont lieu à Pézenas de fin octobre 1650 à début janvier 1651. C'est cette victoire de Molière qui a accrédité la légende de l'amitié de collège avec Conti.

Après les États, la troupe demeure à Lyon et, à la mi-avril, Molière se rend à Paris, pour y « régler des affaires personnelles ». Ce voyage aussi fut interprété diversement. Molière, dit-on se rend à Paris pour solder ses dettes. Et c'est en raison de ces dettes qu'il n'apparaissait pas, officiellement, jusque-là, comme chef de troupe : les créanciers auraient pu faire saisir les recettes... C'est peut-être préjuger de la puissance d'information et d'action des huissiers parisiens! D'autres voient ce voyage comme un acte de fierté, sinon d'orgueil : Jean-Baptiste, chef de la troupe, et ayant assuré l'avenir immédiat, vient à Paris pour triompher devant papa Poquelin. Mais il peut y avoir eu, plus simplement, des affaires de famille à régler, et un répertoire à assurer...

Les relations avec le prince de Conti ne furent d'ailleurs jamais idylliques. Voici une page de mémoires qui en témoigne. L'auteur est Daniel de Cosnac, familier du prince, plus tard évêque de Valence, et enfin archevêque d'Aix-en-Provence. Les faits rapportés se situent vers le début de 1655. Mme de Calvimont, maîtresse en titre de Conti, s'installe à La Grange des Prés (prés de Pézenas) où le prince possède un château. Comme elle s'ennuie, elle exige qu'une troupe vienne lui donner la comédie.

« Comme j'avais l'argent des menus plaisirs de ce Prince, il me donna ce soin. J'appris que la troupe de Molière et de la Béjart était en Languedoc; je leur mandai qu'ils vinssent à La Grange. Pendant que cette troupe se disposait à venir sur mes ordres, il en arriva une autre à Pézenas, qui était celle de Cormier. L'impatience naturelle à M. le Prince de Conti et les présents que fit cette dernière troupe à Mme de Calvimont engagèrent à les retenir. Lorsque je voulus représenter à M. le Prince de Conti que je m'étais engagé à Molière sur ses ordres, il me répondit qu'il s'était, depuis, lui-même engagé à la troupe de Cormier, et qu'il était plus juste que je manquasse à ma parole que lui à la sienne. Cependant Molière arriva, et, ayant demandé qu'on lui payât au moins les frais qu'on lui avait fait faire pour venir, je ne pus jamais l'obtenir, quoiqu'il y eût beaucoup de justice; mais M. le Prince de Conti avait trouvé bon de s'opiniâtrer à cette bagatelle. Ce mauvais procédé me touchant de dépit, je résolus de les faire monter sur le théâtre de Pézenas et de leur donner mille écus de mon argent, plutôt que de leur manquer de parole. Comme ils étaient prêts de jouer à la ville, M. le Prince de Conti, un peu piqué d'honneur par ma manière d'agir et pressé par Sarrasin (son secrétaire), que j'avais intéressé à me servir, accorda qu'ils viendraient jouer une fois sur le

Portrait de Molière par Mignard.

Molière dans le rôle de Sganarelle.

Armande Béjart,
qui épousa Molière
en 1662.

Une reconstitution
de la chambre de Meudon
où Armande se retira
après la mort de Molière.

théâtre de La Grange. Cette troupe ne réussit pas dans sa première représentation au gré de Mme de Calvimont, ni par conséquent au gré de M. le Prince de Conti, quoique, au jugement de tout le reste des auditeurs, elle surpassât infiniment la troupe de Cormier, soit par la bonté des acteurs, soit par la magnificence des habits. Peu de jours après, ils représentèrent encore, et Sarrasin, à force de prôner leurs louanges, fit avouer au Prince de Conti qu'il fallait retenir la troupe de Molière à l'exclusion de celle de Cormier. Il les avait servis et soutenus dans le commencement à cause de moi; mais alors, étant devenu amoureux de la du Parc, il songea à se servir lui-même. Il gagna Mme de Calvimont, et non seulement il fit congédier la troupe de Cormier, mais il fit donner pension à celle de Molière. »

Très belle petite comédie de mœurs, ici encore. Mais elle lève des questions. A ce moment, la troupe n'était donc pas encore sous la protection, même simplement nominale, de Conti? Les faits se situent au début de 1655. Ils doivent, en tout cas, se situer après l'été 1653 puisque la présence dans la troupe de Marquise du Parc influe sur les sentiments de Sarrasin, et que Marquise a été engagée avec son mari à Lyon, au début de l'été 1653. Or, la troupe joue pour les États, chaque année, depuis fin 1650, et elle a joué en septembre et octobre 1653 à La Grange (*L'Étourdi*, entre autres, créé peu avant à Lyon). Conti aurait-il donné et retiré plusieurs fois sa protection? Ou bien l'archevêque d'Aix, qui écrit longtemps après les faits, se laisse-t-il aller à « arranger » ses souvenirs?

L'exemple est excellent pour montrer à quelles exégèses conduisent toutes les anecdotes relatives à Molière!

Il faut retenir, de telles anecdotes, non des faits précis, mais l'ambiance permettant d'imaginer comment les choses se présentaient.

En 1657, nouvelle crise pour la troupe : Conti retire sa protection. C'est que, depuis quelques années, ce parfait libertin revient à la foi et songe à la pénitence. On le verra, plus tard, participer activement aux actions de police morale de la coterie pieuse. Cette conversion, œuvre de l'évêque d'Aleth, Mgr Nicolas Pavillon, commence à porter ses fruits, si on ose dire, pour Molière, dès 1655 — et on repense à la petite histoire rapportée plus haut. La rupture est définitive en 1657, année où Molière rencontre La Grange, qui deviendra son ami, son bras droit, et Mignard, le peintre, retour d'Italie, qui l'aidera généreusement lors de l'installation à Paris.

On peut penser que la crise de 1657 est à l'origine de la
« montée » à Paris. « Lâché » par Conti, Molière se rend
à Dijon, à l'appel du duc d'Épernon, rentré en grâce
et désormais gouverneur de Bourgogne. Mais sans doute
Molière et ses compagnons se sentent-ils assez forts pour
désirer des protections plus augustes, et rêver d'un champ
d'action plus vaste. La troupe assume tous ses engagements, joue à Avignon, à Pézenas, à Grenoble, à Lyon,
mais, à la fin d'avril 1658, traverse soudain toute la France
en diagonale et vient se produire, en mai et juin, à Rouen.
En juillet, Molière (ou Madeleine?) arrive à Paris où
il règle la location du jeu de paume du Marais, vieille
salle inemployée depuis quelque temps. En octobre,
la troupe entière se transporte dans la capitale. Que s'est-il
passé? L'événement mérite qu'on y revienne.

GUEUX OU GRANDS SEIGNEURS?

On se représente volontiers la troupe « errante » de
Molière, pendant ces douze ans de « campagne », à l'image
de celle du *Roman Comique* de Scarron (publié en 1657)
— ou, plutôt, de la version améliorée qu'en donna
Théophile Gautier dans son délectable *Capitaine Fracasse*.

Il est plus que probable que le sieur *Morlierre*, qui
bataillait avec la municipalité d'Albi pour faire payer
le cachet convenu, et qui suppliait « humblement » les
Messieurs de Nantes, était un cabot assez minable,
voyageant à pied sous l'averse pour laisser l'abri de la
voiture aux *demoiselles* et aux précieux costumes et acces-
soires de scène, et qui ne dînait pas tous les soirs. Mais
cette misère pittoresque n'a pas dû se prolonger longtemps.
Molière est une « bête de théâtre » et, non pas résigné
mais décidé, à passer par où il faudra pour parvenir à ses
fins : mais dans toute « bête de théâtre » se cache un grand
seigneur. Fils de bourgeois, tapissier lui-même, il a le
goût du luxe. Il vit au-dessus de ses moyens. La troupe
a connu la misère pittoresque, mais le chef a tout fait
pour en sortir. D'ailleurs, parler de troupe « errante »,
de vagabondages dans la province, me paraît inexact.
A aucun moment, la troupe de Dufresne-Molière-Béjart
ne semble pouvoir se comparer aux véritables baladins
errants qui prennent la route, de village en village, sans
autre but que de jouer à l'étape pour assurer le souper.

Elle condescend à cela par nécessité, à défaut d'engagements fixes. Elle cherche systématiquement de tels engagements et les trouve. Après la « crise » de 1650, on doit parler de « tournées » plutôt que de vagabondages.

Sur le niveau de vie de la troupe vers 1656-1657, nous avons un témoignage direct : les *Mémoires* de Charles Coypeau d'Assoucy (1605-1675) joyeux drille, franc buveur, porté sur le jeu et le jupon, qui avait un flair tout particulier pour n'aller jamais piquer que dans les assiettes bien garnies. Il paraît que la troupe ne l'aimait guère, mais Molière lui passait tout, même de donner la chasse, en sonnant du cor, aux servantes d'auberges, et de revenir du tripot n'ayant plus, pour tout vêtement, que sa guitare passée en sautoir. Quand on lui racontait les incartades de son protégé, Molière riait aux larmes et, attendri, s'écriait : « Le pauvre homme ! » Si non è vero...

C'est à Lyon que d'Assoucy rencontre Molière et sa troupe.

« Ce qui me charma le plus (à son arrivée à Lyon), ce fut la rencontre de Molière et de MM. les Béjart. Comme la comédie a des charmes, je ne pus quitter de sitôt ces charmants amis : je demeurai trois mois à Lyon parmi les jeux, les comédies et les festins.

(Il les suit à Avignon)

Mais comme un homme n'est jamais pauvre tant qu'il a des amis, ayant Molière comme estimateur et toute la maison des Béjart pour amie, en dépit du diable, je me vis plus riche et plus content que jamais : car ces généreuses personnes ne se contentèrent pas de m'assister comme ami, elles me voulurent traiter comme parent. Étant commandés pour aller aux États, ils me menèrent avec eux à Pézenas, où je ne saurais dire combien de grâces je reçus ensuite de toute la maison. On dit que le meilleur frère est las, au bout d'un mois, de donner à manger à son frère; mais ceux-ci, plus généreux que tous les frères qu'on puisse avoir, ne se lassèrent point de me voir à leur table tout un hiver; et je peux dire

> Qu'en cette douce compagnie
> Que je repaissais d'harmonie,
> Au milieu de sept ou huit plats,
> Exempt de soins et d'embarras,
> Je passais doucement la vie.
> Jamais plus gueux ne fut plus gras;
> Et, quoiqu'on chante et quoi qu'on die
> De ces beaux Messieurs des États,
> Qui tous les jours ont six ducats,
> La musique et la comédie;

A cette table bien garnie,
Parmi les plus friands muscats
C'est moi qui soufflais la rotie
Et qui buvais plus d'hypocras.

En effet, quoique je fusse chez eux, je pouvais bien dire que j'étais chez moi. Je ne vis jamais tant de bonté, tant de franchise ni tant d'honnêteté, que parmi ces gens-là, bien dignes de représenter réellement dans le monde les personnages des princes qu'ils représentent tous les jours sur le théâtre. Après donc avoir passé six bons mois dans cette Cocagne et avoir reçu de M. le Prince de Conti, de Guilleragues, et de plusieurs personnes de cette cour des présents considérables... je suivis Molière à Narbonne. »

Ce joyeux pique-assiette avait, c'est le moins qu'on puisse dire, la reconnaissance du ventre!

LA MONTÉE À PARIS

On a lu, en tête de ce chapitre, le paragraphe très court que Grimarest consacre à la « montée » de la troupe, vers Rouen d'abord et Paris ensuite.

Un autre témoignage se trouve dans la préface de l'édition des *Œuvres* de Molière, procurée par La Grange et Vinot en 1682. Le rédacteur en est évidemment La Grange. La Grange devint très rapidement l'ami, le confident et le collaborateur le plus fidèle et le plus doué de Molière — c'était d'ailleurs un honnête homme, dans toutes les acceptions du terme, lettré, plein de délicatesse d'âme et de dignité, intelligent et loyal. Mais La Grange ne fit partie de la troupe qu'à partir de Pâques 1659 (il fut engagé en même temps que Jodelet et Du Croisy et sa femme, après le départ au Marais de Marquise Du Parc, Gros-René son mari, et L'Espy, et après le licenciement de Croizac, vieux compagnon de route mais qui faisait vraiment trop). Quant à la première rencontre de Molière et La Grange, elle ne peut se situer avant la fin de 1656. La Grange n'a donc pas vécu les événements de 1658 : il rapporte ce qu'en dit la tradition de la troupe.

On remarquera aussi que La Grange — c'est d'ailleurs assez normal dans la préface à une édition d'*Œuvres complètes* — met l'accent, chaque fois qu'il le peut, sur l'activité d'écrivain de Molière.

« Il vint à Lyon en 1653, et ce fut là qu'il exposa au public sa première comédie : c'est celle de l'*Étourdi*. S'étant trouvé quelque temps après en Languedoc, il alla offrir ses services à feu Monsieur le Prince de Conti, gouverneur de cette province et vice-roi de Catalogne. Ce Prince, qui l'estimait, et qui alors n'aimait rien tant que la comédie, le reçut avec des marques de bonté très obligeantes, donna des appointements à sa troupe, et l'engagea à son service, tant auprès de sa personne que pour les États de Languedoc.

La seconde comédie de M. de Molière fut représentée aux États de Béziers, sous le titre du *Dépit amoureux*.

En 1658, ses amis lui conseillèrent de s'approcher de Paris en faisant venir sa troupe dans une ville voisine : c'était le moyen de profiter du crédit que son mérite lui avait acquis auprès de plusieurs personnes de considération qui, s'intéressant à sa gloire, lui avaient promis de l'introduire à la Cour. Il avait passé le Carnaval à Grenoble, d'où il partit après Pâques et vint s'établir à Rouen. Il y séjourna pendant l'été ; et, après quelques voyages qu'il fit à Paris secrètement, il eut l'avantage de faire agréer ses services et ceux de ses camarades à Monsieur, frère unique de Sa Majesté, qui, lui ayant accordé sa protection et le titre de sa troupe, le présenta en cette qualité au Roi et à la Reine-Mère.

Ses compagnons, qu'il avait laissés à Rouen, en partirent aussitôt, et, le 24ᵉ octobre 1658, cette troupe commença de paraître devant Leurs Majestés et toute la Cour, sur un théâtre que le Roi avait fait dresser dans la salle des Gardes du vieux Louvre. *Nicomède*, tragédie de M. Corneille l'aîné, fut la pièce qu'elle choisit pour cet éclatant début. Ces nouveaux acteurs ne déplurent point, et on fut surtout fort satisfait de l'ajustement et du jeu des femmes. Les fameux comédiens qui faisaient alors si bien valoir l'Hôtel de Bourgogne étaient présents à cette représentation. La pièce étant achevée, M. de Molière vint sur le théâtre et, après avoir remercié Sa Majesté en des termes très modestes, de la bonté qu'elle avait eue d'excuser ses défauts et ceux de sa troupe, qui n'avait paru qu'en tremblant devant une assemblée aussi auguste, il lui dit que l'envie qu'ils avaient eue d'avoir l'honneur de divertir le plus grand roi du monde leur avait fait oublier que Sa Majesté avait à son service d'excellents originaux, dont ils n'étaient que de très faibles copies ; mais que, puisqu'Elle avait bien voulu souffrir leurs manières de campagne, il la suppliait très humblement d'avoir agréable qu'il lui donnât un de ces petits divertissements qui lui avait acquis quelque réputation et dont il régalait les provinces.

Ce compliment, dont on ne rapporte que la substance, fut si agréablement tourné et si favorablement reçu que toute la Cour y applaudit, et encore plus à la petite comédie, qui fut celle du *Docteur amoureux*. Cette comédie, qui ne contenait qu'un acte, et quelques autres de cette nature, n'ont point été imprimées; il les avait faites sur quelques idées plaisantes sans y avoir mis la dernière main; et il trouva à propos de les supprimer, lorsqu'il se fut proposé pour but dans toutes ses pièces d'obliger les hommes à se corriger de leurs défauts. Comme il y avait longtemps qu'on ne parlait plus de petites comédies, l'invention en parut nouvelle, et celle qui fut représentée ce jour-là divertit autant qu'elle surprit tout le monde. M. de Molière faisait le Docteur; et la manière dont il s'acquitta de ce personnage le mit dans une si grande estime que Sa Majesté donna des ordres pour établir sa troupe à Paris. La salle du Petit-Bourbon lui fut accordée pour y représenter la comédie alternativement avec les comédiens italiens. Cette troupe, dont M. de Molière était le chef et qui, comme je l'ai déjà dit, prit le titre de « La Troupe de Monsieur », commença à représenter en public le 9e novembre 1658 et donna pour nouveautés *L'Étourdi* et le *Dépit amoureux*, qui n'avaient jamais été joués à Paris. »

A ces éléments d'explication de la « montée » à Paris de 1658, que nous apportent Grimarest, La Grange et tous ceux qui les reproduisent sans les citer, il faut ajouter quelques faits.

Molière est ambitieux. La carrière qu'il fait dans le Midi donne de l'envie à bien des confrères, comme lui « errants », mais ne peut le satisfaire.

Molière est parisien.

On ne triomphe d'ailleurs qu'à Paris.

Conti a « lâché » la troupe. Épernon, sans doute, la protège désormais, mais cette protection est-elle parfaitement assurée? Et les États, qui assurent une bonne partie des prestations, continueront-ils d'assurer le monopole de leurs spectacles à Molière?

En résumé : Molière a envie, et depuis longtemps, d'aller à Paris; et de plus, l'avenir, au même niveau de vie, n'est nullement garanti.

Molière, d'autre part, est en correspondance avec Paris, et sait quelle y est la situation des théâtres. Il sait que les Grands Comédiens de l'Hôtel de Bourgogne vieillissent, se répètent, et que le Marais a des difficultés de trésorerie. Il sait aussi qu'il connaît son métier, qu'il joue *autrement* que ses confrères. Grimarest dit : « Molière sentit qu'il avait assez de force pour y soutenir un théâtre comique ». Un théâtre : oui; comique : c'est moins certain. Molière remporte ses plus grands succès dans des petites comédies, dans des farces, mais il se veut tragédien. Il écrit depuis longtemps : des arrangements de canevas, des farces, voire même des comédies comme cet *Étourdi*, mais en secret, il travaille déjà à une vraie pièce : *Don Garcie de Navarre*.

Fait peut-être très important, Molière, en 1657, a rencontré Mignard à Avignon. A cette époque, Pierre Mignard a quarante-sept ans. Il revient d'Italie. Il est dans la pleine force de son talent. Il est célèbre. Mazarin, dès son arrivée à Paris, le recevra en ami, lui passera d'importantes commandes, le consultera. Mignard est, d'autre part, l'ami de La Mothe le Vayer, l'ancien précepteur de Louis XIV et, jadis, ami du jeune Poquelin.

Il y a là, pour le moins, un concours de circonstances favorables.

Pourquoi, cependant, puisque les contacts sont pris à Paris, tant pour la location d'une salle que pour le bénéfice de protections officielles, le détour par Rouen?

Au vrai, on n'en sait rien. On peut tout au plus faire des suppositions. On verra, au chapitre des *Questions, Mystères et Potins*, quelle explication étonnante donnent Pierre Louys et Henri Poulaille. On en voit d'autres, moins romanesques, plus terre à terre.

Molière, ne désirant plus prendre d'engagements à long terme, dans le Midi, se trouve libéré plus qu'il ne le voulait. Et la caisse, si elle n'est pas vide, ne déborde certainement pas. On va au-devant de grosses dépenses de mise en train. Quelques bonnes recettes ne seraient pas à dédaigner. Or, à Rouen se tient une foire, où Molière s'est déjà produit, autrefois, devant des salles bien remplies. En venant à Rouen, on se rapproche de Paris... avec déplacement payé.

Pendant que la troupe joue à Rouen, d'avril à octobre (peut-être devant Corneille?) ses amis parisiens agissent : Mignard et La Mothe recommandent, vantent la compagnie devant Mazarin, la reine mère, Monsieur. Toute une intrigue se monte ainsi dont nous ne connaissons pas les détails, mais seulement le résultat : Monsieur, frère unique du roi, accorde sa protection, encore toute platonique, à la troupe de Molière, et lui commande un spectacle à offrir au roi.

JOUER AU MARAIS !

Opération bien menée : en arrivant à Paris, à la mi-octobre 1658, Molière dispose d'une salle (le Marais), d'un protecteur titré, d'une petite cabale de protecteurs moins titrés mais plus efficaces, d'une bonne presse parlée, et on lui offre, en plus, l'occasion de faire ses preuves devant le public qui, s'il n'est pas le plus connaisseur, est le plus apte à consacrer une réputation.

Le 24 octobre 1658, dans la Salle des Gardes du Louvre aménagée en théâtre, Molière et sa troupe vont jouer *Nicomède*, tragédie de Pierre Corneille, devant le roi, la reine mère, Mazarin, Monsieur, toute la cour et même les Grands Comédiens invités tout exprès.

Ce ne fut nullement un triomphe. Un succès d'estime, sans plus. « Pas mal... pour des provinciaux! »

Après la tragédie, ainsi que le raconte La Grange, Molière endossa le manteau rouge pour un compliment au roi. Molière avait toujours tenu cet emploi d'annonceur. Il aimait parler en public et y excellait. Son compliment fut peut-être mieux reçu que la pièce elle-même. Il demanda la permission de présenter aussi une farce. Était-elle prévue au programme? Était-ce une « ajoute », improvisée pour tenter d'améliorer l'impression faite? De toute manière, il semble que ce fut pour Molière, une véritable épreuve. Il espérait se faire acclamer pour sa façon nouvelle, humanisée, de jouer Corneille : on l'acclama pour son *Docteur amoureux*.

Ce jour-là, Molière rencontra son destin : il ne le reconnut pas, il mit encore plusieurs années à le reconnaître. C'est qu'il attendait un autre destin. Il eut l'impression de gagner sur un malentendu.

Mais il gagnait : Monsieur confirmait sa protection à la troupe, promettait même une pension (elle ne fut jamais payée). Le roi, de son côté, accordait la permission de jouer dans la salle du Petit-Bourbon, ce qui valait mieux que le Marais. Au lieu de jouer en alternance avec une troupe moribonde, Molière allait jouer en alternance avec la seule troupe de Paris qui faisait des salles combles : les Italiens de Scaramouche.

Le samedi 2 novembre, Molière affrontait victorieusement le public de la ville.

TÉMOIGNAGES IMAGINAIRES

La vie des « gens du spectacle » est elle-même un spectacle, et dont le pittoresque, la truculence, le burlesque et le tragique mêlés à une grande noblesse, ont souvent tenté les auteurs. Tout particulièrement, la vie des comédiens, ambulants et sédentaires, des temps héroïques du théâtre européen, la vie de Molière, et en pays anglo-saxons celle de Shakespeare, se sont pour ainsi dire imposées de soi comme modèles accomplis et significatifs de l'aventure théâtrale. Molière lui-même devint très vite un héros de théâtre, sinon de roman. De son vivant déjà, on le « joua ».

C'est de quelques-unes des œuvres plus ou moins directement inspirées des vagabondages méridionaux de Jean-Baptiste Poquelin et de ses compagnons, que sont extraites les quelques scènes qui suivent. Ce sont moins des documents que des images, des illustrations. Elles se réfèrent en effet à la légende au moins autant qu'à l'histoire vécue. Mais comme telles, elles ont leur valeur — disons anecdotique.

Aucun des auteurs cités n'a évidemment connu Molière, pas même Scarron, qui n'a pu le rencontrer qu'après 1650, c'est-à-dire après la rédaction de la première partie de son *Roman Comique* parue en 1651.

Voici deux courts extraits des premiers chapitres de ce *Roman Comique*.

Une troupe de comédiens arrive dans la ville du Mans

« Il était entre cinq et six quand une charrette entra dans les halles du Mans. Cette charrette était attelée de quatre bœufs fort maigres, conduits par une jument poulinière, dont le poulain allait et venait à l'entour de la charrette comme un petit fou qu'il était. La charrette était pleine de coffres, de malles et de gros paquets de toiles peintes, qui faisaient comme une pyramide, au haut de laquelle paraissait une demoiselle habillée moitié ville, moitié campagne. Un jeune homme, aussi pauvre d'habits que riche de mine, marchait à côté de la charrette. Il avait un grand emplâtre sur le visage, qui lui couvrait un œil et la moitié de la joue, et portait un grand fusil sur son épaule, dont il avait assassiné plusieurs pies, geais et corneilles, qui faisaient comme une bandoulière, au bas de laquelle pendaient par les pieds une poule et un oison qui avaient bien la mine d'avoir été pris à la petite guerre. Au lieu de chapeau, il n'avait qu'un bonnet de nuit, entortillé de jarretières de différentes couleurs, et cet habillement de tête était une manière de turban qui n'était encore qu'ébauché et auquel on n'avait pas encore donné la dernière main. Son pourpoint était une casaque de grisette, ceinte avec une courroie, laquelle lui servait aussi à soutenir une épée qui était si longue qu'on ne s'en pouvait servir adroitement sans fourchette. Il portait des chausses trouées à bas d'attaches, comme celles des comédiens quand ils représentent un héros de l'antiquité, et il avait, au lieu de souliers, des brodequins à l'antique que les boues avaient gâtés jusqu'à la cheville du pied. Un vieillard vêtu plus régulièrement, quoique très mal, marchait à côté de lui. Il portait sur ses épaules une basse de viole, et, parce qu'il se courbait un peu en marchant, on l'eût pris de loin pour une grosse tortue qui marchait sur ses jambes de derrière. Quelque critique murmurera de la comparaison, à cause du peu de proportion qu'il y a d'une tortue à un homme; mais j'entends parler des grandes tortues qui se trouvent dans les Indes, et de plus, je m'en sers de ma seule autorité. Retournons à notre caravane. Elle passa devant le tripot de la Biche, à la porte duquel étaient assemblés quantité des plus gros bourgeois de la ville. La nouveauté de l'attirail, et le bruit de la canaille qui s'était assemblée autour de la charrette, furent cause que tous ces honorables bourgmestres jetèrent les yeux sur nos inconnus. Un lieutenant de prévôt, entre autres, nommé la Rappinière, les vint accoster et leur demanda avec une autorité de magistrat quelles gens ils étaient. Le jeune homme dont je viens de vous parler prit la parole, et, sans mettre la main au turban, parce que de l'une il tenait son fusil, et de l'autre la garde de son épée, de peur qu'elle ne lui battît les jambes, lui dit qu'ils étaient Français de naissance, comédiens de profession; que son nom de théâtre était Destin; celui de son vieux camarade la Rancune; celui de la demoiselle qui était juchée comme une poule au haut de leur bagage, la Caverne. Ce nom bizarre fit rire quelques-uns de la compagnie; sur quoi le jeune comédien ajouta que le nom de la Caverne ne devait pas sembler plus étrange à des hommes d'esprit que ceux de la Montagne, la Vallée, la Rose ou l'Épine. La conversation finit par quelques coups de poing et jurements de Dieu que l'on entendait au devant de la charrette. C'était le valet du tripot qui avait battu le charretier sans dire gare, parce que ses bœufs et sa jument usaient trop librement d'un amas de foin qui était devant la porte. On apaisa la noise, et la maîtresse du tripot, qui aimait la comédie plus que sermon ni vêpres, par une générosité inouïe en une maîtresse de tripot, permit au charretier de faire manger ses bêtes tout leur soûl. Il accepta l'offre qu'elle lui fit, et, pendant que les bêtes mangèrent, l'auteur se reposa quelque temps, et se mit à songer à ce qu'il dirait dans le second chapitre. »

Un spectacle improvisé

On prie les comédiens de jouer. Mais, à la suite d'une malheureuse affaire, ils ont dû fuir, perdant les clefs des coffres à habits, et abandonnant plusieurs camarades. Qu'à cela ne tienne !

« J'ai joué une pièce moi seul, dit la Rancune, et j'ai fait en même temps le roi, la reine et l'ambassadeur. Je parlais en fausset quand je faisais la reine; je parlais du nez pour l'ambassadeur, et me tournais vers ma couronne que je posai sur une chaise; et pour le roi, je reprenais mon siège, ma couronne et ma gravité, et grossissais un peu ma voix... Et qu'ainsi ne soit, si vous voulez contenter notre charretier et payer notre dépense en l'hôtellerie, fournissez nos habits, et nous jouerons avant que la nuit vienne, ou bien nous irons boire, avec votre permission, et nous reposer, car nous avons fait une grande journée. Le parti plut à la compagnie, et le diable de la Rappinière, qui s'avisait toujours de quelque malice, dit qu'il ne fallait point d'autres habits que ceux de deux jeunes hommes de la ville qui jouaient une partie dans le tripot, et que mademoiselle de la Caverne, en son habit d'ordinaire, pourrait passer pour tout ce que l'on voudrait dans une comédie. Aussitôt dit, aussitôt fait : en moins d'un quart d'heure, les comédiens eurent bu chacun deux ou trois coups, furent travestis, et l'assemblée qui s'était grossie, ayant pris place en une chambre haute, on vit un drap sale que l'on leva, le comédien Destin couché sur un matelas, un corbillon sur la tête, qui lui servait de couronne, se frottant un peu les yeux comme un homme qui s'éveille, et récitant du ton de Mondori le rôle d'Hérode[1], qui commence par

Fantôme injurieux qui trouble mon repos...

L'emplâtre qui lui couvrait la moitié du visage ne l'empêcha pas de faire voir qu'il était excellent comédien. Mademoiselle de la Caverne fit des merveilles dans les rôles de Marianne et de Salomé; la Rancune satisfit tout le monde dans les autres rôles de la pièce, et elle s'en allait être conduite à bonne fin, quand le diable, qui ne dort jamais, s'en mêla et fit finir la tragédie, non pas par la mort de Marianne et par les désespoirs d'Hérode, mais par mille coups de poing, autant de soufflets, un nombre effroyable de coups de pied, des jurements qui ne se peuvent compter, et ensuite une belle information que fit faire le sieur de la Rappinière, le plus expert de tous les hommes en pareille matière. »

Les deux jeunes gens dont on avait emprunté les habits sans les consulter protestent et provoquent une rixe qui devient générale où le sieur de la Rappinière compromettra son autorité.

[1] Mondori, comédien du Marais. *Hérode*, tragédie de Tristan L'Hermite.

Préparatifs pour un spectacle
dans une ville de province

Scarron avait lui-même vécu dans l'intimité des « troupes de campagne » et sous le ton badin, on sent incontestablement le vrai vécu.

Théophile Gautier, deux bons siècles plus tard, refera le *Roman Comique* sous le titre *Le Capitaine Fracasse*. En voici un court extrait, d'une vérité humaine tout aussi évidente :

« On se rendit à la répétition, qui devait être en costumes pour qu'on pût bien se rendre compte de l'effet général. Pour ne pas traverser la ville en carême prenant, les comédiens avaient fait porter leurs habits au jeu de paume et les actrices s'accommodaient dans la salle que nous avons décrite. Les gens de condition, les galantins, les beaux esprits de l'endroit avaient fait rage pour pénétrer dans ce temple ou plutôt sacristie de Thalia où les prêtresses de la Muse se revêtaient de leurs ornements pour célébrer les mystères. Tous faisaient les empressés auprès des comédiennes. Les uns leur présentaient le miroir, les autres approchaient les bougies afin qu'elles se vissent mieux. Celui-ci donnait son opinion sur la place d'un nœud de ruban, celui-là tendait la boîte à poudre; un autre plus timide restait assis sur un coffre, branlant les jambes, sans dire mot et filant sa moustache par matière de contenance.

Chaque comédienne avait son cercle de courtisans dont les yeux goulus cherchaient fortune dans les trahisons et les hasards de la toilette. Tantôt le peignoir glissant à propos découvrait un dos lustré comme un marbre; tantôt c'était un demi-globe de neige ou d'ivoire qui s'impatientait des rigueurs du corset et qu'il fallait mieux coucher dans son nid de dentelles, ou bien encore un beau bras qui, se relevant pour ajuster quelque chose à la coiffure, se montrait nu jusqu'à l'épaule. Nous vous laisserons à penser que de madrigaux, de compliments et de fadeurs mythologiques arracha à ces provinciaux la vue de pareils trésors; Zerbine riait comme une folle d'entendre ces sottises; Sérafine, plus vaniteuse que spirituelle, s'en délectait; Isabelle ne les écoutait point et sous les yeux de tous ces hommes s'arrangeait avec modestie, refusant d'un ton poli mais froid les offres de service de ces messieurs. »

Pour l'amour d'un jupon

Gœthe aussi connut, de très près, les comédiens ambulants de son époque. Mais son *Wilhelm Meister* fournit des illustrations encore plus intéressantes pour nous, du fait que, de son propre aveu, il pensait à Molière dont il avait étudié la vie lorsqu'il composait son roman. Wilhelm, amoureux d'une comédienne, hante les coulisses et découvre le théâtre, à l'endroit et à l'envers :

« Combien de fois il se tenait, au théâtre, derrière les coulisses, privilège qu'il avait sollicité et obtenu du directeur! Alors sans doute la magie de la perspective avait disparu, mais le charme bien plus puissant de l'amour commençait à opérer avec toute sa force. Il pouvait rester des heures auprès de l'immonde char de lumière, respirer la fumée des lampes, suivre des yeux sa bien-aimée sur la scène, et, lorsqu'elle rentrait dans les coulisses et le regardait avec amitié, il se sentait ivre de joie, et, parmi cet échafaudage de planches et de solives, il se croyait transporté dans un paradis (…)

Cette magie était assurément nécessaire pour lui rendre supportable, agréable même, dans la suite, l'état où il trouvait d'ordinaire la chambre de Marianne et parfois aussi sa personne.

Élevé dans une élégante maison bourgeoise, il vivait dans l'ordre et la propreté comme dans son élément; ayant hérité une partie des goûts fastueux de son père, il avait su, dès son enfance, décorer pompeusement sa chambre, qu'il regardait comme son petit royaume. (…) Le soir, lorsqu'il était seul, et qu'il n'avait plus à craindre d'être dérangé, il passait d'ordinaire une écharpe de soie autour de son corps; on assure même qu'il mettait quelquefois à sa ceinture un poignard, déterré dans un vieux dépôt d'armures; équipé de la sorte, il répétait ses rôles tragiques, et c'était dans les mêmes dispositions que, s'agenouillant sur le tapis, il faisait sa prière.

Comme alors il trouvait heureux le comédien qu'il voyait possesseur de tant d'habits majestueux, d'équipements et d'armes, ne cessant jamais de s'exercer aux nobles manières, et dont l'âme semblait un miroir fidèle des situations, des passions, des sentiments les plus admirables et les plus sublimes que le monde eût jamais produits! Wilhelm se représentait aussi la vie privée d'un comédien comme une suite de nobles actions et de travaux, dont son apparition sur le théâtre était le couronnement : à peu près comme l'argent, longtemps exposé à la flamme qui l'éprouve, paraît enfin brillamment coloré aux yeux de l'ouvrier, et lui annonce en même temps que le métal est pur de tout alliage.

Aussi, quelle fut d'abord sa surprise, lorsqu'il se trouva chez sa maîtresse, et qu'à travers l'heureux nuage qui l'entourait, il jetait un coup d'œil, à la dérobée, sur la table, les sièges et le parquet! Les débris d'une toilette fugitive, fragile et menteuse, étaient là pêle-mêle, dans un désordre affreux, comme la robe éclatante des poissons écaillés. L'attirail de la propreté, les peignes, les savons, les serviettes, la pommade, restaient exposés à la vue, avec les traces de leur usage; musique, rôles et souliers, linge de corps et fleurs artificielles, étuis, épingles à cheveux, pots de fard et rubans, livres et chapeaux de paille, ne dédaignaient pas le voisinage l'un de l'autre; tous étaient réunis dans un élément commun, la poudre et la poussière. Mais comme, en présence de Marianne, Wilhelm faisait peu d'attention à tout le reste, que même tout ce qui lui appartenait, ce qu'elle avait touché, lui devenait agréable, il finit par trouver à ce ménage en désordre un charme qu'il n'avait jamais senti au milieu de sa brillante et pompeuse régularité. Lorsqu'il déplaçait le corset de Marianne pour ouvrir le clavecin; qu'il posait ses robes sur le lit pour trouver où s'asseoir; lorsqu'elle-même, avec une liberté naïve, ne cherchait pas à lui cacher certains détails, que la décence a coutume de dérober aux regards : il lui semblait que chaque instant le rapprochait d'elle et qu'il s'établissait entre eux une existence commune, resserrée par d'invisibles liens.

Il ne lui était pas aussi facile d'accorder avec ses idées la conduite des autres comédiens, qu'il rencontrait quelquefois chez Marianne dans ses premières visites. Occupés à ne rien faire, ils ne semblaient pas songer du tout à leur vocation et à leur état. Wilhelm ne les entendait jamais discourir sur le mérite poétique d'une pièce de théâtre et en porter un jugement juste ou faux. La question unique était toujours : Cette pièce fera-t-elle de l'argent? fera-t-elle courir le monde? Combien de fois pourra-t-elle être donnée? ... Et autres réflexions pareilles. Puis on se déchaînait ordinairement contre le directeur : il était trop avare d'appointements, et surtout injuste envers tel ou tel; puis on venait au public; on disait qu'il accorde rarement ses suffrages au vrai talent; que le théâtre allemand se perfectionne de jour en jour; que l'acteur est toujours plus honoré selon ses mérites, et ne saurait jamais l'être assez; puis l'on parlait beaucoup des cafés et des jardins publics et de ce qui s'y était passé; des dettes d'un camarade, qui devait subir des retenues; de la disproportion des appointements ; des cabales d'un parti contraire : sur quoi, l'on finissait pourtant par signaler de nouveau la grande et légitime attention du public; et l'influence du théâtre sur la culture d'une nation et sur celle du monde n'était pas oubliée. »

N'est-ce pas, transposée, l'histoire très vraisemblable de Jean-Baptiste, découvrant l'envers et l'endroit de l'amour et du théâtre en compagnie de Madeleine Béjart, sa jolie voisine de la rue Saint-Honoré?

Il y a une autre illustration célèbre de l'atmosphère des théâtres du XVIIe siècle : le premier acte du *Cyrano de Bergerac* d'Edmond Rostand, auquel je me permets de renvoyer le lecteur.

MOLIÈRE À PARIS
1659-1673

« Le sieur de Molière et sa troupe arrivèrent à Paris au mois d'octobre 1658 et se donnèrent à Monsieur, frère unique du Roi, qui leur accorda l'honneur de sa protection et le titre de ses comédiens avec 300 L. de pension pour chaque comédien.

Nota : que les 300 L. n'ont pas été payées. »

Cette note ouvre le *Registre* de La Grange, engagé dans la troupe à Pâques 1659 (l'année théâtrale finissait à Pâques : les engagements et licenciements que pratique Molière à ce moment reconstituent donc la troupe avec laquelle on va repartir du bon pied).

Ce *Registre*, fidèlement, méticuleusement tenu à jour, est un document exceptionnel qui nous renseigne, sur la vie de la compagnie. La Grange y note les titres des pièces jouées, les recettes, les parts de comédiens, les modifications intervenant dans la composition de la troupe et certains incidents marquants. Toute étude de la vie, de la carrière et de l'œuvre de Molière, toute analyse de l'activité théâtrale de cette époque, doit nécessairement utiliser le *Registre*. Le rappel constant de cette référence serait fastidieux : je préfère donc la noter ici, une fois pour toutes, mais en soulignant son importance. Sans le *Registre* de La Grange, la reconstitution de la carrière de Molière à Paris serait aussi hasardeuse que celle de ses années de tournée en province.

A partir du samedi 2 novembre 1658 (date de la première représentation publique au Petit-Bourbon : on ne sait pas quel fut le programme), c'est vraiment la vie et la carrière de Molière, du grand Molière, qui commence. Vie, carrière, œuvre sont, évidemment, étroitement mêlés. Les chapitres suivants vont reconsidérer cette vie, cette carrière, cette œuvre, sous différents aspects. Il s'impose donc, ici, d'en retracer la trame, de situer de manière rapide et concise s'il se peut, les moments importants, voire décisifs.

L'énumération chronologique des faits est, sans doute, la plus logique, mais elle disperse des détails qui gagnent à rester groupés. On trouvera plus loin le tableau chronologique de la carrière de Molière à Paris. Voici quelques notes plus synthétiques sur des sujets particuliers.

LA TROUPE

Voici quelle était la composition de la troupe qui « monta » du Midi à Rouen et Paris en 1658.

Molière : directeur, metteur en scène, administrateur. Il jouait les premiers rôles comiques et tragiques.

Madeleine Béjart : associée à la direction, tant artistique qu'administrative. Elle jouait les premiers rôles tragiques et les soubrettes de comédie (où elle excellait).

Dufresne : l'ancien chef de troupe. Resté conseiller. Régisseur de scène. Jouait sans doute les pères nobles et les matamores. Quitta la troupe en 1659, et se retira à Argentan.

Joseph Béjart : tous les emplois. Plus comique que tragique.

Louis Béjart : jouait vraisemblablement les jeunes premiers.

René Berthelot, dit Du Parc, dit Gros-Nez : acteur essentiellement comique. Excelle dans la farce.

Edme Villequin, dit De Brie : acteur comique lui aussi. Joue les seconds plans et les utilités.

Croizac : gagiste, homme à tout faire de la troupe, en coulisses et sur scène.

Catherine De Brie, femme de Villequin : à l'aise dans tous les emplois.

Marquise Du Parc, Thérèse de Gorla, femme de Berthelot : premiers rôles. Danseuse et acrobate.

Mademoiselle Hervé, Geneviève Béjart : joue les suivantes et les servantes de second plan. Joue très peu à Paris, sauf en cas de besoin. S'occupe spécialement des costumes.

L'une de ces comédiennes mérite une mention particulière : Thérèse de Gorla, épouse de René Berthelot et célèbre sous son nom de scène Marquise Du Parc. Comédienne accomplie, très jolie, très agressive, très ambitieuse, elle préfigure les « monstres sacrés », les grandes vedettes modernes, voire quelque chose comme les vamps. Sur scène, elle usait de tous ses moyens, non seulement pour plaire, mais encore pour éclipser ses camarades. Des témoins — d'ailleurs ravis — signalent qu'elle n'hésitait pas à montrer tout ce qu'elle avait de plus beau. Très habile à exécuter des cabrioles savantes, à jeter la jambe et à virevolter en danseuse, elle portait un maillot de corps (un collant, en somme) qui évitait au charme de devenir indécent. Elle avait une belle voix, de beaux yeux, un regard ardent et une technique parfaite de l'œillade. Sa vie privée fut aussi dynamique que sa présence en scène. Épouse de Berthelot, elle eut, dit-on, des bontés pour Molière, provoqua le dernier grand incendie du cœur de Corneille (elle le jugea trop barbon, le dit et reçut en réponse un poème resté célèbre) et fut le grand amour de Racine. Joli tableau de chasse !

A Pâques 1659, Croizac fut congédié et Marquise, à la suite d'une querelle (dont nous avons un écho vague dans une lettre de Chapelle citée plus loin) émigra avec son mari au Marais.

Molière engagea :

Charles Varlet de La Grange : premiers rôles et conseiller du directeur. Dans l'*Impromptu de Versailles*, dans la dernière tirade de la scène I, Molière lui fait cet éloge public : « Pour vous, je n'ai rien à vous dire. »

François Bedeau, dit *L'Espy* : il vient du Marais. Acteur comique.

Julien Bedeau, dit *Jodelet* : fameux acteur comique de l'Hôtel de Bourgogne, père du précédent.

Philippe Gassot, sieur Du Croisy : acteur comique, mais habile à tous les rôles de second plan.

Mademoiselle Du Croisy (Marie Claveau) : femme du précédent. Joue peu. Utilités, servantes comiques et pimbèches.

La troupe de Molière garde son unité jusqu'en 1673, et même au-delà puisque, après la mort de Molière, passé le premier choc, et sous l'impulsion de La Grange, elle reprend les représentations. Quand, en 1680, un édit de Louis XIV la fait fusionner avec l'Hôtel de Bourgogne, ce n'est pas l'Hôtel qui annexe la troupe de Molière, mais la troupe de Molière qui impose sa tradition à l'Hôtel.

On note des départs et des engagements nouveaux, au cours des années, mais la compagnie existe par elle-même, avec ses traditions, ses méthodes, son esprit.

Voici les principales modifications :

mai 1659	mort de Joseph Béjart
Pâques 60	retour de Marquise et de son mari
	mort de Jodelet (le Vendredi-saint)
juin 62	engagement de Brécourt et La Thorillière (du Marais)
mars 63	L'Espy se retire dans sa terre de Vigray (Angers)
novembre 64	mort de Du Parc
août 66	Molière recueille le jeune Michel Boyron, dit Baron, alors âgé de 13 ans, qui jouera dans *Mélicerte*
Pâques 67	Marquise quitte définitivement la troupe (elle va créer *Andromaque* à l'Hôtel de Bourgogne en novembre)
novembre 68	La Grange remplace Molière comme « orateur » de la troupe
Pâques 70	Louis Béjart est pensionné par la troupe (mille livres, assurées par contrat, notaire Le Vasseur)
	engagement définitif de Baron
17 février 72	mort de Madeleine Béjart
17 février 73	mort de Molière.

ARMANDE

Un nom, et très important, n'a pas été cité : celui d'Armande Béjart, que Molière épouse le lundi 20 février 1662.

Il a déjà été question d'Armande au chapitre 1, lors de sa naissance — disons de sa naissance présumée pour rester objectif. On sait, avec certitude, qu'elle a tenu le rôle d'Élise dans *La Critique de l'École des Femmes* (le rôle d'Agnès, dans *L'École des Femmes*, n'a pas été créé par elle, comme on le dit parfois, mais par Catherine De Brie) et qu'à partir de ce moment, elle est de presque toutes les distributions, et avec des rôles importants (elle sera l'Elmire du *Tartuffe*, Charlotte de *Don Juan*, Angélique de *George Dandin*, Lucile du *Bourgeois gentilhomme*, etc.). On sait, d'autre part, qu'elle a vécu un certain temps avec la troupe sans jouer. Molière s'était fait son précepteur. Depuis quand était-elle là? Joua-t-elle des silhouettes avant de paraître en premier rôle? Est-ce elle, la *Mademoiselle Menou* dont il est question ici et là?

Voici, pour clôturer ce petit chapitre, la lettre déjà mentionnée que Chapelle, l'ami d'enfance, libertin et charmant ivrogne, adresse à Molière, en mai 1659, de sa « campagne », où il se repose de quelques orgies trop réussies. Le chagrin dont il est question concerne évidemment la mort de Joseph Béjart. Les « trois grandes actrices » (« vos femmes », dit ce coquin de Chapelle) sont Madeleine Béjart, Marquise Du Parc et Catherine De Brie.

« Votre lettre m'a touché très sensiblement; et, dans l'impossibilité d'aller à Paris de cinq à six jours, je vous souhaite de tout mon cœur en repos et dans ce pays-ci. J'y contribuerais de tout mon possible à faire passer votre chagrin, et je vous ferais assurément connaître que vous avez en moi une personne qui tâchera toujours à le dissiper, ou pour le moins à le partager. Ce qui fait que je vous souhaite encore davantage ici, c'est que, dans cette douce révolution de l'année, après le plus terrible hiver que la France ait depuis longtemps senti, les beaux jours se goûtent mieux que jamais.

(...) Toutes les beautés de la campagne ne vont faire que croître et embellir, surtout celles du vert, qui nous donna des feuilles au premier jour et que nous commençons à trouver à redire, depuis que le chaud se fait sentir. Ce ne sera pas néanmoins encore sitôt; et pour ce voyage, il faudra se contenter de celui qui tapisse la terre et qui, pour vous le dire un peu plus noblement,

> Jeune et faible, rampe par bas
> Dans le fond des prés, et n'a pas
> Encore la vigueur et la force
> De pénétrer la tendre écorce
> Du saule qui lui tend les bras.
> La branche amoureuse et fleurie
> Pleurant pour ses naissants appas,
> Toute en sève et larmes l'en prie,
> Et, jalouse de la prairie,
> Dans cinq ou six jours se promet
> De l'attirer à son sommet.

Vous montrerez ces beaux vers à Mlle Menou seulement; aussi bien sont-ils la figure d'elle et de vous.[1]

Pour les autres, vous verrez bien qu'il est à propos surtout que vos femmes ne les voient pas, et par ce qu'ils contiennent, et parce qu'ils sont, aussi bien que les premiers, tous des plus méchants. Je les ai faits pour répondre à cet endroit de votre lettre où vous me particularisez le déplaisir que vous donnent les partialités de vos trois grandes actrices pour la distribution des rôles. Il faut être à Paris pour en résoudre ensemble et, tâchant de faire réussir l'application de vos rôles à leur caractère, remédier à ce démêlé qui vous donne tant de peine. En vérité, grand homme, vous avez besoin de toute votre tête en conduisant les leurs, et je vous compare à Jupiter pendant la guerre de Troie. (...) Qu'il vous souvienne donc de l'embarras où ce maître des dieux se trouva pendant cette guerre, sur les différents intérêts de la troupe céleste, pour réduire les trois déesses à ses volontés.

> Fais-en donc ton profit; surtout
> Tiens-toi neutre, et, tout plein d'Homère,
> Dis-toi bien qu'en vain l'homme espère
> Pouvoir jamais venir à bout
> De ce qu'un grand Dieu n'a su faire. »

LES SALLES

En arrivant à Paris, en octobre 1658, Molière avait l'intention de jouer au Marais, en alternance avec la troupe du lieu. Le roi en décide autrement : il autorise la compagnie protégée par son frère à jouer dans la salle du Petit-Bourbon. C'est un ancien hôtel noble, aménagé pour la comédie, où se produisent les Italiens. Les Italiens jouent les « jours ordinaires » (dimanche, mardi et vendredi). Molière peut donc jouer les lundi, mercredi, jeudi et samedi.

[1] Allusion au projet de mariage, déjà?

En juillet 1659, les Italiens quittent Paris (ils rentrent dans leur pays) et Molière dispose de la salle à sa guise.

En octobre 1660, catastrophe : M. de Ratabon, surintendant des bâtiments du roi, ordonne, sans avoir averti, la destruction du Petit-Bourbon.

Le bâtiment (face à Saint-Germain-l'Auxerrois) faisait partie d'un bloc qui gênait, depuis longtemps, l'architecte Perrault, chargé de vastes travaux d'urbanisme. Cela explique la destruction du pâté de maisons. Le mauvais procédé de Ratabon s'explique, lui, par le fait que le surintendant avait pris parti pour l'Hôtel de Bourgogne, dans les intrigues que celui-ci menait contre ses jeunes concurrents. La Mothe le Vayer intervint, appuyé par d'autres, et Louis XIV, entrant dans une violente colère, ordonna à Ratabon de loger immédiatement Molière. Il n'existait qu'une seule salle libre à Paris : celle que Richelieu avait fait édifier, autrefois, pour son usage personnel, au Palais-Royal. Le roi la donna à Molière. Mais elle tombait en ruines. Le roi ordonna sa restauration. Et ici se place un épisode assez significatif de l'impression que Molière (qui n'est encore qu'un directeur de troupe, auteur des *Précieuses* et de l'*Étourdi*) a pu faire sur ses confrères et sur le monde littéraire et théâtral. Une véritable coalition, qui groupe l'Hôtel de Bourgogne, le Marais, Ratabon et les cercles influents, de Paris et de la cour, blessés par les *Précieuses*, met tout en œuvre pour empêcher, et puis freiner les travaux, pour créer des difficultés techniques et administratives et, surtout, pour débaucher les comédiens de Molière réduits au chômage. A cette cabale « contre », s'oppose d'ailleurs aussitôt une cabale « pour ».

Un gazettier anonyme note :

« Faute de théâtre, la Troupe de Monsieur avait tous les grands hôtels de Paris pour y donner des représentations en visite. »

Louis XIV donne d'ailleurs l'exemple. Il appelle Molière au Louvre le 16 octobre, le 21 octobre, le 4 décembre et le 25 décembre. Mazarin offre des spectacles au roi : au Louvre le 26 octobre et à Vincenne le 23 novembre.

L'exemple est suivi : Molière joue chez Fouquet, chez le maréchal Daumont, chez le marquis de la Meilleraye, chez le duc de Roquelaure, chez le comte de Vaillac, chez le duc de Mercœur, etc. Soit dit en passant, presque

CRÉATIONS À PARIS AU TEMPS DE MOLIÈRE (1659-1673)

	Au Palais Royal		Autres salles
1659	Molière	*Les Précieuses ridicules*, comédie	Pierre Corneille	*Œdipe*, tragédie
			Quinault	*La Mort de Cyrus*, tragédie
			Somaize	*Les Véritables Précieuses*, comédie
	Coqueteau la Clairière	*Pylade et Oreste*, tragédie	Brécourt	*La feinte Mort de Jodelet*, comédie
	Magnon	*Zénobie*, tragédie	Villiers	*Le Festin de Pierre, ou le Fils Criminel*, tragi-comédie
	Gochin du Bouscal et Madeleine Béjart	*Don Quichotte*, tragi-comédie	Dorimond	*L'École des Cocus, ou la Précaution Inutile*, comédie
1660	Molière	*Sganarelle*, comédie	Somaize	*Les Précieuses Ridicules nouvellement mises en vers*, comédie
	G. Gilbert	*La Vraie et la Fausse Précieuse*, comédie	Quinault	*Stratonice*, tragi-comédie
	»	*Huon de Bordaux*, tragi-comédie	Somaize	*Le Procès des Précieuses*, comédie
			Donneau	*Les Amours d'Alcippe et de Céphise, ou le cocu imaginaire*, comédie
			Thomas Corneille	*Stilicon*, tragédie
			Pierre Corneille	*La Toison d'Or*, tragédie
			Dorimond	*L'Amant de sa Femme*, comédie
			Dorimond	*La Comédie de la Comédie, ou les Amours de Trapolin*, comédie

Année	Auteur	Titre	Auteur	Titre
1661	Molière	Don Garcie de Navarre, tragi-comédie	Thomas Corneille	Camma, Reine de Galatie, tragédie
	»	L'École des Maris, comédie	Chapuzeau	L'Académie des Femmes, comédie
	»	Les Fâcheux, comédie		
	G. Gilbert	Le Tyran d'Égypte, tragédie	Poisson	Le Baron de la Crasse, comédie
	Chapuzeau	Le Riche Impertinent, comédie	Boyer	Policrite, tragédie
1662	Molière	L'École des Femmes, comédie	Thomas Corneille	Maximian, tragédie
	Prade	Arsace, roi des Parthes, tragédie	Chevalier	Les Barbons amoureux et rivaux de leurs Fils, comédie
	Cl. Boyer	Oropaste, tragédie	Chevalier	L'Intrigue des Carrosses à cinq Sous, comédie
	P. Corneille	Sertorius, tragédie	Quinault	Agrippa, roi d'Albe, ou le faux Tiberius, tragi-comédie
1663	Molière	Critique de l'École des Femmes, comédie	Pierre Corneille	Sophonisbe, tragédie
	»	Impromptu de Versailles, comédie	Donneau	Zélinde, ou la Véritable Critique de l'École des Femmes ; et La Critique de la Critique
	Brécourt	Le Grand Benêt de fils aussi sot que son père, farce	Boursault	Le Portrait du Peintre, ou La Contre-Critique de l'École des Femmes.
			Robinet	Le Panégyrique de l'École des Femmes ou Conversation comique sur les Œuvres de M. de Molière

	Au Palais Royal		Autres salles
		Donneau	*Réponse à l'Impromptu de Versailles, ou La Vengeance des Marquis*
		Françoise Pascal	*Le Vieillard amoureux, ou l'heureuse Feinte*, comédie
		Montfleury	*L'impromptu de l'Hôtel de Condé*
		Chevalier	*Les Amours de Calotin*, comédie
		La Croix	*La Guerre comique, ou La Défense de l'Ecole des Femmes*
		Melle Dejardin	*Ditétis*, tragédie
1664	Molière	*Le Mariage forcé*	Pierre Corneille	*Othon*, tragédie
»		*La Princesse d'Elide*	Quinault	*Astrate*, tragédie
»		*Tartuffe*	Thomas Corneille	*Pyrrhus, Roi d'Epire*, tragédie
	Anonyme	*Bradamante ridicule*, tragi-comédie		
	J. Racine	*La Thébaïde, ou les frères ennemis*, tragédie		
1665	Molière	*Don Juan*, comédie	Boileau et coll.	*Chapelain décoiffé*
»		*L'Amour médecin*, comédie	Boyer	*Alexandre le Grand*, tragédie
	J. Racine	*Alexandre le Grand*, tragédie	Racine	*Alexandre le Grand*, tragédie
	Melle Dejardin	*La Coquette ou le Favori*, tragi-comédie	Quinault	*La Mère coquette, ou les Amants brouillés*
	Donneau de Visé	*La Mère coquette ou les Amants*	Boyer	*Les Amours de Jupiter et de*

Année	Auteur	Œuvre	Auteur	Œuvre
1666	Molière	*Le Misanthrope*, comédie	Pierre Corneille	*Agésilas*, tragédie
	»	*Le Médecin malgré lui*, comédie	Brécourt	*Le Jaloux invisible*, comédie
	»	*Mélicerte*, comédie		
	»	*Pastorale comique*, pastorale		
1667	Molière	*Le Sicilien*, comédie	Jean Racine	*Andromaque*
	»	*Tartuffe* (reprise), comédie		
	Donneau de Visé	*La Veuve à la mode*, comédie		
	»	*Délie*, pastorale		
	P. Corneille	*Attila, roi des Huns*, tragédie		
1668	Molière	*Amphitryon*, comédie	Subligny	*La Folle Querelle, ou La Critique d'Andromaque*
	»	*George Dandin*, comédie	Quinault	*Pausanias*, tragédie
	»	*L'Avare*, comédie	Montfleury	*La Femme, Juge et Partie*, comédie
	La Thorillière	*Cléopâtre*, tragi-comédie	Anonyme	*La Critique du Tartuffe*
	Subligny	*La Folle Querelle*, comédie	Jean Racine	*Les Plaideurs*
1669	Molière	*Monsieur de Pourceaugnac*, comédie	Boyer	*La fête de Vénus*, pastorale féérique
	Donneau de Visé	*Les maux sans Remède*, comédie	Rosimond	*Le Nouveau Festin de Pierre, ou l'Athée foudroyé*, tragi-comédie
	Anonyme	*Le Fin Lourdaud*, farce	Jean Racine	*Britannicus*
			Chapuzeau	*Les Eaux de Pirmont*

	Au Palais Royal		Autres salles
1670	Molière	*Les Amants magnifiques,* comédie	Montfleury	*Le Gentilhomme de la Beauce*
	»	*Le Bourgeois gentilhomme,* comédie	Hauteroche	*Crispin médecin*
	P. Corneille	*Tite et Bérénice*	Jean Racine	*Bérénice*
	Subligny	*Le Désespoir extravagant*	Quinault	*Bellérophon*
1671	Molière	*Psyché,* comédie	Donneau	*Les Amours du Soleil,* tragédie avec machines
	»	*Les Fourberies de Scapin,* comédie	Montfleury	*La Fille du Capitaine*
	»	*La Comtesse d'Escarbagnas,* comédie	Marcel	*Le Mariage sans Mariage*
			Rosimond	*Les Quiproquo, ou Le Valet étourdi,* comédie
1672	Molière	*Les Femmes savantes,* comédie	Jean Racine	*Bajazet,* tragédie
			Thomas Corneille	*Ariane*
			Pierre Corneille	*Pulchérie*
			Thomas Corneille	*Théodat*
			Montfleury	*L'Ambigu comique, ou les Amours de Didon et d'Énée,* comédie
1673	Molière	*Le Malade Imaginaire,* comédie	Jean Racine	*Mithridate,* tragédie
	Subligny	*Les maris infidèles*	Pradon	*Pyrame et Thisbé*

tous ces spectacles sont de comédie. Molière n'en convient pas encore, mais son public, lui, a compris et décidé : Molière est un comique.

Autre remarque : dès le début, le séjour à Paris est marqué par des batailles, et les ennemis emploient sans vergogne les moyens les plus détournés.

Le 20 janvier 1661, après trois mois de « vagabondages », mais dans Paris cette fois, Molière inaugure la nouvelle salle du Palais-Royal où se déroulera toute sa carrière, par un spectacle... comique. Il a mis à l'affiche *Dépit amoureux* et *Sganarelle*. Un triomphe. Le 4 février, il crée sa « grande » pièce : *Don Garcie de Navarre*. Un four.

Molière ne quittera plus le Palais-Royal, sinon pour des spectacles commandés : à Vaux, chez Fouquet et, pour le roi, à Fontainebleau, à Saint-Germain-en-Laye, au Louvre, à Vincenne, à Versailles.

LE RÉPERTOIRE

De 1659 à 1673, Molière joue ses propres œuvres, qui constituent très rapidement l'essentiel des programmes du Palais-Royal (voir le catalogue complet dans notre tableau).

Son ambition de directeur ne se limitait pourtant pas à cela — ni aux reprises de pièces à succès plus ou moins assuré, pour l'équilibre des affiches. Molière chercha à s'assurer le concours régulier d'auteurs, tant sérieux que comiques. En vain. Il obtint la collaboration de quelques auteurs, que voici :

Théâtre tragique Pierre Corneille
Racine
Gilbert
Magnon
Prade
Boyer
Théâtre comique Brécourt
Chappuzeau
Donneau de Visé
Subligny

Ces collaborations furent toujours de courte durée. On a pu dire que la faiblesse du Palais-Royal resta toujours d'être « un théâtre sans auteurs ». De fait, les chiffres parlent :

Créations de pièces nouvelles (en 14 saisons) : 56

Œuvres de Molière créées au Palais-Royal : 29

De plus, et cela aggrave la situation, les 27 pièces d'autres auteurs ne furent jamais des succès, et souvent des fours.

Pourquoi?

Molière était-il d'un commerce difficile? Lui-même créateur puissant, était-il de ces directeurs dictatoriaux, qui résistent mal à l'envie d'imposer leurs propres conceptions et qui, avec les meilleures intentions du monde, font fuir les auteurs après quelques tentatives de co-existence pacifique, sinon de collaboration? On peut invoquer, à l'appui de cette thèse, le fait que les rapports de Molière avec tous les autres « grands » du spectacle de l'époque furent orageux : avec Pierre Corneille, avec Jean Racine, avec Lulli le musicien. Pourtant, dans ces querelles, ni Corneille, ni Racine, ni Lulli, n'apparaissent sans responsabilités.

Molière jouait-il mal? On se l'est demandé aussi. Pour la comédie, cette explication ne tient pas devant les nombreux témoignages contemporains, tant de simples spectateurs que de gens du métier. Molière et sa troupe jouaient admirablement la comédie. On riait au Palais-Royal. Pour la tragédie, il semble plus difficile de trancher. Les avis exprimés sont partagés, ambigus. Molière paraît avoir eu, de l'interprétation tragique, des conceptions très personnelles, et très différentes de celles qui commandaient les interprétations de l'Hôtel de Bourgogne. Il jouait « autrement ». Le public pouvait ne pas apprécier, ne pas comprendre — et d'autant moins qu'il tenait Molière pour un comique avant tout.

A ces deux explications plus ou moins valables, il faut ajouter que, en ces années 60, le talent tragique devenait rare en France. Corneille vieillissant se répétait, Racine produisait peu et, à partir de 1665, uniquement pour l'Hôtel de Bourgogne. Il y avait davantage de comiques que de tragiques, mais le Palais-Royal avait Molière assuré : cela suffisait.

MOLIÈRE ET RACINE

Au chapitre des relations de Molière avec les auteurs de son temps, une mention spéciale revient à Racine qui, après avoir été « lancé » par Molière, se retourna contre lui, lui joua le plus mauvais tour qu'un auteur puisse jouer à un directeur, passa à l'Hôtel de Bourgogne et, pour comble, enleva Marquise à la troupe.

Voici le récit de Grimarest :

« La différence de jeu avait fait naître de la jalousie entre les deux troupes. On allait à celle de l'Hôtel de Bourgogne; les auteurs tragiques y portaient presque tous leurs ouvrages; Molière en était fâché. De manière qu'ayant su qu'ils devaient représenter une pièce nouvelle dans deux mois, il se mit en tête d'en avoir une prête pour ce temps-là, afin de figurer avec l'ancienne troupe. Il se souvint qu'un an auparavant un jeune homme lui avait apporté une pièce intitulée *Théagène et Chariclée*, qui à la vérité ne valait rien, mais qui lui avait fait voir que ce jeune homme en travaillant pouvait devenir un excellent auteur. Il ne le rebuta point; mais il l'exhorta à se perfectionner dans la poésie avant que de hasarder ses ouvrages en public, et il lui dit de revenir le trouver dans six mois. Pendant ce temps-là Molière fit le dessein des *Frères ennemis* : mais le jeune homme n'avait point encore paru, et lorsque Molière, en eut besoin, il ne savait où le prendre; il dit à ses comédiens de le lui déterrer à quelque prix que ce fût. Ils le trouvèrent. Molière lui donna son projet, et le pria de lui en apporter un acte par semaine, s'il était possible. Le jeune auteur, ardent et de bonne volonté, répondit à l'empressement de Molière; mais celui-ci remarqua qu'il avait pris presque tout son travail dans *La Thébaïde* de Rotrou. On lui fit entendre qu'il n'y avait point d'honneur à remplir son ouvrage de celui d'autrui; que la pièce de Rotrou était assez récente pour être encore dans la mémoire des spectateurs; et qu'avec les heureuses dispositions qu'il avait, il fallait qu'il se fît honneur de son premier ouvrage, pour disposer favorablement le public à en recevoir de meilleurs. Mais comme le temps pressait, Molière l'aida à changer ce qu'il avait emprunté, et à achever la pièce qui fut prête dans le temps, et qui fut d'autant plus applaudie que le public se prêta à la jeunesse de M. Racine, qui fut animé par les applaudissements, et par le présent que Molière lui fit. Cependant, ils ne furent pas longtemps en bonne intelligence... »

Et voici ce que dit Racine lui-même, dans la Préface de *La Thébaïde* :

« Le lecteur me permettra de lui demander un peu plus d'indulgence pour cette pièce que pour les autres qui la suivent; j'étais fort jeune quand je la fis. Quelques vers que j'avais faits alors tombèrent par hasard entre les mains de quelques personnes d'esprit; elles m'excitèrent à faire une tragédie, et me proposèrent le sujet de *La Thébaïde*. Ce sujet avait été autrefois traité par Rotrou, sous le nom d'*Antigone;* mais il faisait mourir les deux frères dès le commencement de son troisième acte. Le reste était, en quelque sorte, le commencement d'une autre tragédie, où l'on entrait dans des intérêts tout nouveaux; et il avait réuni en une seule pièce deux actions différentes, dont l'une sert de matière aux *Phéniciennes* d'Euripide, et l'autre à l'*Antigone* de Sophocle. Je compris que cette duplicité d'action avait pu nuire à sa pièce (...) Je dressai à peu près mon plan sur les *Phéniciennes* d'Euripide. »

L'erreur de titre que commet Grimarest *(Thébaïde* de Rotrou, pour *Antigone)*, ne tire pas à conséquence : il cite de mémoire. Pour le reste, il me semble que Racine (au sommet de sa gloire lorsqu'il écrit la préface) confirme le récit de Grimarest. Il révèle aussi le mépris de l'écrivain à grande perruque — qui, passé le temps de la folle jeunesse, condamne le théâtre au nom de la religion — pour l'histrion-directeur-animateur-auteur qui se permettait, jadis, de lui donner des leçons. Le récit de Grimarest a pour lui ce petit air de vécu-qui-ne-s'invente-pas. Tout y est logique. Nous sommes en 1663. Molière s'impatiente de n'avoir aucune bonne tragédie nouvelle pour faire pièce à l'Hôtel qui, du moins, a Corneille. Un jeune homme vient montrer ses vers. Ça ne vaut rien, mais on y sent le don. Encouragements au jeune homme. Mais c'est un jeune poète, pas un homme de théâtre. On lui fournit un canevas et on le presse. On le presse trop. Il traite l'affaire par-dessous la jambe et plagie, sans vergogne, le vieux Rotrou. On le sermonne, on expurge la pièce. Le résultat est assez encourageant. Molière engage Racine à écrire rapidement une deuxième pièce.

Cette deuxième pièce sera *Alexandre le Grand*, occasion d'une rupture ouverte entre deux hommes qui n'étaient pas faits pour s'entendre, parce qu'ils étaient l'un et l'autre de grands créateurs, et surtout parce qu'ils appartenaient à des « classes » spirituelles trop éloignées l'une de l'autre. Molière monta *Alexandre* le vendredi 4 décembre 1665 et la reprit le 11 et le 13 au Palais-Royal. Gros succès. Le 15, il jouait la pièce, avec grand succès encore, chez la comtesse d'Armagnac, devant Louis XIV. L'Hôtel de Bourgogne jouait un autre *Alexandre*, de Boyer. Le 18 décembre, sans avertissement, l'Hôtel joua la pièce de Racine en lieu et place de celle de Boyer, alors que Molière la maintenait tout naturellement à son affiche. Cela ne peut guère se nommer que « coup vache », et impardonnable. D'autant moins que Molière avait beaucoup misé sur cette tragédie, et n'en avait aucune autre à monter.

Il la joua trois fois encore, on devine avec quelle rage aux dents, en attendant d'avoir pu improviser un autre spectacle.

Comment expliquer le vilain procédé de Racine? (car de l'excuser, il ne peut être question, à mon sens). Peut-être Racine n'appréciait-t-il pas la façon dont Molière avait monté sa pièce. Peut-être les comédiens de Molière la jouaient-ils mal, en effet. Peut-être aussi Racine saisit-il l'occasion qui s'offrait de secouer une tutelle qu'il jugeait trop lourde.

Molière et Racine ne se réconcilièrent jamais.

Deux ans après, quand Racine eut pris, avec *Andromaque*, le prestige et la gloire qui lui revenaient, une cabale de ses ennemis rappela les « irrégularités » de la *Thébaïde.* Pradon fit allusion au plagiat dans une préface et un nommé Barbier d'Aucour prétendit prouver, dans *Apollon vengeur de Mithridate* que toute la pièce, même dans la forme qu'elle avait à l'impression, n'était qu'un plagiat. Molière eut la faiblesse d'intervenir dans la querelle en permettant la représentation, au Palais-Royal, d'une comédie de Subligny, *La Folle Querelle*, critique acerbe d'*Andromaque*. On accusa même Molière d'y avoir mis la main. C'est faux. Il est déjà assez regrettable qu'il l'ait laissé jouer chez lui.

LA CARRIÈRE DE MOLIÈRE À PARIS

1659   18 novembre. Création des *Précieuses ridicules*.
Interdiction. Levée de l'interdiction. Triomphe.

1660   Querelle des *Précieuses*. Oppositions. Cabale.
11 octobre : expulsion de la troupe du Petit-Bourbon.
Trois mois de chômage, mais elle joue en ville et à la cour.

1661   20 janvier : Inauguration de la salle du Palais-Royal.
Échec de *Dom Garcie de Navarre;* triomphe de *L'École des Maris*. Molière est ramené de force à son destin de comique.
Molière obtient double part en prévision d'un mariage possible.

1662   23 janvier : contrat de mariage avec Armande.
20 février : mariage à Saint-Germain-l'Auxerrois.
26 décembre : création de *L'École des Femmes*. Triomphe.

1663   Querelle de l'*École des Femmes* (elle durera deux ans).
Publication de la pièce. Cabale pour obtenir l'interdiction.
Accusations d'impiété (Donneau de Visé, Boursault,

Montfleury fils). Accusations d'inceste (Montfleury père). Louis XIV prend le parti de Molière. Pension de mille livres.

1664   19 janvier : naissance d'un fils. Louis XIV parrain.
Mai : grandes fêtes de Versailles. « Essai » du *Tartuffe*. Déchaînements de la cabale. Interdiction de la pièce.
10 novembre : mort du petit Louis.
Première difficultés conjugales.

1665   15 février : création de *Dom Juan*. Grand succès, mais pression occultes. La pièce n'est pas reprise.
Louis XIV accorde sa protection à la troupe, et six mille livres de pension.
3 août : naissance d'une fille, Madeleine.

1666   Enlisement de l'affaire *Tartuffe*.
Janvier-mars : maladie de Molière. Il se retire à Auteuil.
Séparation de fait d'avec Armande.
4 juin : création du *Misanthrope*.
août : Molière recueille le jeune Baron.

1667   Rivalité accrue avec l'Hôtel (Molière lui « prend » Corneille, l'Hôtel lui « souffle » Marquise).
avril-mai : maladie de Molière.
5 août : représentation de *L'Imposteur* version adoucie du *Tartuffe*. Rebondissement de l'affaire. Interdiction.

1668   Juillet, fêtes de Versailles. Semi-échec de *George Dandin*.
9 septembre : échec de *L'Avare*.
Mauvaise santé de Molière. On le dit mort.

1669   5 janvier : reprise du *Tartuffe*. Triomphe. 33 représentations consécutives.
21 février : mort du père Poquelin.
Mars : publication du *Tartuffe*, avec une préface qui est un constat de victoire.

1670   Publication d'*Elomire hypocondre*, somme des griefs et de la haine de la cabale.
30 janvier au 18 février : fêtes de Saint-Germain dont Molière a eu la charge entière.
Engagement de Baron.
Rapprochement avec Armande.
23 novembre : triomphe du *Bourgeois gentilhomme*.

1671   Liaison Armande-Baron.
Dissensions Molière-Lulli.
14 mai : échec des *Fourberies de Scapin*.
Réconciliation avec Armande.

1672   17 février : mort de Madeleine Béjart.
Juillet : installation dans nouvelle maison rue de Richelieu.
15 septembre : naissance d'un troisième enfant, Pierre.
10 octobre : mort du petit Pierre.

Le philosophe Gassendi.

no de Bergerac.

« Monsieur »,
frère de Louis XIV.

Ninon de Lenclos.

Le poète et critique Chapelain.

Pierre
Corneille.

Louis XIV.

Jean
de La Fontaine.

Jean Racine.

Grimarest,
premier biographe
de Molière.

1673   10 février : création du *Malade imaginaire* (pièce refusée à la cour — disgrâce?).
17 février : mort de Molière.
21 février : enterrement.
21 mars : Lulli obtient du roi la disposition de la salle du Palais-Royal. La troupe, conduite par La Grange et Armande, absorbe celle du Marais et s'installe à l'Hôtel Guénégaud.

1674   Le bruit court à Paris que les restes de Molière ont été exhumés et jetés à la fosse commune des interdits.

1677   29 mai : mariage d'Armande avec Guérin d'Estriché.

1680   18 août : par décret royal, l'Hôtel Guénégaud et l'Hôtel de Bourgogne fusionnent.

LE MARIAGE DE MOLIÈRE

Dans sa concision, le tableau ci-dessus fait apparaître que Molière à Paris n'a guère d'autre existence que celle de sa troupe, de son théâtre, de son œuvre. Il ne prend de repos que forcé et contraint : pour soigner ce mal assez mystérieux qui le mine déjà, et le tuera à l'âge de cinquante et un ans. Pendant quatorze ans, c'est une lutte de tous les instants, sans trêve, sans relâchement. Lutte pour assurer sa place à la cour; lutte pour assurer sa place à Paris; tension forcenée pour mettre au jour, littérairement et théâtralement, une série de chefs-d'œuvre incontestables; coups durs réguliers des « querelles ». A tout cela s'ajoute le mariage, la détérioration rapide du ménage, la mort des enfants. Ce mariage, c'est en somme le seul chapitre de vie réellement privée.

Le lundi 20 février 1662, Jean-Baptiste Poquelin dit Molière épouse Armande-Grésinde Béjart. La cérémonie religieuse a lieu en l'église paroissiale des fiancés, Saint-Germain l'Auxerrois. Le contrat avait été signé, par-devant notaire, le 23 janvier. Molière vient d'avoir quarante ans. Armande est dite « âgée de vingt ans ou environ », mais elle pourrait bien n'en avoir que dix-neuf.

Le 26 décembre de la même année, Molière créera l'*École des Femmes* où Agnès, qui a seize ou dix-sept ans, se verra largement justifiée, par l'auteur et le public, de berner par tous les moyens, pour convoler avec Horace au dernier acte, le ridicule et stupide Arnolphe, vieillard de quarante ans qui ose être amoureux. Il faut éviter d'établir des liaisons trop directes entre la vie d'un auteur et les sujets qu'il traite, mais comment s'en empêcher dans le cas présent?

A cet aspect, humainement essentiel, du mariage, il faut ajouter les incertitudes de l'état civil d'Armande. Il en a déjà été question, mais comme une accusation d'inceste va être bientôt portée contre Molière, il convient d'y revenir ici, au risque de répéter ce qui a déjà été dit.

Un témoignage d'après Baron

Voici le récit de Grimarest.

« On ne pouvait souhaiter une situation plus heureuse que celle où il était à la cour et à Paris depuis quelques années. Cependant il avait cru que son bonheur serait plus vif et plus sensible s'il le partageait avec une femme; il voulut remplir la passion que les charmes naissants de la fille de la Béjart avaient nourrie dans son cœur à mesure qu'elle avait crû. Cette jeune fille avait tous les agréments qui peuvent engager un homme, et tout l'esprit nécessaire pour le fixer. Molière avait passé, des amusements que l'on se fait avec un enfant, à l'amour le plus violent qu'une maîtresse puisse inspirer; mais il savait que la mère avait d'autres vues qu'il aurait de la peine à déranger. C'était une femme altière, et peu raisonnable lorsqu'on n'adhérait pas à ses sentiments; elle aimait mieux être l'amie de Molière que sa belle-mère : ainsi, il aurait tout gâté de lui déclarer le dessein qu'il avait d'épouser sa fille. Il prit le parti de le faire sans en rien dire à cette femme; mais comme elle l'observait de fort près, il ne put consommer son mariage pendant plus de neuf mois : c'eût été risquer un éclat qu'il voulait éviter sur toutes choses, d'autant plus que la Béjart, qui le soupçonnait de quelque dessein sur sa fille, le menaçait souvent en femme furieuse et extravagante, de le perdre, lui, sa fille, et elle-même, si jamais il pensait à l'épouser. Cependant, la jeune fille ne s'accommodait point de l'emportement de sa mère, qui la tourmentait continuellement, et qui lui faisait essuyer tous les désagréments qu'elle pouvait inspirer; de sorte que cette jeune personne, plus lasse, peut-être, d'attendre le plaisir d'être femme, que de souffrir les duretés de sa mère, se détermina un matin de s'aller jeter dans l'appartement de Molière, fortement résolue de n'en point sortir qu'il ne l'eût reconnue pour sa femme, ce qu'il fut contraint de faire. Mais cet éclaircissement causa un vacarme terrible; la mère donna des marques de fureur et de désespoir, comme si Molière avait épousé sa rivale, ou comme si sa fille fût tombée entre les mains d'un malheureux. Néanmoins, il fallut bien s'apaiser; il n'y avait point de remède, et la raison fit entendre à la Béjart que le plus grand bonheur qui pût arriver à sa fille était d'avoir épousé Molière, qui perdit à ce mariage tout l'agrément que son mérite et sa fortune pouvaient lui procurer, s'il avait été assez philosophe pour se passer d'une femme. »

Ce texte est le seul témoignage d'époque sur cet épisode de la vie de Molière. La Grange, dans la *Préface* aux *Œuvres complètes*, n'en souffle mot. C'est du moins le seul témoignage objectif, ou se voulant tel : tous les autres sont des pamphlets, haineux. Ce témoignage, on l'a contesté. L'ouvrage entier de Grimarest présente des erreurs graves, en des domaines où la vérification est possible. De plus, sa principale source d'information fut Baron, le protégé de Molière et l'amant d'Armande. Baron était certainement très bien renseigné mais, bien qu'il eût témoigné longtemps après les faits, et à une époque où il semble guéri de sa folie de jeunesse, le rôle qu'il joua le rend un rien suspect.

Ces réserves faites, le texte de Grimarest dessine, sous la décence des mots et du ton, un drame humain assez plausible. Assez affreux aussi!

Des questions se posent : qui était réellement Armande? que signifie l'amour de Molière pour cette fille d'au moins vingt ans sa cadette? pourquoi le mariage a-t-il raté?

Des accusations

Pendant un siècle et demi, il n'y eut pratiquement pas de doutes quant à l'état civil d'Armande : pour les amis comme pour les ennemis de Molière, Armande est la fille de Madeleine Béjart et d'un père inconnu. La discussion se polarisait sur ce père inconnu. Grimarest, dans un texte cité précédemment, le désigne par son nom : M. de Modène. Et pour faire bonne mesure, il affirme que Madeleine avait contracté avec lui un mariage caché. Modène était déjà marié... Excès de zèle d'un biographe exagérément apaiseur. Il est inutile de revenir ici sur le mystère insoluble du premier voyage de Molière dans le Midi, pendant l'été de 1642. Molière est amoureux de Madeleine. Molière rencontre Madeleine. Mais Madeleine a pu renouer avec Modène, qui réside alors à Carpentras, dans la Comtat. Armande naît en février 1643.

Les ennemis de Molière désignent aussi le père par son nom. Racine rapporte, dans une lettre à Le Vasseur :

« Montfleury a fait une requête contre Molière et l'a donnée au roi. Il l'accuse d'avoir épousé la fille et d'avoir autrefois couché avec la mère. Mais Montfleury n'est pas écouté à la cour. »

Dans *Élomire hypocondre* (1670), Le Boulanger de Chalussay est encore plus explicite :

ELOMIRE

... Qui forge une femme pour soi,
Comme j'ai fait la mienne, en peut jurer sa foi.

BARY

Mais quoique par Arnolphe Agnès ainsi forgée,
Elle l'eût fait cocu, s'il l'avait épousée!

ELOMIRE

Arnolphe commença trop tard à la forger;
C'est avant le berceau qu'il y devait songer,
Comme quelqu'un l'a fait.

L'anonyme de *La Fameuse Comédienne* (1668) brouille un peu les lignes, mais pour mieux insinuer. Armande est la fille, dit-il :

« de la défunte Béjart, comédienne de campagne, qui faisait la bonne fortune de quantité de jeunes gens de Languedoc dans le temps de l'heureuse naissance de sa fille. Il serait assez difficile, dans une galanterie si confuse, de dire qui en était le père; tout ce que j'en sais, c'est que sa mère assurait que, dans son dérèglement, si on excepte Molière, elle n'avait pu souffrir que les gens de qualité, que, pour cette raison, sa fille était d'un sang fort noble.

(...) On l'a crue fille de Molière, quoique depuis il ait été son mari; cependant, on n'en sait pas bien la vérité. »

Autre accusation explicite : celle de Guichard, intendant de Philippe d'Orléans qui, dans un procès contre Lulli (1676) récuse en ces termes Armande, que le musicien a appelée en témoignage :

« Tout le monde sait que la naissance de la Molière est obscure et indigne, que sa mère est très incertaine, que son père n'est que trop certain, qu'elle est fille de son mari, femme de son père, que son mariage a été incestueux, qu'en un mot cette orpheline de son mari, cette veuve de son père et cette femme de tous les autres hommes n'a jamais voulu résister qu'à un seul homme, qui était son père et son mari. »

Dans la *Lettre critique* sur la biographie de Molière par Grimarest — *Lettre* anonyme, mais dont Grimarest lui-même est l'auteur —, on trouve cette remarque :

« A la sixième page, il nous prépare adroitement au mariage de Molière; c'était un endroit délicat à toucher, car le public a de fâcheuses préventions sur cet article, et il n'aurait pas été mauvais de produire les pièces justificatives de ce qu'avance l'auteur pour anéantir le préjugé général. Je ne lui sais pourtant pas mauvais gré d'avoir essayé de détruire l'opinion commune, et je crois pieusement, et avec plaisir, tout ce qu'il nous dit (...). »

S'il avait produit les pièces justificatives, en effet... Pourquoi ne l'a-t-il pas fait? Parce que, dès la fin du XVIIᵉ siècle, les pièces avaient disparu?

Molière : non coupable!

La critique est trop démunie pour trancher, objectivement, cette question en forme d'imbroglio. Certains ont essayé. On a tenté de nier la liaison de Molière avec Madeleine. Il n'existe évidemment aucune preuve matérielle, constat de police ou acte notarié, de cette liaison. Mais nier serait aller contre l'opinion unanime de l'époque, contre le témoignage de Boileau, rapporté par son ami Brossette et, avouons-le, contre la vraisemblance.

« Molière avait été amoureux premièrement de la comédienne Béjart, dont il avait épousé la fille. »

Telle est la déclaration de Boileau. Supposer, comme le fait un historien pourtant sérieux, Gustave Michaut, que Boileau a fait un lapsus et dit fille pour sœur, ou que Brossette, notant sa conversation, a mis un mot pour l'autre, c'est aller fort...

L'argument de « moralité » que serait le parrainage de Louis XIV au premier enfant d'Armande et de Molière ne peut être retenu. Louis XIV, en 1664, est un jeune soleil de vingt-six ans dont les rayons fécondent la France et toutes les roses qui passent à portée. Il se préoccupe bien de moralité!

Quant à l'argument tiré de l'honnêteté de Molière, incapable d'inceste, il n'a aucune valeur objective.

Dans toute cette affaire, le seul fait pouvant, objectivement, appuyer la thèse de la paternité de Modène, qui laverait évidemment Molière de tout soupçon, est mince et ne peut convaincre que ceux qui se sont déjà convaincus par des considérations non objectives. Ce fait, c'est qu'en août 1665, le comte de Modène reparaît pour tenir sur les fonts baptismaux, *avec Madeleine Béjart*, le deuxième enfant d'Armande et de Molière. Le premier né, Louis, avait eu pour parrain et marraine le roi et la duchesse de Bourgogne. Au deuxième enfant, la famille se rallie à la tradition, très largement respectée, aujourd'hui encore, qui fait des grands-parents les parrain et marraine normaux et naturels. Jean Poquelin vivait encore. Il eût été plus logique qu'il soit parrain, à côté de Madeleine. Modène intervient pour dissiper une équivoque.

A moins qu'on n'ait voulu brouiller les pistes! Oui, mais Modène aurait-il accepté s'il n'avait été pour rien dans la naissance d'Armande?

On a pu le tromper!...

L'argument, on le voit, ne vaut vraiment que pour le converti.

Armande, fille de Marie Hervé?

L'affaire était déjà très embrouillée, mais une découverte, publiée en 1821, l'embrouilla un peu plus encore. Un commissaire de police, Beffara, qui appliquait au passé les méthodes d'investigation policières, publia, dans sa *Dissertation sur J.-B. Poquelin Molière*, un document qui avait échappé aux enquêteurs jusque-là, et qui a toutes les apparences de l'authenticité. Cette authenticité n'a, en tout cas, jamais été mise sérieusement en doute. Ce document, c'est l'acte de mariage de Molière et Armande.

Le voici :

« Du lundi vingtième (février 1662), Jean-Baptiste Poquelin, fils de Jean Poquelin et de feue Marie Cressé d'une part, et Armande-Grésinde Béiard, fille de feu Joseph Béiard et de Marie Hervé d'autre part; tous deux de cette paroisse (Saint-Germain-l'Auxerrois), vis-à-vis le Palais-Royal, fiancés et mariés tout ensemble, par permission de M. Comtes, doyen de Notre-Dame et grand-vicaire de Monseigneur le cardinal de Retz, archevêque de Paris, en présence de Jean Poquelin, père du marié, et de André Boudet, beau-frère dudit marié, et de ladite dame Hervé, mère de la mariée, et Louis Béiard et Magdeleine Béiard, frère et sœur de ladite mariée, avec dispense de deux bans.

Jean-Baptiste Poquelin ./.	Armande-Gréxinde Béjart
J. Pocquelin A. Boudet	Béiart
Louys Béjard	Marie Hervé »

Nous lisons bien : « Fille de feu Joseph Béjart et de Marie Hervé...: Louis Béjart et Madeleine Béjart, frère et sœur de ladite mariée ». Juridiquement parlant, l'affaire est éclaircie et classée, après production d'un tel document : officiel, signé par témoins, marqué du sceau de la paroisse.

Et pourtant...

Des documents truqués

Marie Hervé meurt en janvier 1670, et l'acte de décès porte son âge : quatre-vingts ans. En 1643, à la naissance d'Armande, elle en avait donc cinquante-trois. Maternité non impossible, mais tardive néanmoins. Marie Hervé avait eu beaucoup d'enfants, au rythme d'un tous les deux ans environ. Le dernier de cette « série » naquit en 1632. Mais on en déclare un encore en 1638. A ce moment, Madeleine (née vers 1617-1618) donne un premier enfant au comte de Modène, une petite fille dont on perd toute trace, (et qu'on a parfois confondue avec Armande, ce qui brouilla bien des déductions).

Le père, Joseph Béjart était plus vieux que sa femme, et malade depuis longtemps. Son acte de décès a disparu. On situe généralement ce décès au début de mars 1643, mais des documents récemment révélés remettent cette date en question. Admettons-la un instant.

Le 10 mars 1643, Marie Hervé comparaît devant Me Antoine Ferrand, lieutenant de la prévôté, avec ses enfants et quelques amis qui serviront de témoins, pour renoncer à la succession de son mari. Dans cette succession, les dettes l'emportent de loin, d'où la renonciation. Dans l'acte qui est dressé, Marie Hervé agit comme tutrice de ses *enfants mineurs*. Or, à ce moment, Joseph, fils aîné, et Madeleine, au moins, sont majeurs. Pourquoi ce faux? Pour n'avoir à payer que les frais d'un acte unique. Marie Hervé n'a rien d'une rigoriste. On le savait. Mais parmi les enfants que l'acte énumère, figure « une petite non baptisée ». Armande? Quelles raisons Marie Hervé et Madeleine auraient-elles, à ce moment, de faire d'Armande la fille de Marie plutôt que celle de Madeleine? On en voit de très plausibles après tout. L'affaire ne se complique-t-elle pas, juridiquement, si la fille, dite mineure alors qu'elle est majeure, a un enfant sans être mariée? En déclarant tous ses enfants mineurs, et en y incluant la petite bâtarde, Marie Hervé simplifie et active un acte légal qu'elle désire simple et rapidement expédié (elle se présente à la prévôté deux ou trois jours à peine après la mort de son mari). De plus, on sait que Marie « couvrait » sa fille Madeleine sans s'embarrasser de scrupules moraux excessifs. Or, dans la carrière semi-galante et semi-théâtrale de Madeleine, la situation de fille-mère présentait des inconvénients.

Si l'acte de 1643 a été truqué, l'acte de mariage de 1662 reproduit, simplement, une fiction juridique dont on ne peut plus se dégager. L'acte de naissance et de baptême d'Armande seraient utiles à consulter : on ne les possède pas.

Des faits nouveaux ?

Des documents révélés par Madeleine Jurgens et Elizabeth Maxfield-Miller dans *Cent Ans de Recherches sur Molière* (important ouvrage publié en janvier 1964 par les Archives nationales) font singulièrement rebondir la question. A la date du 18 septembre 1641, en effet, les deux érudites relèvent (Minutier central LXXXVII, 118) un devis pour travaux à exécuter rue de la Perle, en la maison de *Marie Hervé, veuve de Joseph Béjart, vivant bourgeois de Paris*. D'autres pièces des 22 décembre 1641, 31 mars et 21 août 1642, désignent Marie Hervé dans les mêmes termes. Veuve en 1641 !

On peut tout remettre en place en faisant naître Armande en 1641 plutôt qu'en 1643. Mais rien ne nous y autorise. Et qu'est-ce alors que cette « petite non baptisée » de l'acte de 1643? Un autre mensonge dans un acte, différé deux ans et soudain précipité, de plus en plus suspect dès lors.

Le contrat de mariage de Molière, rédigé le 23 janvier 1662, indique évasivement, pour Armande *âgée de vingt ans ou environ*, et ne mentionne pas l'âge du marié. Pourquoi ce vague? Et pourquoi Joseph Béjart est-il dit *vivant escuier, sieur de Belleville* et Armande *fille du dict deffunct sieur de Belleville*, dénomination et titre qui n'avaient été appliqués à Joseph Béjart qu'une seule fois, dans l'acte de baptême de l'enfant né en 1638?

Faut-il, aux hypothèses déjà formulées, ajouter celle d'une naissance irrégulière, la mère étant Marie Hervé et le père un inconnu, avec truquages permettant d'attribuer la paternité au mari défunt? Tout ce qu'on sait de Marie Hervé empêche de l'imaginer ayant des aventures galantes alors qu'elle s'était matronisée depuis plusieurs années déjà.

Avouons que les documents nouveaux qui prouvent que Joseph Béjart mourut deux ans plus tôt qu'on ne le pensait jusqu'ici, nous renforcent dans la certitude (subjective, évidemment) qu'Armande était la fille de Madeleine, et non sa sœur, et que la famille Béjart a volontairement, brouillé les pistes pour des raisons encore mystérieuses mais étrangères à Molière.

Et Madeleine?

Revenons maintenant au récit de Grimarest, à ce qu'il dit et suggère des oppositions violentes et même brutales de Madeleine au mariage. Cela s'explique si Armande est la sœur de Madeleine. Armande apparaît alors, vraiment, comme une rivale plus jeune et, en même temps, comme une pauvre petite qui s'engage dans une aventure dont elle sait, elle, Madeleine, qu'elle ne sera pas de tout repos. Cela s'explique beaucoup mieux encore si Armande est la fille de Madeleine. Madeleine n'est pas un ange de vertu, mais ce n'est pas non plus une vulgaire libertine. L'âge venu, elle a digéré ses folies, conquis une manière de sagesse faite, littéralement, d'une science profonde du bien et du mal. Une telle femme, intelligente, lucide, et féminine jusqu'au bout des ongles, doit nécessairement réagir avec horreur à l'idée de voir son amant épouser sa fille.

L'opposition de Madeleine s'expliquerait encore bien mieux, évidemment, si Armande était aussi la fille de Molière... Mais n'y aurait-il pas, ici — sauf cas de perversion pathologique — une impossibilité morale et, presque, biologique? L'argument contre l'inceste, tiré de l'honnêteté de Molière a été refusé comme trop subjectif. Il est plus difficile de refuser, comme trop subjectif, l'argument tiré de la féminité (je ne dis même pas de la maternité) de Madeleine. Or, plus tard, nous voyons Madeleine acceptant la nouvelle situation. Non seulement elle dote Armande (dix mille livres, versées théoriquement par Marie Hervé, mais où la pauvre femme aurait-elle pris pareille somme?), mais, en 1672, la fait sa légataire universelle.

Toutes ces remarques et analyses (et je m'en tiens ici aux grandes lignes : on a consacré des volumes entiers à cette question) répondent-elles vraiment à la question : qui est Armande? Objectivement parlant : non. Le lecteur pourra, peut-être, se faire une opinion personnelle — comme je l'ai fait.

Douze ans qui ne comptent pas

On avait posé deux autres questions : signification de l'amour de Molière pour Armande, et raisons de l'échec du mariage. Ces deux questions-là vont de pair.

Les grandes différences d'âge entre conjoints étaient bien plus fréquentes au XVIIe siècle qu'aujourd'hui. Aussi n'y aurait-il là aucune anomalie si, précisément, le marié n'était Molière, l'auteur de *L'École des maris*, de *L'École des femmes* et de combien d'autres pièces où les barbons de quarante ans et plus se ridiculisent à vouloir épouser des jeunesses. Il n'y a, ici, aucun document à citer, mais une anomalie psychologique à sonder — si on le peut.

Est-il besoin de souligner que l'explication que j'avance est toute personnelle?

L'homme ne se sent pas vieillir, et l'artiste moins que tout autre. Molière, à vingt ans, s'élance dans une aventure, pour l'amour d'un jupon, mais l'aventure elle-même le prend tout entier. Après la déconfiture de l'Illustre Théâtre, il fuit avec la volonté de revenir et de vaincre. Il fuit pour aller fourbir des armes. Combien de temps pense-t-il rester absent? Il ne l'a pas dit, mais certainement pas douze ans. Ces douze ans se passent, s'usent à attendre. C'est du temps qui ne compte pas. Quand il met les pieds dans son théâtre du Petit-Bourbon, en novembre 1658, Molière se retrouve au lendemain du 10 août 1645, quand il sortait du Châtelet, prison pour dettes, libéré par la caution de son père. La province : une parenthèse. Molière n'est pas le seul à avoir vécu ce drame. Des milliers d'artistes l'ont vécu, après lui — et avant. Les années d'attente ne comptent pas, tombent une à une dans la trappe de l'oubli sans rien entamer de la jeunesse du cœur ni de l'ardeur du rêve. Le bourgeois, dans sa boutique, aurait plus de peine à nier ainsi le temps passé à attendre : il voit l'ombre des années passer sur son milieu de vie, il voit grandir les enfants, vieillir les amis. L'artiste peut nier, jusqu'à l'usure prématurée du travail excessif, jusqu'à la mort qu'il porte déjà en lui. En février 1662, Molière n'a pas quarante ans, mais trente, au plus. Il joue les jeunes premiers. Il est beau. Il rayonne de jeunesse. Sur scène! Mais y a-t-il différence, pour un comédien né, entre l'illusion de la scène et l'illusion de la vie? Arnolphe et Géronte sont ridicules. Mais lui, ce n'est pas pareil...

Il épouse Armande, belle, coquette, jeune. Une nature. Un tempérament.

Or, Grimarest rapporte :

« Il traitait l'engagement avec négligence, et ses assiduités n'étaient pas trop fatigantes pour une femme; en huit jours une petite conversation, c'en était assez pour lui. »

Et il dit aussi, parlant d'Armande :

« Celle-ci ne fut pas plus tôt madame de Molière, qu'elle se crut être au rang d'une duchesse; et elle ne se fut pas donnée en spectacle à la comédie, que le courtisan désoccupé lui en conta. Il est bien difficile à une comédienne, belle et soigneuse de sa personne, d'observer si bien sa conduite que l'on ne puisse l'attaquer. Qu'une comédienne rende à un grand seigneur les devoirs qui lui sont dus, il n'y a point de miséricorde, c'est son amant. Molière s'imagina que toute la cour, toute la ville, en voulaient à son épouse. Elle négligea de l'en désabuser; au contraire, les soins extraordinaires qu'elle prenait de sa parure, à ce qu'il lui semblait, pour tout autre que lui, qui ne demandait point tant d'arrangement, ne firent qu'augmenter sa jalousie. Il avait beau représenter à sa femme la manière dont elle devait se conduire pour passer heureusement la vie ensemble, elle ne profitait point de ses leçons, qui lui paraissaient trop sévères pour une jeune personne, qui d'ailleurs n'avait rien à se reprocher. Ainsi, Molière, après avoir essuyé beaucoup de froideurs et de dissensions domestiques, fit son possible pour se renfermer dans son travail et dans ses amis, sans se mettre en peine de la conduite de sa femme. »

Les amis, ce sont La Grange, Chapelle, Rohaut, Mignard, La Fontaine, Boileau, et aussi Ninon de Lenclos et le petit groupe qui l'entoure (c'est Chapelle qui y introduit Molière, peu avant la création des *Précieuses*, en 1659), et aussi les causeurs plus ou moins libertins du cabaret de La Pomme de Pin.

Et Baron?

Il faut rappeler ici aussi l'épisode Baron, qui a été diversement interprété — et on est allé jusqu'à des suppositions scabreuses. Michel Boyron avait treize ans lorsqu'il se présenta au Palais-Royal, en 1666. Fils de comédiens, orphelin dès l'âge de neuf ans, il jouait alors dans une troupe itinérante. C'était un petit malheureux, menacé de tout ce qui pouvait menacer un enfant livré à lui-même, dans les milieux tout de même assez corrompus du théâtre. Un coup d'œil au synoptique de la carrière de Molière à Paris nous permet d'imaginer son état d'âme à ce moment. La bataille de *L'École des femmes* a été relayée par celle du *Tartuffe*, et puis par celle de *Don Juan*. L'affaire *Tartuffe* est au point mort. La rupture avec Armande est totale, et, quoique dise Grimarest, on n'est pas certain qu'elle n'ait

« rien à se reprocher ». Fin 1664, un enfant est mort, un fils. Même la petite Madeleine ne console pas Molière. Il vient d'écrire et de jouer *Le Misanthrope*. Il relève de maladie. Sa solitude est totale. L'accueil qu'il fait à Baron doit se comprendre dans tout ce contexte. Il adopte Baron comme fils, comme disciple. L'enfant est doué, intelligent, charmant. Dans *Mélicerte* (qui fait partie du *Ballet des Muses* donné aux grandes fêtes de Saint-Germain-en-Laye) il joue le rôle du jeune Myrtil et séduit tout le monde par sa grâce et son naturel. Molière reporte sur cet enfant qui s'abandonne à lui, en toute confiance, qui se laisse façonner, toute la richesse affective qui est en lui et qui ne trouve nulle part ailleurs d'application. L'épisode connu où Armande, dans une crise de fureur, gifle Baron et quitte la répétition en sanglotant peut avoir bien des significations : mère indignée de voir le petit étranger prendre une place qui revient à l'enfant? épouse coquette déçue de voir le mari « refaisant » sa vie jusqu'à adopter un fils qui ne soit pas d'elle? femme qui, un ragot de coulisses aidant, suppose des choses?... Quelques années plus tard, en 1671, Baron étant revenu dans la troupe, elle fera son amant du jeune homme (qui a alors 18 ans). Molière le saura, et pardonnera. Baron sera à ses côtés le soir de sa mort, redevenu fils aimant et disciple dévoué.

A 45 ans, l'auteur du *Tartuffe* et du *Misanthrope* a atteint à une sagesse, à une compréhension de l'homme dont on retrouve l'écho dans deux textes, dont l'authenticité ne peut être prouvée, mais qui paraissent pour le moins plausibles.

Grimarest d'abord. Il reproduit une conversation de Molière avec son ami Rohault, d'après Rohault lui-même :

« — Oui, mon cher monsieur Rohault, je suis le plus malheureux de tous les hommes, ajouta Molière, et je n'ai que ce que je mérite. Je n'ai pas pensé que j'étais trop austère pour une société domestique. J'ai cru que ma femme devait assujettir ses manières à sa vertu et à mes intentions; et je sens bien que, dans la situation où elle est, elle eût encore été plus malheureuse que je ne le suis, si elle l'avait fait. Elle a de l'enjouement, de l'esprit; elle est sensible au plaisir de le faire valoir; tout cela m'ombrage malgré moi. J'y trouve à redire, je m'en plains. Cette femme, cent fois plus raisonnable que je ne le suis, veut jouir agréablement de la vie; elle va son chemin; et, assurée de son innocence, elle dédaigne de s'assujettir aux précautions que je lui demande. Je prends cette négligence pour du mépris;

je voudrais des marques d'amitié pour croire que l'on en a pour moi, et que l'on eût plus de justesse dans sa conduite pour que j'eusse l'esprit tranquille. Mais ma femme, toujours égale et libre dans la sienne, qui serait exempte de tout soupçon pour tout autre homme moins inquiet que je ne le suis, me laisse impitoyablement dans mes peines; et occupée seulement du désir de plaire en général, comme toutes les femmes, sans avoir de dessein particulier, elle rit de ma faiblesse. Encore si je pouvais jouir de mes amis aussi souvent que je le souhaiterais pour m'étourdir sur mes chagrins et sur mon inquiétude; mais vos occupations indispensables m'ôtent cette satisfaction. »

Le mal aimé

Et voici l'anonyme de *La Fameuse comédienne*. Ce livre est un pamphlet, et malveillant (surtout pour Armande). Il reproduit des opinions générales, non vérifiées et non vérifiables. Ce qui y est dit ne doit pas faire évangile, mais ne doit pas non plus être écarté par principe.

Ici, on rapporte une conversation de Molière avec Chapelle — qui conseille à son ami de faire tout simplement enfermer Armande :

« Je vois bien que vous n'avez encore rien aimé, et vous avez pris la figure de l'amour pour l'amour même (...) Je suis né avec les dernières dispositions à la tendresse, et comme tous mes efforts n'ont pu vaincre le penchant que j'avais à l'amour, j'ai cherché à me rendre heureux, c'est-à-dire autant qu'on peut l'être avec un cœur sensible (...) J'ai pris ma femme pour ainsi dire dès le berceau, je l'ai élevée avec des soins qui ont fait naître des bruits dont vous avez sans doute entendu parler : je me suis mis en tête que je pourrais lui inspirer, par habitude, des sentiments que le temps ne pourrait détruire, et je n'ai rien oublié pour y parvenir. Comme elle était encore fort jeune quand je l'épousai, je ne m'aperçus pas de ses méchantes inclinations, et je me crus un peu moins malheureux que la plupart de ceux qui prennent de pareils engagements. Aussi le mariage ne ralentit point mes empressements; mais je lui trouvai tant d'indifférence que je commençai à m'apercevoir que toute ma précaution avait été inutile, et que ce qu'elle sentait pour moi était bien éloigné de ce que j'aurais souhaité pour être heureux.

Je me fis à moi-même des reproches sur une délicatesse qui me semblait ridicule dans un mari, et j'attribuai à son honneur ce qui était un effet de son peu de tendresse pour moi. Mais je n'eus que trop de moyens de m'apercevoir de mon erreur, et la folle passion qu'elle eut peu de temps après pour le comte de Guiche fit trop de bruit pour me laisser dans une tranquillité parfaite. »

L'opinion publique et ses échos les chroniqueurs ont, en effet, attribué à Armande trois amants de classe, trois gentilshommes « à la mode », trois « play-boys » comme nous dirions aujourd'hui : le comte de Guiche, l'abbé de Richelieu et le fameux comte de Lauzun. Ce sont des riches, auxquels on prête volontiers, mais auxquels il paraît difficile de prêter ici. Les « débordements » d'Armande ne peuvent se placer qu'à partir de 1664. C'est aux grandes fêtes de Versailles *(Plaisirs de l'Ile Enchantée)*, dont Molière assure la régie générale, où il joue *La Princesse d'Élide* et « essaie » *Tartuffe* qu'Armande découvre la puissance rayonnante de son charme. Elle fait sensation dans les spectacles de jardin, où elle exhibe sa beauté à peine voilée, et plus encore pendant les pauses. Toute la jeunesse de la cour est autour d'elle. Et Molière, surmené de travail, apprend la jalousie. Mais Guiche se trouve en Pologne, Richelieu en Hongrie et Lauzun on ne sait où mais en tout cas pas à Versailles (son nom n'est cité dans aucune des relations de la fête, et il n'était pas de ceux qui passent inaperçus). Indiscutablement, on charge Armande. D'autres, alors, se plaisent à la décharger. Mais en ce genre d'affaire, il y a une vraisemblance humaine, qu'aucune preuve ne peut établir, que l'historien se doit d'écarter, mais que l'homme qui essaie de comprendre, sans animosité comme sans naïveté excessive, peut envisager.

Voici la fin de la confidence de Molière rapportée dans *La Fameuse comédienne* :

« Cependant mes bontés ne l'ont point changée. Je me suis donc déterminé à vivre avec elle comme si elle n'était pas ma femme; mais si vous saviez ce que je souffre, vous auriez pitié de moi. Ma passion est venue à tel point qu'elle va jusqu'à entrer avec compassion dans ses intérêts; et quand je considère combien il m'est impossible de vaincre ce que je sens pour elle, je me dis en même temps qu'elle a peut-être une même difficulté à détruire le penchant qu'elle a d'être coquette, et je me trouve plus dans la position de la plaindre que de la blâmer.

Vous me direz qu'il faut être fou pour aimer de cette manière; mais, pour moi, je crois qu'il n'y a qu'une sorte d'amour, et que les gens qui n'ont point senti de semblable délicatesse n'ont jamais aimé véritablement. Toutes les choses du monde ont du rapport avec elle dans mon cœur : mon idée en est si fort occupée que je ne sais rien, en son absence, qui m'en puisse divertir. Quand je la vois, une émotion et des transports qu'on peut sentir, mais qu'on ne saurait exprimer, m'ôtent l'usage de la réflexion; je n'ai plus d'yeux pour ses défauts, il m'en reste seulement pour ce qu'elle a d'aimable.

N'est-ce pas le dernier point de la folie? Et n'admirez-vous pas que tout ce que j'ai de raison ne serve qu'à me faire connaître ma faiblesse sans en pouvoir triompher? »

Ce texte est un apocryphe, et anonyme par surcroît. Mais quand on a entendu et lu plusieurs fois *Le Misanthrope*, et si on croit (comme moi, je l'avoue) qu'un auteur, même de théâtre, s'il amplifie le vécu n'invente rien pourtant dont les racines ne soient dans son cœur, alors, on est bien près de croire qu'on vient d'entendre parler Molière lui-même.

« Je sens bien que je finis »

Vers le milieu de 1671, Armande rompt avec Baron et se rapproche de Molière. Plusieurs de leurs amis se sont entremis, Grimarest le signale, pour les réconcilier. Cette réconciliation semble totale et peut-être faut-il en rapprocher l'installation du ménage dans une belle maison, richement meublée, de la rue de Richelieu (en face du théâtre). Un enfant naît, le 15 septembre 1672 : un petit garçon baptisé Pierre. Il meurt moins d'un mois plus tard. Ce deuxième coup, au point très sensible, abat Molière. (On ne sait pas très bien quelle était son attitude envers sa fille Madeleine — dont on ne sait rien non plus, sinon qu'elle mourut en 1723, sans laisser d'enfants.)

Cette fin de vie est atroce. Il est malade. Il a échoué dans l'entreprise de faire du Palais-Royal le centre du théâtre vivant de Paris (depuis 1670, on n'y joue plus, pratiquement, que ses propres œuvres). Le roi lui retire sa faveur. La cabale s'acharne.

Grimarest rapporte :

« Le jour que l'on devait donner la troisième représentation du *Malade imaginaire*, Molière se trouva tourmenté de sa fluxion beaucoup plus qu'à l'ordinaire, ce qui l'engagea de faire appeler sa femme, à qui il dit, en présence de Baron : « Tant que ma vie a été mêlée également de douleur et de plaisir, je me suis cru heureux; mais aujourd'hui, que je suis accablé de peines sans pouvoir compter sur aucun moment de satisfaction et de douceur, je vois bien qu'il me faut quitter la partie : je ne puis plus tenir contre les douleurs et les déplaisirs, qui ne me donnent pas un instant de relâche. Mais, ajouta-t-il en réfléchissant, qu'un homme souffre avant de mourir! Cependant, je sens bien que je finis. »

Ce soir-là, 14 février 1673, il joua. Et il joua encore le 17. Ce furent ses dernières joies : apercevoir, quand le rideau se levait, le public, son public, venu, de confiance, pour rire !

L'ŒUVRE DE MOLIÈRE

L'œuvre de Molière comporte quinze comédies en vers, quinze comédies en prose, une comédie héroïque en vers et deux farces en prose. Une vingtaine de ces pièces figurent régulièrement aux programmes des théâtres du monde entier et les autres sont reprises, redécouvertes, périodiquement. Il y a des pièces moins connues dans l'œuvre de Molière, on n'en voit pas d'oubliées, ni d'inconnues.

Cette présence massive, cette survie complète, trois siècles après sa mort, sont exceptionnelles. Shakespeare seul peut se comparer à Molière à cet égard,

Ce fait est la principale raison d'être du présent dossier. L'homme Molière nous fascine, et nous scrutons les mystères de sa personnalité et de son existence parce que son œuvre nous nourrit encore, et continue de régaler notre théâtre.

La citer en entier n'eût pas été déplacé, ni abusif, puisqu'elle constitue le document de base de tout le reste.

Il n'en pouvait être évidemment question, et je dois renvoyer le lecteur aux excellentes éditions qui existent en abondance. Mais voici du moins un catalogue complet où j'ai rassemblé, pour chaque œuvre, un résumé de l'action et quelques circonstances et caractères principaux.

Les notices sur les œuvres ayant provoqué des « querelles » ont été raccourcies puisqu'un chapitre spécial y est consacré.

LA JALOUSIE DU BARBOUILLÉ
Farce en un acte, en prose.

C'est l'un de ces « petits divertissements qui nous ont acquis quelque réputation, et dont nous régalons les provinces » dont parlait Molière dans son discours au roi, lorsqu'il joua pour la première fois devant lui, à son arrivée à Paris, le 24 octobre 1658.

Farce à l'italienne, mettant en scène des personnages stéréotypés, placés dans des situations tout aussi convenues. Ici, le Barbouillé craint, non sans raisons, d'être trompé par sa femme Angélique. Il demande conseil au Docteur, mais celui-ci n'est qu'un pédant bavard et burlesque.

Plusieurs scènes de cette farce se retrouvent, développées, dans *George Dandin* et dans le *Mariage forcé*.

La pièce ne semble pas avoir été jouée à Paris.

Molière, pendant ses années de province, en fit beaucoup d'autres de la même veine. Ce n'étaient peut-être que des canevas sur lesquels les comédiens, selon leur humeur, et les réactions de leur public, brodaient librement.

La *Jalousie du Barbouillé*, comme *Le Médecin volant*, étaient complètement oubliés. Jean-Baptiste Rousseau en possédait des copies manuscrites qu'il communiqua, en 1734, à Chauvelin, qui préparait une édition complète de Molière. Depuis, les deux pièces sont reprises dans toutes les éditions, bien que des érudits émettent des doutes quant à leur authenticité.

LE MÉDECIN VOLANT
Farce en un acte, en prose.

Autre « petit divertissement » à l'italienne. La part d'improvisation y était plus grande. Plusieurs répliques esquissent un développement burlesque que le comédien (une note le signale : *etc.* ou *galimatias*) poussera aussi loin que sa verve et son souffle le lui permettront.

Le thème est traditionnel : Gorgibus veut forcer sa fille Lucile à épouser Villebrequin, alors qu'elle aime Valère. Sganarelle, valet de Valère, déguisé en médecin, crée un imbroglio qui se dénoue à la satisfaction de chacun.

Le titre signifie évidemment « médecin improvisé », mais « volant » se rapporte vraisemblablement à quelque circonstance d'interprétation dont on a perdu tout souvenir.

Molière reprendra le thème dans l'*Amour médecin*, dans le *Médecin malgré lui*, dans le *Malade imaginaire*. Il ne faudrait cependant pas voir dans le *Médecin volant* un premier état de ces pièces. La farce est grossière, imitée, vraisemblablement, de celle que jouait Scaramouche en 1647. Il est fort possible que le texte exhumé par J.-B. Rousseau, en 1734, ne soit qu'un aide-mémoire, une esquisse du spectacle que la troupe avait l'habitude de jouer, œuvre collective bien plus que création personnelle.

Molière joua cette farce à Paris, devant le roi, le 18 avril 1659, et la reprit encore quinze fois.

L'ÉTOURDI, OU LES CONTRETEMPS
Comédie en cinq actes, en vers.

C'est encore un divertissement à l'italienne, mais cette fois, largement élaboré en comédie.

Lélie, fils de Pandolfe, aime Célie, esclave du vieillard Trufaldin. Il a des rivaux. Son valet Mascarille invente inlassablement des moyens d'arracher Célie à ces rivaux, mais Lélie, par une étourderie non exempte de générosité, de bonté, détruit sans cesse l'ouvrage de son valet. Il n'y a donc pas une action, qui se nouerait et se dénouerait, mais une succession de courtes intrigues. Le comique naît de ce que, malgré la diversité des inventions du valet, l'intervention du maître rétablit immanquablement la situation initiale, qui lui est défavorable.

C'est la première pièce de Molière. Il en a emprunté l'idée à des auteurs italiens, principalement Nicolas Barbieri, dit Beltrame *(L'Inavvertito)* et Groto *(Emilia)*.

Molière jouait le rôle de Mascarille. Il le jouait vraisemblablement, au début, sous le masque (en italien maschera, d'où le nom, dont Molière est l'inventeur, comme de celui de Sganarelle).

La pièce fut représentée pour la première fois, à Paris, au Petit-Bourbon, en novembre 1658. Mais la troupe l'avait jouée plusieurs fois, au cours des années de vagabondage, à Lyon, à Béziers, à Pézenas, à partir de 1655 (et peut-être même à partir de 1653).

Première impression en 1663.

DÉPIT AMOUREUX
Comédie en cinq actes, en vers.

Comédie à intrigue, et à intrigue particulièrement compliquée : il semble que Molière lui-même ait été un peu dépassé par les rebondissements d'une action qui va de mystère en révélation. Albert a deux filles, mais l'une des deux, Ascagne, est déguisée en homme et tient en quelque sorte la place d'un fils mort en bas âge et qui devait hériter du patrimoine familial. Ces deux filles ont des amoureux, Eraste et Valère, qui se croient rivaux. Et ces deux amoureux ont chacun un valet, Gros-René et Mascarille, à l'invention fertile. Il y a encore Métaphraste, un pédant, et La Rapière, un bretteur…

La pièce est imitée, encore, d'une comédie italienne, *L'Interesse* de Secchi, mais Molière y a introduit au moins une scène qui ne doit rien qu'à lui-même : celle de la brouille et de la réconciliation de deux amoureux. On retrouvera cette scène, retouchée de main de maître, dans *Tartuffe*. Molière y attachait plus d'importance qu'au reste puisque c'est cette scène qui donne son titre à la pièce (*Dépit amoureux*, et non *Le Dépit amoureux*, comme on l'imprime jusque dans les éditions académiques).

Molière jouait le rôle d'Albert.

Dépit amoureux fut créé en 1656, à Béziers, pendant les assises des États Généraux de Languedoc. Molière la reprit à Paris, aussitôt après son installation au Petit-Bourbon, en décembre 1658.

Première impression en 1663.

La pièce fut souvent rejouée, bien qu'on l'eût jugée assez « embrouillée », dès la création. En 1773, le comédien Valville en fit un « condensé » en deux actes (acte I, scène 2 de l'acte II, scène 2, 3 et 4, de l'acte IV, et raccords), généralement adopté. (Même la Comédie-Française opta pour cette version raccourcie, à partir de 1821.)

LES PRÉCIEUSES RIDICULES
Comédie en un acte, en prose.

La première pièce parisienne de Molière, le premier grand éclat de sa carrière. C'est une œuvre entièrement originale, dont la substance a été empruntée à l'actualité.

La Grange et Du Croisy (noms des comédiens jouant les rôles) sont les amants rebutés de Madelon et Cathos, fille et nièce du bourgeois Gorgibus, qui versent jusqu'au ridicule dans le « bel esprit » et la préciosité. Les deux jeunes gens, pour se venger, envoient chez les précieuses leurs valets, Mascarille et Jodelet, déguisés en marquis et vicomte. Les deux filles tombent dans le piège, se mettent en frais pour les deux « seigneurs » qui ont remarqué leur charme et leur esprit. Les deux amants font irruption et les humilient. Gorgibus, survenant à son tour, tire la morale de l'histoire.

Molière jouait le rôle de Mascarille.

Les Précieuses ridicules fut créée au Petit-Bourbon, le 18 novembre 1659.

Interdite, sous l'influence d'un « alcôviste de qualité », la pièce fut reprise, par ordre du roi, le 2 décembre. Les spectateurs payèrent de grand cœur tarif double.

Première impression en 1660.

SGANARELLE, OU LE COCU IMAGINAIRE
Comédie en un acte, en vers.

Le titre suffit à indiquer le thème, qui appartient à une tradition gauloise datant des fabliaux et qui se poursuit à travers tout le théâtre français. Molière lui-même reprendra souvent l'argument essentiel : la peur de l'infidélité qui, dans le contexte social français, ridiculise la victime et non le ou la coupable; la certitude, qui peut devenir maladive, que cette disgrâce est à peu près inévitable.

Pièce joyeuse, drue et verte, très populaire, avec une intrigue simple et un dénouement baclé — auquel Molière n'attache visiblement aucune importance. Ce n'est pas une simple farce, un jeu de scène, prétexte à pitreries, mais une petite comédie, avec des caractères sans grande profondeur mais nettement dessinés, et un arrière-fond de critique morale et sociale.

Molière a bâti son acte sur un canevas italien : *Il Ritratto* ou *Arlechino cornuto per opinione*, que sa troupe jouait peut-être, autrefois, en commedia dell'arte. Il jouait le rôle de Sganarelle, dont c'est la deuxième apparition dans son œuvre et qui, de pièce en pièce, se développe et se nourrit jusqu'à devenir une création indépendante des pièces où il apparaît.

Sganarelle fut créé le 28 mai 1660, au Petit-Bourbon, dans le cadre des fêtes organisées à l'occasion du mariage de Louis XIV et de Marie-Thérèse. Ce fut un succès aussi éclatant que celui des *Précieuses*. Le roi se déclara ravi. Mais un bourgeois de Paris prétendit se reconnaître en Sganarelle... Un M. Neufvillenaine (qui n'était peut-être que le pseudonyme du libraire Ribou) publia le texte qu'il avait appris par cœur à force de l'entendre, sans en demander permission à l'auteur. *Sganarelle* fut plagié un nombre incalculable de fois. Molière mit la pièce à l'affiche du spectacle d'inauguration de sa nouvelle salle du Palais-Royal, le 20 janvier 1661.

DON GARCIE DE NAVARRE, OU LE PRINCE JALOUX
Comédie héroïque en cinq actes, en vers.

Don Garcie aime Elvire et est aimé d'elle. Aucun obstacle réel ne se dresse entre eux. Mais don Garcie est un jaloux, un anxieux, un compliqué : il aspire au bonheur mais se le représente inaccessible, impossible. C'est une préfiguration du pessimiste Alceste, en même temps qu'une transposition tragique de Sganarelle. Car la fin heureuse ne doit pas tromper : il s'agit bien d'une tragédie — non pas héroïque, à la manière de Corneille, mais psychologique et intimiste, à la façon de ce que fera plus tard Racine.

La pièce reprend donc, dans un autre ton, un thème de prédilection,.. et réalise un rêve de Molière (qui est le rêve de bien des comiques) : faire du tragique.

Créée au Palais-Royal, le 4 février 1661, *Don Garcie* fut un four noir et une immense déception, tant pour l'auteur que pour l'acteur. La Cour l'accueillit mieux, ce qui incita Molière à remettre la pièce à l'affiche en novembre 1663. Devant l'accueil glacial du public, Molière l'acteur, voulut se sacrifier à Molière l'auteur et abandonna le rôle. Rien n'y fit. La pièce était mauvaise.

Molière s'était inspiré de *Le Gelosie fortunato del principe Rodrigo*. Il jouait le rôle de don Garcie.

La pièce ne fut jamais imprimée du vivant de Molière. Il reprit, plus tard, des tirades entières de Don Garcie pour les mettre dans la bouche d'Alceste. D'autres fragments passèrent dans *Tartuffe*, *Amphitryon*, *Les Femmes savantes*.

L'ÉCOLE DES MARIS
Comédie en trois actes, en vers.

Deux frères, Sganarelle et Ariste, ont sur l'éducation des femmes des idées radicalement opposées. Sganarelle voit dans l'autorité, la sévérité, la surveillance, l'inquisition impitoyable, les seuls moyens de brider la nature féminine essentiellement vicieuse. Ariste, par contre, prétend que la confiance, la compréhension valent mieux que la violence, et qu'il faut laisser aux femmes toute liberté de développer leur personnalité, d'affirmer leur autonomie et leur responsabilité. Ces vues libérales seront récompensées : le sexagénaire Ariste se verra aimé et épousé par une très jeune fille, cependant que Sganarelle se couvre de ridicule.

Le thème se retrouve dans *L'École des femmes*, repris sous un autre angle.

Qu'on le veuille ou non, on se souvient qu'au moment où Molière écrit et joue cette pièce, il a quarante ans et songe à épouser Armande.

Molière a trouvé la donnée de base de l'œuvre dans les *Adelphes* de Térence. Il jouait le rôle de Sganarelle.

La pièce fut représentée pour la première fois au Palais-Royal le 24 juin 1661 et demeura à l'affiche jusqu'au 11 septembre. La troupe la joua aussi à la Cour, à Fontainebleau, et à Vaux, chez le surintendant Fouquet. Ce fut un immense succès, une revanche pour l'acteur Molière revenu à son « élément » naturel et aussi, semble-t-il, une prise de conscience pour l'auteur. La pièce tient de la farce, et permet le jeu comique brillant et débridé où Molière excelle, mais les personnages vrais, complexes, vivants, et l'intrigue bien nouée, en font aussi une authentique comédie de caractères.

LES FÂCHEUX
Comédie-ballet en trois actes, en vers.

Éraste aime Orphise et finira par l'épouser : mais cela importe peu. Ce qui importe, ce sont les dix *fâcheux* qui viennent, successivement, « casser les pieds » d'Éraste. La pièce est l'ancêtre des « comédies à tiroirs ». C'est une galerie de portraits mimés, animés, dansés, où la verve satirique tient lieu d'intrigue.

Molière écrit ces sketches sur commande de Fouquet, qui veut flatter le goût du roi pour la danse et le spectacle. La pièce sera créée à Vaux, au bas de la prestigieuse allée des sapins, sous une grille d'eau illuminée par cent torches. Après l'annonce, faite par Molière, une immense coquille est voiturée jusqu'à la scène. Il en sort une naïade galamment déshabillée (Armande) qui récite le prologue. Le spectacle se termine par un feu d'artifice. Cette première « pièce à tiroirs » est donc aussi le premier essai de Molière dans un genre où il en fera d'autres : un théâtre « total », libre de toutes les conventions trop restreignantes du théâtre en salle, et faisant appel à toutes les techniques du spectacle. Ce fut un immense succès.

Créée à Vaux le 17 août 1661, la pièce fut reprise à Fontainebleau le 26 août et puis jouée au Palais-Royal, dans une mise en scène plus traditionnelle, quarante-deux fois de suite, à partir du 4 novembre.

Molière joua sept rôles de fâcheux. Aucun comédien, depuis, n'a osé rééditer ce tour de force.

Texte publié en février 1662.

Ce fut, avec *Sganarelle*, la pièce le plus souvent reprise, sur demande du public, du vivant de Molière.

L'ÉCOLE DES FEMMES
Comédie en cinq actes, en vers.

Molière y reprend le thème de *L'École des maris*. Arnolphe, qui a sur les femmes des conceptions analogues à celles de Sganarelle, élève sa pupille Agnès dans l'ignorance absolue. Il ne s'agit plus ici d'éducation, mais de simple instruction. Il compte l'épouser, et s'assurer ainsi une femme entièrement soumise à sa volonté, et qui sera incapable de songer même à le trahir — cette crainte du *cocuage* est presque un thème permanent. Malgré toutes ces précautions, Agnès s'éprend d'Horace et invente, d'instinct, les astuces nécessaires. Au retour inespéré du père d'Agnès, il apparaîtra d'ailleurs qu'Horace lui était destiné de longue date comme mari. La société et la loi naturelle condamnent donc Arnolphe, et le couvrent de ridicule.

C'est peut-être la meilleure pièce de Molière : intrigue bien construite, caractères complexes et profonds, dialogue vif, rythme soutenu.

L'œuvre fut créée au Palais-Royal le 26 décembre 1662, dans une mise en scène éblouissante de précision et de verve. Immense succès. Le plus grand de la carrière entière de Molière. La troupe présenta le spectacle à la Cour le 6 janvier 1663, et Louis XIV rit « jusqu'à s'en tenir les côtes », comme le rapporte un chroniqueur. Imprimée en janvier 1663, la pièce ne quitta pour ainsi dire pas l'affiche jusqu'au Noël suivant. Molière tenait le rôle d'Arnolphe, mais Armande ne prit pas celui d'Agnès, dont elle était l'inspiratrice. Agnès fut joué par Catherine de Brie.

Le succès éclatant, auprès des critiques (Boileau, en particulier, et Donneau de Vizé) et auprès du public, n'empêcha pas, envenima même une violente opposition. C'est la *Querelle de l'École des femmes*, dans laquelle Molière va intervenir directement par les deux pièces suivantes.

LA CRITIQUE DE L'ÉCOLE DES FEMMES
Comédie en un acte, en prose.

Uranie et Elise, deux jeunes femmes « d'esprit », reçoivent la visite de quelques personnes dont les unes sont adversaires et les autres partisanes de *L'École des Femmes*. Aucune intrigue mais, à travers une conversation d'un naturel et d'une vérité étonnants, les portraits rapides des protagonistes, le résumé concis des reproches et éloges faits à la pièce, la réfutation des accusations de mauvais goût, voire d'immoralité, et quelques formules où l'on peut voir les principes dramatiques de Molière. Représentée pour la première fois le 1 juin 1663, la pièce fut imprimée en août. Molière n'était pas de la distribution.

Boursault, jeune auteur de vingt-cinq ans, ayant cru se reconnaître dans le personnage de Lysidas, fit jouer, à l'Hôtel de Bourgogne, une réponse à la *Critique* : *Le Portrait du Peintre*. C'est cette pièce, que Molière alla voir, et où apparaît pour la première fois, en clair, une accusation d'impiété, qui provoqua la nouvelle réplique que sera *L'Impromptu*.

L'IMPROMPTU DE VERSAILLES
Comédie en un acte, en prose.

Sur la scène du théâtre de Versailles, toute la troupe, en costumes pour quelque comédie nouvelle, avoue à l'auteur-metteur en scène qu'elle n'a pas eu le temps d'apprendre le texte. Malgré les costumes, ce seront donc Molière et ses comédiens comme tels, qui parleront « de leurs petites affaires », de la façon de jouer la comédie, et du débat public ouvert par la *Critique*.

La plupart des critiques déplorent que Molière, « perdant le contrôle » se soit « abaissé » à faire cette comédie polémique qu'ils nomment une « crise de nerfs ». On peut en discuter, comme on peut discuter aussi du fait que, par la *Critique* comme par *L'Impromptu*, Molière entretenait un débat public qui, attaqué ou défendu, le mettait au premier plan de la vie théâtrale.

L'œuvre est en tout cas intéressante en ce qu'elle apporte des détails précis sur les méthodes de travail de la troupe et les projets de l'auteur-metteur en scène. Elle est, de plus, étonnamment vivante.

L'Impromptu fut créé à Versailles le 14 octobre 1663, et repris à Paris à partir du 4 novembre. Molière, comme tous les comédiens de la troupe, jouait son propre personnage.

LE MARIAGE FORCÉ
Comédie en un acte, en prose.

Sganarelle est fiancé à Dorimène, mais comme il est barbon et elle, jeune et jolie, il s'effraie du cocuage inévitable qui l'attend et se dégage. Alcidas, le frère de Dorimène, spadassin violent, se veut insulté et exige que Sganarelle épouse, ou se batte. Les coups de bâton ont raison de sa résistance, sinon de ses inquiétudes, et il épouse, à la grande satisfaction du père, ravi d'être débarrassé de la pétillante Dorimène...

C'est une farce, commandée par Louis XIV pour être jouée à une fête, au Louvre. Dans sa forme originale, elle comportait trois actes, chacun se terminant par un ballet (que le roi dansa lui-même). Pour la représentation à Paris, le texte fut modifié et les intermèdes supprimés. On a conservé les arguments des ballets, généralement publiés aujourd'hui à la suite de la pièce.

L'œuvre fut jouée au Louvre les 29 et 31 janvier 1664, et ensuite au Palais-Royal à partir du 15 février. Molière jouait évidemment Sganarelle.

Première impression en 1668 seulement.

Molière s'était inspiré du mariage de Panurge, de Rabelais, mais trouva la situation assez bonne pour être creusée et reprise. On peut voir, dans *Le Mariage forcé*, un prologue de *George Dandin*.

LA PRINCESSE D'ÉLIDE
Comédie-ballet en cinq actes, en vers et en prose.

Divertissement galant, non exempt d'assez plate adulation du roi, où l'élément dramatique essentiel est un jeu de *fausses confidences* : pour se faire aimer l'un de l'autre, les deux héros éveillent réciproquement leur jalousie en se disant amoureux d'un et d'une autre...

La pièce, qui comporte un prologue et des intermèdes dansés et chantés, avait été commandée pour être le centre d'une grande fête, les *Plaisirs de l'Ile Enchantée*, donnée à Versailles à la reine mère, à la reine... et à la maîtresse du roi, Louise de La Vallière. Molière devait donc insérer son texte dans un ensemble, conçu par le duc de Saint-Aignan d'après un épisode du *Roland furieux* de L'Arioste, et qui comportait des tableaux vivants, des courses de bague, des spectacles à machines, des feux d'artifice, etc. On fut à ce point pressé par le temps que Molière écrivit les trois derniers actes en prose.

La fête se prolongea plusieurs jours. *La Princesse* fut jouée le 8 mai 1664, et reprise au Palais-Royal le 9 novembre.

Ce fut surtout pour Molière et sa troupe une expérience de « théâtre total »... et une occasion de flatter le roi.

LE TARTUFFE OU L'IMPOSTEUR
Comédie en cinq actes, en vers.

Orgon, impressionné par la piété et la vertu de Tartuffe, impose ce personnage à toute sa famille qui, elle, n'est pas dupe. Avec beaucoup d'adresse et de duplicité, Tartuffe étend son emprise et obtiendra même une donation en bonne et due forme de tous les biens d'Orgon, ce qui ne l'empêche pas de briguer à la fois la main de Mariane, fille d'Orgon, et les faveurs d'Elmire, sa deuxième femme. Démasqué par Cléante, Tartuffe réussit à neutraliser sa dénonciation, mais Elmire agence une mise en scène de comédie (Orgon se cache sous une table) qui confond le personnage. Tartuffe baisse le masque, mais use de toutes les armes qu'il a en sa possession : la donation qui lui permet d'expulser toute la famille, et une cassette contenant des papiers compromettants. Mais le roi, alerté, intervient en faveur d'Orgon et de sa famille.

Occasion de la plus grande et de la plus longue de toutes les batailles de la vie de Molière, cette pièce fut représentée, dans une première version, à Versailles, le 12 mai 1664. La première représentation, dans sa forme définitive, date du 5 août 1667. Elle eut alors quarante-trois représentations successives.

Molière jouait le rôle d'Orgon. Celui de Tartuffe fut créé par Du Croisy.

DON JUAN OU LE FESTIN DE PIERRE
Comédie en cinq actes, en prose.

Don Juan, « le plus grand scélérat que la terre ait porté », comme dit Sganarelle son valet, abandonne sa femme dona

Elvire et va vers de nouvelles aventures. Les frères d'Elvire le poursuivent pour le provoquer. Il sauve l'un d'eux des brigands, car ce libertin total est aussi courageux que cynique. Il se moque de tous : des vengeurs de sa femme, de ses créanciers, de son père, et même de la statue du Commandeur, qu'il a tué il n'y a guère. Il l'invite à souper. La statue vient. Sans faiblir, don Juan l'accueille et met sa main dans la main de pierre qui le précipite en enfer.

Le sujet était fort à la mode à l'époque, et Molière l'aurait traité sur les instances de sa troupe, dépitée de voir le succès qu'il valait aux autres théâtres. L'intrigue est assez lâche, et mal équilibrée, mais don Juan est un personnage extrêmement complexe et son valet, Sganarelle, y prend une consistance nouvelle.

La pièce fut créée le 15 février 1665 et eut quinze représentations. Succès médiocre. Mais une vive opposition se déchaîna. On accusa de plus en plus Molière d'impiété. Interdite, l'œuvre ne fut jamais rejouée du temps de Molière. Molière tenait le rôle de Sganarelle. La Grange créa celui de don Juan.

En 1673, Thomas Corneille donna une version de la pièce en vers. Une édition en fut faite en 1682, mais avec des cartons qui l'expurgeaient.

Le texte intégral ne fut rétabli, publié et joué, qu'après l'édition d'Auger, en 1819.

Le titre pose un petit problème d'orthographe : *Dom* ou *Don* Juan ?

Du temps de Molière, on imprima Dom. Plus tard, le héros étant espagnol, on rectifia et toutes les éditions portaient *Don* Juan jusqu'à ces dernières années où des critiques et des éditeurs estimèrent nécessaire de respecter la forme en usage au XVIIe siècle (non la volonté de Molière, cependant, comme disent certains : Molière n'a jamais publié sa pièce). On trouve maintenant, assez souvent *Dom* Juan pour le titre de l'œuvre et *Don* Juan pour le personnage.

Jugeant la chose sans grande importance, j'ai adopté la forme, logique et traditionnelle, de *Don* Juan, mais laisse les auteurs cités orthographier à leur guise.

L'AMOUR MÉDECIN
Comédie-ballet en trois actes, en prose.

Lucinde, fille de Sganarelle, aime Clitandre, mais le père ne veut pas de ce mariage. Lucinde fait la malade. Cinq médecins sont appelés, qui ne font qu'étaler leur ridicule. Un sixième, qui est Clitandre déguisé, trouve la nature du mal, et sous le couvert d'une mascarade, épouse la fille au nez de Sganarelle.

Un divertissement commandé par le roi et bâclé en cinq jours, mais qui n'en contient pas moins de fortes scènes comme la consultation et dispute des médecins. C'est la première attaque de Molière contre la Faculté. Pour corser la farce, il jouait, sous des noms grecs forgés par Boileau, quatre médecins de la cour, Daquin, Desfougerais, Esprit et Guenaut, que tout le monde reconnut. D'aucuns pensent que le brusque choix du médecin, comme tête de turc préférée, en remplacement du petit marquis de naguère, marque le début de la maladie de Molière...

La pièce fut créée à Versailles le 15 septembre 1665, et reprise au Palais-Royal le 22, mais sans intermèdes dansés. Molière jouait le rôle de Sganarelle.

LE MISANTHROPE
Comédie en cinq actes, en vers.

Alceste hait toute hypocrisie, exige sincérité absolue en toutes circonstances. Il aime Célimène, jeune et jolie veuve, coquette et médisante et non, comme il la voudrait la logique — mais l'amour n'est pas logique —, la douce, sincère et aimante Eliante. Alceste est sans cesse écartelé entre le besoin de reprocher à Célimène ses légèretés et coquetteries, et la peur de la perdre s'il le fait. Un jour, Célimène s'étant cruellement moquée de tous ses soupirants, tous se retournent contre elle et viennent lui reprocher sa duplicité. Tous s'éloignent, mais Alceste demeure, pardonne, offre le mariage et la retraite dans un désert. Célimène accepterait le mariage, mais l'exil lui serait intenable. Alceste part seul.

Il n'y a presque pas d'intrigue, et l'action reste toute intérieure. Les ressorts dramatiques sont ici les mystères des cœurs et des caractères, l'ambiguïté des sentiments, les finesses de la psychologie. La pièce n'eut aucun succès et Molière, pour la faire « tenir » l'affiche, dut y joindre des farces. Créée le 4 juin 1666, l'œuvre fut vivement appréciée par la critique. Pour Boileau, Molière sera et restera l'auteur du *Misanthrope*. Subligny, qui pourtant hait Molière, parle de « chef-d'œuvre inimitable ». Molière jouait évidemment le rôle d'Alceste.

LE MÉDECIN MALGRÉ LUI
Comédie en trois actes, en prose.

Une farce, dont le thème rappelle *Le Médecin volant*, et qui creuse la veine inaugurée par *L'Amour médecin*, et qui le sera jusqu'au *Malade imaginaire*.

Sganarelle bat sa femme. Celle-ci veut être battue, mais ne s'en venge pas moins en disant à deux domestiques en quête d'un médecin habile, que Sganarelle est le plus habile qui soit, mais n'en convient que si on le bat. Battu, Sganarelle s'avoue médecin et est amené devant Lucinde, qui fait la muette parce que Géronte son père veut la marier à un autre que Léandre...

Mis dans la confidence, Sganarelle favorise un enlèvement, auquel les jeunes gens renoncent soudain pour se mettre au pouvoir de Géronte. Et Géronte permet le mariage. L'intérêt de la pièce est évidemment moins dans l'intrigue que dans les situations, le dialogue, le ton, la verve. C'est certainement la meilleure farce de Molière.

Il y eut, semble-t-il, plusieurs états successifs de cette comédie (*Le Médecin par force*, *Le Fagotier*, *Le Fagoteux*) précédant celui que nous connaissons et qui fut créé le 6 août 1666. Molière jouait le rôle de Sganarelle. Immense succès.

Il a certainement eu connaissance du *Vilain Mire*, fabliau médiéval où l'on voit aussi un vilain se disant médecin sous le bâton.

MÉLICERTE
Comédie pastorale héroïque en deux actes, en vers.

Le jeune berger Myrtil aime Mélicerte, mais son père Lycarsis préférerait qu'il épouse Eroxène ou Daphné, deux nymphes qui l'aiment également. Il cède cependant aux supplications de son fils et, au moment où Myrtil va épouser Mélicerte, on annonce l'arrivée du roi qui doit emmener Mélicerte pour lui donner pour mari un grand seigneur...

On devine sans peine la suite, mais Molière n'écrivit que les deux premiers actes.

La pièce avait été commandée par Louis XIV pour s'insérer dans *Le Ballet des Muses*, grande fête donnée à la cour pour marquer la fin du deuil officiel imposé par la mort de la reine-mère Anne d'Autriche (20 janvier 1666). Ce *Ballet des Muses* de Bensérade comportait treize entrées. L'Hôtel de Bourgogne, les comédiens italiens et espagnols, Lulli, bref tous les artistes du spectacle de Paris y participaient.

Mélicerte fut créée le 2 décembre 1666 à Saint-Germain-en-Laye, avec Baron, pour qui le rôle avait été écrit, en Myrtil. Molière en fut si mécontent que, non seulement il renonça à achever la pièce, mais la retira du spectacle et la remplaça par la *Pastorale Comique*.

En 1699, Nicolas Guérin (fils d'Armande et de Guérin d'Estriché) récrivit *Mélicerte* en vers irréguliers et y ajouta un troisième acte.

PASTORALE COMIQUE
Ballet, en vers.

Molière ayant détruit lui-même le texte de la pastorale, on n'a gardé que les couplets insérés dans le ballet (la musique était de Lulli). On devine une intrigue très simple : deux bergers riches se voient préférer, dans le cœur de la bergère Iris, le jeune, beau et pauvre Coridon.

Cette pastorale remplaça *Mélicerte*, dans le *Ballet des Muses*, à partir du 5 janvier 1667.

LE SICILIEN OU L'AMOUR PEINTRE
Comédie-ballet en un acte, en prose et vers.

Don Pèdre a affranchi sa jolie esclave Isidore et veut l'épouser. Adraste, qui aime Isidore, prend la place du peintre chargé de faire son portrait, lui fait la cour et, à la faveur d'une super-cherie, fuit avec elle. C'est un écho affaibli de *L'École des Femmes*, et cela annonce... *Le Barbier de Séville*.

C'était un simple divertissement galant, se terminant par un ballet : comme tel, pleinement réussi.

La pièce fut créée le 14 février 1667, lors de la reprise du *Ballet des Muses* à Saint-Germain-en-Laye. Elle en constitua la quatorzième entrée. Satisfait de sa réussite dans ce genre qui ne lui était pas familier, Molière reprit *Le Sicilien* au Palais-Royal, à partir du 10 juin 1667. Il jouait le rôle de don Pèdre.

Une année entière passera, après *Le Sicilien*, sans que Molière donne de pièces nouvelles. L'affaire *Tartuffe* l'occupa beaucoup. Mais on pense aussi qu'il tomba malade. Le bruit courut même, à Paris, qu'il était mort.

AMPHITRYON
Comédie en trois actes, en vers.

Jupiter aime Alcmène, épouse d'Amphitryon qui est à la guerre. Le dieu prend l'apparence d'Amphitryon, Mercure prenant celle de Sosie, compagnon d'Amphitryon. Alcmène est évidemment abusée. Mais Amphitryon et Sosie reviennent inopinément, et se trouvent bientôt en présence de leurs doubles... Jupiter finit par révéler qui il est, et annonce qu'Alcmène donnera le jour à un fils, Hercule, et que tout l'honneur en sera pour Amphitryon.

Cette pièce d'une immoralité énorme est imitée de Plaute et on a voulu y voir un acte de courtisanerie vis-à-vis de Louis XIV, qui prenait volontiers les mêmes libertés que Jupiter. Les dates permettent difficilement, pourtant, de voir dans *Amphitryon* une approbation — qui eût alors été assez ignoble — des amours du roi avec Mme de Montespan. Une autre thèse veut que Molière ait relu Plaute, lors d'un long séjour (de convalescence?) dans sa maison d'Auteuil, et se soit entiché du thème, déjà repris de Plaute par Rotrou. La pièce est dans le ton du *Sicilien* et compte des scènes excellentes (entre Jupiter et Alcmène, entre Sosie et Cléanthis). Mme Dacier écrivit un essai pour prouver la supériorité de Plaute, mais le détruisit. Parce qu'on lui apprit que Molière préparait une pièce sur *Les Femmes savantes*, selon les uns; parce qu'elle s'aperçut que sa thèse était fausse, selon les autres.

Amphitryon fut créé au Palais-Royal le 13 janvier 1668. Molière jouait le rôle de Sosie.

GEORGE DANDIN OU LE MARI CONFONDU
Comédie en trois actes, en prose.

George Dandin, riche paysan a épousé Angélique — ou plutôt a obtenu, en raison de sa fortune, la main d'une fille de gentilhomme, contre le gré de celle-ci. Il voulait s'élever au-dessus de sa condition, avoir des enfants gentilshommes : en fait, Angélique le ridiculise de toutes les manières, et avec tant d'astuce que les rieurs — spectateurs y compris — sont toujours de son côté. Cette pièce est la plus immorale de toute l'œuvre de Molière, mais pose un principe essentiel de sa vision du devoir : l'homme n'est tenu de respecter que les engagements librement consentis.

George Dandin fut créé à Versailles, le 18 juillet 1668, au cours des fêtes données par Louis XIV pour célébrer le traité d'Aix-la-Chapelle ... et aussi Mme de Montespan. Félibien est l'auteur d'une *Relation de la Fête de Versailles*, qu'on publie parfois avec les *Œuvres* de Molière.

Molière s'est inspiré de deux contes de Boccace. Boccace lui-même avait emprunté le thème à un conte indien, le *Dolopathos*, datant du 1er siècle avant J.-C.

Molière jouait le rôle de George Dandin, dont le personnage se rattache à tous les Sganarelle des farces antérieures, et annonce un peu, aussi, le Bourgeois gentilhomme.

L'AVARE
Comédie en cinq actes, en prose.

Harpagon, riche et avare, prétend : donner sa fille à Anselme, homme âgé, mais qui la prend sans dot; marier son fils à une riche veuve et garder sa part d'héritage; épouser la jeune fille pauvre, Mariane, que le fils aime. Quand le fils tente d'emprunter l'argent qui le rendrait indépendant, il découvre que l'usurier avec lequel un valet l'abouche n'est autre qu'Harpagon. Des éléments de comédie viennent heureusement adoucir le tragique de base de la situation : Valère, amoureux de la fille d'Harpagon, s'introduit sous un faux nom dans la maison et flatte la passion du maître, dans l'attente que les circonstances se prêtent à quelque subterfuge. Une cassette ayant été volée, Valère est accusé. Il révèle son vrai nom. Coup de théâtre : il se trouve être le frère de Mariane, et le fils d'Anselme, jadis séparé de ses enfants dans un naufrage. Harpagon consent aux unions selon les inclinations de chacun, à condition qu'on lui rende sa cassette, qu'il n'ait pas de dot à verser et qu'on lui offre un habit neuf pour les noces.

Molière s'est inspiré d'une comédie de Plaute, mais la dépasse singulièrement. D'une comédie purement anecdotique, Molière a fait une pièce qui inaugure un genre nouveau : la grande comédie de caractère, en prose, qui est comédie par sa forme, mais drame par sa matière. Comme dans *Tartuffe*, comme dans *Les Femmes savantes* et *Le Malade imaginaire*, on voit ici une famille bouleversée par le vice d'un de ses membres (et c'est souvent le père!).

L'Avare fut créé au Palais-Royal le 9 septembre 1668, et glacialement accueilli. Une comédie en prose semblait une extravagance insupportable. Boileau fut, dit-on, le seul à rire dans la salle. Après vingt représentations à recettes en baisse, on retira la pièce, qui ne fut reprise, avec succès, qu'après la mort de Molière. Il jouait le rôle d'Harpagon.

Fielding en fit une brillante adaptation anglaise et Balzac reprit le thème dans *Eugénie Grandet*.

MONSIEUR DE POURCEAUGNAC
Comédie-ballet en trois actes, en prose.

Julie aime Éraste, et en est aimée, mais son père, Oronte, la destine à un gentilhomme limousin, M. de Pourceaugnac. Ce Pourceaugnac est un benêt, un grotesque, et nullement gentilhomme, mais bourgeois à prétentions nobiliaires. Dès son arrivée à Paris, il est la victime naïve et pitoyable des plaisanteries les plus cruelles, voire les plus odieuses, de la part d'Éraste et de quelques comparses pittoresques : on le fera passer pour fou, on lui suscitera de faux créanciers, de fausses amoureuses, de fausses épouses. Arrêté par de faux exempts, il finit par fuir. On l'accuse d'avoir enlevé Julie. Éraste ayant prétendument libéré la jeune fille, Oronte consentira au mariage.

Écrite sur commande, « pour le divertissement du roi » cette pièce n'est qu'une bouffonnerie lourde, appliquée, et d'assez mauvais goût. Elle eut néanmoins grand succès à la Cour comme à la ville, et la Comédie-Française la joue, traditionnellement, le mardi-gras.

Elle fut improvisée à Chambord, en septembre 1669, avec musique de Lulli, et reprise au Palais-Royal à partir du 15 novembre. Molière jouait le rôle de M. de Pourceaugnac.

LES AMANTS MAGNIFIQUES
Comédie-ballet en cinq actes, en prose, et six intermèdes mimés et chantés.

Dans une Grèce légendaire, deux princes aiment la princesse Ériphile, qui aime le valeureux général Sostrate et en est aimée en secret. Ils s'avouent enfin leur amour, alors qu'un des princes invente un stratagème qui doit lui livrer Ériphile,

Les Précieuses
ridicules ».
Ci-contre,
dans une mise
en scène de la
Comédie-Française.

Jean-Louis Barrault
dans « Le Misanthrope ».

Baron, jeune élève de Molière, reparaît au théâtre après une éclipse de trente ans, dans le rôle d'Alceste.

Danielle Ajoret
et Jean Meyer dans
«L'Ecole des femmes»
à la
Comédie-Française.

mais l'astuce se retourne contre lui et permet à Sostrate de se conduire en héros, levant ainsi tout obstacle à son mariage avec la princesse. Cette action mince et conventionnelle est répartie en cinq actes très courts, précédés, entrecoupés et suivis d'intermèdes pour lesquels Lulli avait écrit la musique.

C'est encore une œuvre commandée par le roi pour une fête à Versailles. Le roi lui-même en donna l'argument; et exigea que le divertissement « fût composé de tous ceux que le théâtre peut fournir » comme dit Molière dans la courte préface qui ressemble à une défense de l'auteur.

La pièce fut représentée à Saint-Germain-en-Laye, le 4 février 1670, pour le carnaval. Molière jouait le rôle de Clitidas, plaisant de cour, c'est-à-dire fou — mais ayant ceci de particulier qu'il a de l'esprit. Molière ne la reprit pas au Palais-Royal, et elle ne fut imprimée qu'après sa mort. Après neuf représentations en 1688, elle tomba dans l'oubli jusqu'en 1954, où Jean Meyer la reprit à la Comédie-Française.

LE BOURGEOIS GENTILHOMME
Comédie-ballet en cinq actes, en prose.

Enrichi dans le commerce du drap, M. Jourdain se veut « homme de qualité ». Il engage des maîtres de musique, de danse, d'armes et de philosophie, et se lie avec un chevalier d'industrie qui le gruge, et la jolie amie de celui-ci, Dorimène, qui se moque de lui. Sourd aux reproches de sa femme, M. Jourdain prétend aussi marier sa fille à un grand seigneur. Cléante, amoureux de cette fille, se fait passer pour le fils du Grand-Turc et, après une cérémonie burlesque où M. Jourdain est fait mamamouchi, obtient la main de Lucile.

L'action ne débute qu'au troisième acte et ne finit pas. Cette comédie est le portrait d'un homme en proie à son vice et à sa bêtise, à l'occasion d'un spectacle où l'intrigue importe peu.

Présentée « pour le divertissement du roi », à Chambord, le 14 octobre 1670, l'œuvre fut reprise au Palais-Royal à partir du 23 novembre. Molière jouait le rôle de M. Jourdain.

PSYCHÉ
Tragédie-ballet en cinq actes, en vers.

La pièce reprend le mythe antique de Psyché, à qui le dieu Amour assurait un bonheur éternel, à condition qu'elle ne cherche pas à voir le visage de son époux. Psyché ne peut résister à la curiosité, excitée encore par ses sœurs qui jalousent son bonheur. La nuit, elle allume une lampe, découvre que son mari est Amour lui-même : mais une goutte d'huile tombe, réveille Amour ... qui disparaît dans les airs. Psyché sera cependant pardonnée par Jupiter et Amour, et retrouvera son bonheur perdu.

Commandée pour être représentée au « théâtre des machines » des Tuileries (qui n'avait plus été utilisé depuis *Amphitryon*) cette pièce constitue un grand spectacle de cinq heures, avec des intermèdes chantés et dansés, des « machineries » et une figuration fastueuse. Les délais imposés par Louis XIV étaient si courts que Molière ne put écrire que la trame du spectacle, l'acte I, et la première scène des actes II et III. Les poèmes chantés (sur la musique de Lulli, qui écrivit aussi une vingtaine de vers) sont de Quinault et tout le reste — onze cents vers — de Corneille.

La pièce fut représentée aux Tuileries, en janvier 1671 et pendant tout le carnaval. Molière la reprit au Palais-Royal à partir du 24 juillet. La mise en scène était particulièrement coûteuse, mais il y eut trente-huit représentations successives, et deux reprises l'année suivante. Molière jouait le petit rôle de Zéphire et Baron, dont c'était la rentrée, triompha dans celui de L'Amour. La tradition veut qu'Armande, émue par sa beauté, ait eu des faiblesses pour lui à cette occasion, et que le « vieux » Corneille (soixante-cinq ans) ait été, lui, pris d'une « estime extrême » pour Armande.

LES FOURBERIES DE SCAPIN
Comédie en trois actes, en prose.

En l'absence de leurs pères respectifs, Octave a épousé Hyacinthe, jeune fille pauvre et obscure, et Léandre s'est engagé à Zerbinette, une Égyptienne. Les pères reviennent. Ils avaient d'autres projets. Les deux jeunes gens s'en remettent à l'industrie du valet Scapin, pour obtenir les consentements paternels. Scapin suscite des incidents burlesques, dupe les pères, obtient consentement et argent et se venge même personnellement de l'avarice de Géronte en le faisant se cacher dans un sac pour échapper à des spadassins imaginaires et le rossant d'importance. Démasqué à son tour, il fuit, mais revient en feignant d'être blessé à mort. Il obtient son pardon, dans l'euphorie des habituelles reconnaissances en cascade, qui font que les mariages des jeunes gens se trouvent être ceux-là même que voulaient les pères.

Pour composer cette comédie, par laquelle il renoue avec le théâtre de verve d'autrefois, Molière avait repris le canevas d'une de ses vieilles farces, *Gorgibus dans le sac*, y ajoutant des emprunts faits à Térence *(Phormion)*, à Cyrano de Bergerac *(Le Pédant joué)*, à Rotrou *(La Sœur)*. Il l'écrivit pendant qu'on montait *Psyché*, et en espérant que cette farce le dédommagerait des pertes qu'il prévoyait que lui ferait subir la grande pièce à machines. *Psyché*, contre toute attente, ne fut pas un four. *Scapin* en fut un.

Créée le 24 mai 1671 au Palais-Royal, la pièce fut retirée en juin et ne reparut plus à l'affiche du vivant de Molière. La postérité a été moins sévère que les contemporains et voit, dans cette comédie vide de toute critique (elle tient tout entière dans les inventions par lesquelles Scapin dupe les deux pères) un exercice formel éblouissant, pouvant donner lieu à de brillantes prestations d'acteur. Molière jouait le rôle de Scapin.

LA COMTESSE D'ESCARBAGNAS
Comédie en un acte, en prose.

A Angoulême, Mme d'Escarbagnas, provinciale d'âge mûr mais qui se veut jolie femme douée de toutes les finesses de l'esprit parisien, s'entoure d'admirateurs et lorgne tout particulièrement un jeune et beau vicomte... qui ne vient chez elle que pour voir librement la jeune Julie, qu'il ne peut rencontrer ailleurs, leurs familles étant brouillées. Les extravagances prétentieuses de la comtesse lasseront tout le monde et, le vicomte épousant Julie, elle sera très heureuse de convoler avec le très modeste M. Tibaudier.

Écrite à la demande du roi, alors que Molière travaillait aux *Femmes savantes*, cette pochade apparaît un peu comme une transposition d'un thème familier en milieu provincial. On a supposé que Molière en avait l'idée dans ses cartons dès son arrivée à Paris. C'est le seul tableau de mœurs provinciales de son œuvre.

L'œuvre fut créée à Saint-Germain-en-Laye le 2 décembre 1671, à l'occasion des fêtes du mariage de Monsieur avec la princesse Palatine. On représenta aussi, à cette occasion, un *Ballet des ballets*, rétrospective des fêtes antérieures, et une *Pastorale* dont Molière avait commandé la musique à Charpentier (il était en froid avec Lulli). Cette *Pastorale* est perdue.

La *Comtesse* fut jouée cinq fois à la cour, et y fut reprise sept fois encore en février 1672. Molière la mit au programme du Palais-Royal à partir du 8 juillet 1672. Il n'était pas de la distribution.

LES FEMMES SAVANTES
Comédie en cinq actes, en vers.

Philaminte, sa sœur Bélise et sa fille Armande, cultivent le bel esprit et la pédanterie grotesques, au grand ennui du mari, Chrysale, bourgeois sensé qui aimerait vivre simplement. Il trouve quelque appui auprès de sa seconde fille, Henriette, et auprès de Martine, la servante. Henriette désire épouser Clitandre, mais Philaminte la destine à Trissotin, poète médiocre et sot, mais flatteur habile. Le faible Chrysale cèderait encore cette fois si la nouvelle, fausse évidemment, de la ruine de la famille n'amenait Trissotin à révéler ses vrais sentiments, qui visaient la fortune et non la fille. Henriette épousera Clitandre — mais Philaminte ne guérira pas pour autant.

Il s'agit donc encore d'une famille désorganisée et rendue malheureuse par le vice d'un de ses membres, mais le fauteur de trouble est cette fois la mère, et non plus le père. Un élément de farce est introduit dans cette comédie de caractère, où l'intrigue importe peu, par les deux personnages de Trissotin et Vadius, dont la querelle est un morceau de bravoure. Il y a aussi exposé d'une thèse : quand Chrysale fait le procès des femmes savantes, il reprend les arguments de Sganarelle *(École des maris)* et d'Arnolphe *(École des femmes)* mais alors que ces deux personnages étaient des grotesques qui avaient tort, Chrysale est un homme de bon sens, qui a raison. Molière semble donc avoir changé radicalement d'avis sur une question qui le préoccupe tout au long de sa vie.

La pièce fut créée au Palais-Royal le 11 mars 1672. Bien que Molière eût prié le public de ne pas chercher des modèles à ses personnages, tout le monde reconnut en Trissotin, l'abbé Cotin, et en Vadius, Ménage.

Molière jouait le rôle de Chrysale.

LE MALADE IMAGINAIRE
Comédie-ballet en trois actes, en prose, avec intermèdes dansés et chantés, en vers.

Argan est un malade imaginaire, tout au pouvoir de son médecin, et de sa seconde femme, Béline, qui ne l'a épousé que pour son argent, et en raison de sa santé apparemment faible. Angélique, fille d'Argan, aime Cléante, mais le père veut la donner à Thomas Diafoirus, fils du médecin. Béline soutient ce projet. Pour désabuser Argan, on l'invite à « contrefaire le mort ». Le subterfuge révélera les vrais sentiments de chacun. Mais une autre intrigue burlesque ayant chassé médecins et apothicaires de la maison, on suggère à Argan de se faire lui-même recevoir médecin. Ce sera la scène finale, réception académique burlesque, mais à peine plus que les réceptions de docteurs authentiques du temps.

Ici encore, une famille est vouée au malheur par l'idée fixe et la bêtise d'un de ses membres, mais ce qu'il y a de dramatique dans la situation est délayé dans un spectacle où la musique, le chant, la danse et le mime interviennent autant que la comédie. Il s'agit de « théâtre total », d'ailleurs conçu pour le divertissement du roi, depuis peu revenu vainqueur de Hollande. Le roi ne demanda cependant pas à voir le spectacle. Retirait-il sa faveur à Molière? Il venait, en tout cas, d'accorder à Lulli, qui maintenant poursuivait Molière

MOLIÈRE À LA COMÉDIE-FRANÇAISE

Pièces	Dates		Nombre de représentations				
	Création	Entrée au répertoire	XVIIe siècle (1680-1700)	XVIIIe siècle (1701-1800)	XIXe siècle (1801-1900)	XXe siècle (1901-1962)	Totaux au 31 juillet 1962
s Amants magnifiques.	1670	1688	29	11	—	141	181
Amour médecin	1665	1680	66	127	81	107	381
nphitryon	1668	1680	144	481	244	87	956
Avare	1668	1680	155	538	815	535	2 043
Bourgeois gentilhomme	1670	1680	91	201	244	453	889
Comtesse d'Escarbagnas	1671	1680	107	442	4	25	578
Critique de l'École des femmes	1663	1680	16	—	63	111	190
pit amoureux	1656	1681	42	166	760	255	1 223
n Garcie de Navarre .	1661	1871	—	—	2	—	2
n Juan	1665	1847	—	—	71	65	136
École des femmes	1662	1680	110	645	456	153	1 364
École des maris	1661	1680	115	536	568	320	1 539
Étourdi	1653	1680	78	232	176	54	540
s Fâcheux	1661	1680	98	98	30	81	307
s Femmes savantes ...	1672	1680	93	355	743	459	1 650
s Fourberies de Scapin.	1671	1680	91	263	511	354	1 219
orge Dandin	1668 ?	1681	135	519	273	134	1 061
Impromptu de Versailles	1663	1838	—	—	12	132	144
Jalousie du Barbouillé		1833	—	—	2	2	4
Malade imaginaire ..	1673	1680	111	229	736	502	1 578
Mariage forcé	1664	1680	107	402	389	216	1 114
Médecin malgré lui ..	1666	1680	131	779	691	449	2 050
Médecin volant	?	1833	—	—	13	34	47
élicerte	1666	1864	—	—	3	11	14
Misanthrope	1666	1680	165	431	614	534	1 744
de Pourceaugnac ..	1669	1680	86	343	234	115	778
s Précieuses ridicules	1659	1680	76	252	478	423	1 229
Princesse d'Élide	1664	1692	23	52	—	14	89
vché*	1671	1684	23	84	36	146	289
anarelle	1660	1680	119	291	174	171	755
Sicilien	1667	1680	38	135	24	42	239
rtuffe	1667	1680	172	790	1 106	620	2 688
Totaux			2 421	8 402	9 553	6 745	27 121

* Avec P. Corneille et Quinault.

de sa haine, le presque monopole des spectacles « mêlés » (comprenant de la musique) ce qui allait nuire à Molière. La musique du *Malade* était de Marc-Antoine Charpentier.

La pièce fut créée au Palais-Royal le vendredi 10 février 1673. Molière jouait le rôle d'Argan. Il le joua encore le 12, le 14 et le vendredi 17 février. En sortant de scène, il se mit au lit et mourut dans la nuit.

La troupe joua *Le Malade imaginaire* devant le roi le 19 juillet 1674 : mais sans Molière.

LES PRÉCIEUSES RIDICULES

Les Précieuses ridicules, comédie en un acte, en prose, créée le 18 novembre 1659, au Petit-Bourbon, en complément d'un spectacle dont l'essentiel était le *Cinna* de Corneille, est la première production parisienne de Molière. Il avait joué déjà deux autres de ses pièces, *L'Étourdi* et *Dépit amoureux*, accueillies avec faveur. C'étaient deux pièces écrites et créées, naguère, en province, et reprises à Paris en raison du peu de succès que la troupe remportait lorsqu'elle jouait des tragédies du répertoire. La thèse selon laquelle *Les Précieuses* aurait aussi été écrite en province a été abandonnée, ne reposant sur rien.

La représentation du 18 novembre fut un grand succès, et inattendu.

Voici ce qu'en dit Grimarest :

« Molière enleva tout à fait l'estime du public en 1659 par *les Précieuses ridicules*, ouvrage qui fit alors espérer de cet auteur les bonnes choses qu'il nous a données depuis. Cette pièce fut représentée au simple la première fois; mais le jour suivant, on fut obligé de la mettre au double, à cause de la foule incroyable qui y avait été le premier jour.

Les Précieuses furent jouées pendant quatre mois de suite. M. Ménage, qui était à la première représentation de cette pièce, en jugea favorablement. « Elle fut jouée, dit-il, avec un applaudissement général, et j'en fus si satisfait en mon particulier, que je vis dès lors l'effet qu'elle allait produire. Monsieur, dis-je à M. Chapelain en sortant de la comédie, nous approuvions vous et moi toutes les sottises qui viennent d'être critiquées si finement, et avec tant de bon sens; mais croyez-moi, il nous faudra brûler ce que nous avons adoré, et adorer ce que nous avons brûlé. Cela arriva comme je l'avais prédit, et dès cette première représentation l'on revint du galimatias et du style forcé. »

Un jour que l'on représentait cette pièce, un vieillard s'écria du milieu du parterre : *Courage, courage, Molière ! voilà la bonne comédie;* ce qui fait bien connaître que le théâtre comique était alors bien négligé, et que l'on était fatigué de mauvais ouvrages avant Molière, comme nous l'avons été après l'avoir perdu.

Cette comédie eut cependant des critiques, on disait que c'était une charge un peu forte; mais Molière connaissait déjà le point de vue du théâtre, qui demande le gros trait pour affecter le public, et ce principe lui a toujours réussi dans tous les caractères qu'il a voulu peindre. »

Loret, dans sa *Muse historique*, confirme que *Les Précieuses* :

« Ont été si fort visités
Par gens de toutes qualités
Qu'on n'en vit jamais tant ensemble
…
Pour moi, j'y portai trente sous :
Mais, oyant leurs fines paroles,
J'en ris pour plus de dix pistoles. »

Grimarest, ainsi que nous allons le voir, commet quelques erreurs matérielles.

Après la création, le mardi 18 novembre, Molière retira la pièce de l'affiche, et ne la remit que le 2 décembre. Le 12 décembre, Molière la retira de nouveau, la remplaçant par *Zénobie* de Magnon. Cette pièce faisant un four, Molière y adjoignit, non *Les Précieuses*, mais *Dépit amoureux*. Ce n'est que le 26 qu'il reprit les *Précieuses*, en complément de la médiocre *Zénobie*. Or, les deux fois, la recette monta de deux ou trois cents livres, ce qui était lamentable, à douze ou quatorze cents, ce qui était exceptionnel. Pourquoi ces deux retraits?

La tradition veut qu'un « alcôviste de qualité », agissant au nom des « gens de qualité blessés » par la charge de Molière, ait obtenu l'interdiction de la pièce — aussitôt rapportée. L'alcôviste l'aurait-il obtenue deux fois, et les amis de Molière auraient-ils obtenu, par deux fois aussi, la levée de l'interdiction? Que les « gens de qualité » soient blessés, cela ne fait pas de doute. Que l'Hôtel de Bourgogne fasse grise mine et à l'occasion crocs-en-jambe au dangereux concurrent qui se manifeste, cela n'en fait pas davantage. Que tous les opposants à Molière se liguent en cabale : il le semble. Et que la cabale ne recule devant aucun procédé, l'expulsion de la troupe, sans préavis, du Petit-Bourbon, en octobre 1660, le prouve. Mais qui est l'alcôviste? Quelle est l'autorité qui prononce l'interdiction? et celle qui ordonne sa levée? On n'en sait rien.

Mais s'il n'y a pas eu d'interdiction, pourquoi ces deux retraits d'une pièce qui fait une recette exceptionnelle, qui est acclamée par la masse du public et bruyamment dénigrée par quelques-uns (et, pour un homme de théâtre, un dénigrement bruyant couvert par les applaudissements du public est la meilleure des publicités)? Molière serait-il déçu et furieux, jusqu'à avoir des gestes d'humeur, du succès « comique » qui fait contrepoint aux fours « tragiques »?

On se pose de telles questions parce qu'on connaît la suite de l'histoire : les « affaires » successives, où s'affronteront des forces de plus en plus importantes, et sur des sujets de plus en plus graves. L'affaire des *Précieuses*, en soi, se réduit à fort peu de chose : ce sont les « mouvements divers » qui devaient, très logiquement, accueillir une comédie qui, au contraire de tout ce qui se jouait sous ce nom, n'est pas un simple divertissement superficiel, mais une critique, cinglante, spirituelle, efficace. Car Molière innove : il est le premier à faire de la satire des mœurs contemporaines la matière première de la comédie. En homme de théâtre, il cherche évidemment à amuser : mais à amuser à propos de quelque chose de précis, voire aux dépens de ce quelque chose. Ici, de ce que nous avons appelé depuis un snobisme. En 1659, en effet, les précieuses ne sont plus ce qu'elles étaient sous Louis XIII, lorsqu'elles participaient au vaste mouvement social et culturel d'affinement du goût, des manières, des comportements. Depuis, le mouvement s'est délayé dans l'affectation, dans la fadeur d'un formalisme dont les romans de Madeleine de Scudéry offrent l'exemple parfait. Dans la pièce, Molière force la note. Aucune précieuse ne dit sans doute jamais à son laquais : « Voiturez-nous les commodités de la conversation », quand elle désirait des fauteuils pour s'asseoir. Molière caricature, et aux applaudissements du public et de nombreux « beaux esprits » qui, comme Grimarest le fait dire à Ménage — et Ménage l'a peut-être réellement dit ! —, sentent qu'il est temps de brûler ce qu'on a trop adoré, de rétablir un équilibre rompu.

Parmi les opposants les plus hargneux, on trouve Somaize. Il a publié des attaques violentes, mais dans des circonstances telles qu'on se demande s'il faut y voir l'expression des sentiments d'un groupe, ou, simplement, du ressentiment d'un homme?

Baudeau de Somaize, en effet, se préparait à publier le texte de la pièce de Molière avec une composition de son crû, *Les Véritables Précieuses* — en d'autres termes, il allait très astucieusement profiter du succès de Molière pour se pousser lui-même —, quand Molière fit retirer le privilège obtenu par l'éditeur Ribou et publia lui-même sa pièce. Somaize publia son ouvrage seul, mais se vengea en mettant en vers la comédie de Molière pour la publier aussi — et écrivant deux préfaces. Il y accuse Molière d'être tout au plus capable d'imiter les Italiens et de blesser injustement des gens d'une autre qualité que lui. Il l'accuse d'avoir plagié, dans les *Précieuses*, une comédie de l'abbé de Pure (c'est à cet abbé que Thomas Corneille écrivait une lettre critiquant vertement la troupe du Petit-Bourbon). Rien de tout cela n'est ni sérieux, ni intéressant, sauf, peut-être, ce passage :

« Il semblera extraordinaire qu'après avoir loué (sic) Mascarille comme je l'ai fait dans les *Véritables Précieuses*, je me sois donné la peine de mettre en vers un ouvrage dont il se dit l'auteur, et qui sans doute lui doit quelque chose, si ce n'est par ce qu'il y a ajouté de son estoc au vol qu'il en a fait aux Italiens à qui M. l'abbé de Pure les avait données, du moins pour y avoir ajouté beaucoup par son jeu, qui a assez plu à assez de gens pour lui donner la vanité d'être le premier farceur de France. C'est toujours quelque chose d'exceller en quelque métier que ce soit et, pour parler selon le vulgaire, il vaut mieux être le premier d'un village que le dernier d'une ville, bon farceur que mauvais comédien. »

Quelque chose perce, ici, un bout d'oreille! Qu'il soit farceur, et on le laissera en paix. Qu'il joue des *Docteur amoureux*, des *Médecin volant*, des *Dépit amoureux*. On lui concédera même un *Étourdi*. Mais qu'il ne se mêle pas de ce qui ne le regarde pas, de ce qui n'est pas fait pour lui, de ce dont il n'est pas digne. Il est défendu de devenir Molière.

L'ÉCOLE DES FEMMES

Après la petite « affaire » des *Précieuses* et le coup bas de M. de Ratabon, qui expulse la jeune troupe du Petit-Bourbon, la situation n'est nullement mauvaise. Elle s'améliore chaque jour, en dépit des faux pas et des oppositions. Incontestablement, Molière a le vent en poupe. On l'expulse de sa salle : il joue donc en ville, à la Cour, partout, et entouré de bien plus de sympathies que d'animosités. Une côterie lui veut du mal, mais le roi lui veut du bien. Le roi lui donne une salle : la meilleure de Paris, la seule, de construction récente, conçue pour la comédie. Molière y *prend un bide*, comme on dit dans les coulisses, avec *Don Garcie de Navarre*, mais si l'auteur et l'acteur tragiques souffrent, le comédien et le directeur ont lieu de se réjouir : *Sganarelle* remporte un succès aussi éclatant que les *Précieuses*, *L'École des maris* tient l'affiche de juin à septembre 1661; *Les Fâcheux* triomphe à Vaux, chez Fouquet, devant le roi, et remplit quarante-deux salles consécutives. Cette dernière pièce donne, de plus, à l'acteur comique, une satisfaction appréciable : tenant sept rôles de composition, Molière prouve sa maîtrise.

Le 26 décembre 1662, la troupe crée *L'École des femmes*. Le premier soir, la recette atteint un niveau rarement dépassé : 1 518 livres. Elle se maintient, les jours suivants, entre 1 100 et 1 300 livres. Alors que les dix premières représentations des *Précieuses* avaient rapporté 7 000 livres (même somme pour *L'École des maris*), les dix premières représentations de *L'École des femmes* rapportent 11 000 livres. La pièce tient l'affiche jusqu'au 9 mars et, jusqu'aux derniers jours, avec des recettes oscillant entre 1 100 et 1 500 livres.

Je cite ces chiffres pour corriger, d'avance, l'appréciation de Grimarest. La pièce fait un gros succès, tout en étant contestée. Tout le monde veut la voir. Pour en discuter.

Deux témoignages

Voici le témoignage de Grimarest.

« L'*École des femmes* parut en 1662, avec peu de succès; les gens de spectacle furent partagés; les femmes outragées, à ce qu'elles croyaient; débauchaient autant de beaux esprits qu'elles le pouvaient pour juger de cette pièce comme elles en jugeaient. Mais que trouvez-vous à redire d'essentiel à cette pièce? disait un connaisseur à un courtisan de distinction. Ah, parbleu! ce que j'y trouve à redire est plaisant, s'écria l'homme de cour : *tarte à la crème*, morbleu! *tarte à la crème*. Mais *tarte à la crème* n'est point un défaut, répondit le bon esprit, pour décrier une pièce comme vous le faites. *Tarte à la crème* est exécrable, répondit le courtisan. *Tarte à la crème*, bon Dieu, avec du sens commun peut-on soutenir une pièce où l'on a mis *tarte à la crème*. Cette expression se répétait par écho parmi tous les petits esprits de la cour et de la ville, qui ne se prêtent jamais à rien, et qui, incapables de sentir le bon d'un ouvrage, saisissent un trait faible pour attaquer un auteur beaucoup au-dessus de leur portée. Molière, outré à son tour des mauvais jugements que l'on portait sur sa pièce, les ramassa, et en fit *la Critique de l'École des Femmes*, qu'il donna en 1663. Cette pièce fit plaisir au public : elle était du temps, et ingénieusement travaillée. »

Voici la réaction — prudente — de Loret, dans sa *Muse historique :*

> « On joua l'*École des femmes*,
> Qui fit rire Leurs Majestés
> Jusqu'à s'en tenir les côtés :
> Pièce aucunement instructive
> Et tout à fait récréative,
> Pièce dont Molière est auteur
> Et même principal acteur;
> Pièce qu'en plusieurs lieux on fronde,
> Mais pourtant où va tant de monde
> Que jamais sujet important
> Pour le voir n'en attira tant.
> Quant à moi, ce que j'en puis dire,
> C'est que pour extrêmement rire,
> Faut voir avec attention
> Cette représentation,
> Qui peut dans son genre comique

Charmer le plus mélancolique,
Surtout par les complicités
Ou plaisantes naïvetés
D'Agnès, d'Alain et de Georgette
Maîtresse, valet et soubrette,
Voilà dès le commencement
Quel fut mon propre sentiment,
Sans être pourtant adversaire
De ceux qui sont d'avis contraire,
Soit gens d'esprit soit innocents,
Car chacun abonde en son sens. »

Loret publie ce compte rendu le 31 janvier 1663, et la querelle continue. Molière jouera la *Critique* en juin et l'*Impromptu* en octobre. Toute cette année 1663 est une année de bataille. Mais cette bataille demeure toute critique et polémique — et tout compte fait, Molière y gagne bien plus qu'il n'y perd.

Le fait curieux, et à souligner, c'est la violence des opposants, et cela dès le soir de la première. Les amis de Molière — ceux d'aujourd'hui comme ceux d'alors — ne sont pas loin de croire qu'il se trouve, dans l'ombre, quelque personnage qui orchestre la cabale. L'abbé d'Aubignac, qui approuve Molière, du moins à ce moment, n'hésite pas à accuser Corneille, le Grand Auteur en personne, d'être l'inspirateur de cette cabale (ce qui serait plaisant si, comme le disent Louys et Poulaille, Corneille était l'auteur réel de la comédie!).

Boileau contre-attaque

La violence des attaques est telle, dès décembre 1662, que les amis de Molière contre-attaquent. Boileau, entre autres. Boileau, à cette époque, est un jeune homme de vingt-six ans. Il écrit les stances que voici, qu'il répand dans Paris sous le titre : *Stances à M. Molière, sur la comédie de l'École des Femmes, que plusieurs gens frondaient* (1662).

« En vain mille jaloux esprits,
Molière, osent avec mépris,
Censurer ton plus bel ouvrage :
Sa charmante naïveté
S'en va pour jamais d'âge en âge
Divertir la postérité.

Que tu ris agréablement!

Que tu badines savamment!
Celui qui sut vaincre Numance,
Qui mit Carthage sous sa loi,
Jadis sous le nom de Térence
Sut-il mieux badiner que toi?

Ta muse avec utilité
Dit plaisamment la vérité;
Chacun profite à ton école;
Tout en est beau, tout en est bon;
Et ta plus burlesque parole
Est souvent un docte sermon.

Laisse gronder tes envieux;
Ils ont beau crier en tous lieux
Qu'en vain tu charmes le vulgaire,
Que tes vers n'ont rien de plaisant :
Si tu savais un peu moins plaire,
Tu ne leur déplairais pas tant. »

Tarte à la crème, pardieu!

Que reprochait-on, et avec tant de hargne et de violence, à l'*École des femmes* (laquelle, rappelons-le, reprend en gros le thème de l'*École des maris*, où personne n'a rien trouvé à redire)? Le meilleur résumé des griefs se trouve dans la *Critique*.

On lui reproche la *Tarte à la crème*, le *potage*, le *Le...* On lui reproche les dix *Maximes du mariage*. On lui reproche aussi des vices de construction dramatique, le manque de rigueur et de précision des caractères. On lui reproche enfin un ton général vulgaire, une profonde obscénité.

Voyons les corps du délit.

« Et, s'il faut qu'avec elle on joue au corbillon,
Et qu'on vienne à lui dire à son tour : Qu'y met-on?
Je veux qu'elle réponde : *Une tarte à la crème;*
En un mot, qu'elle soit d'une ignorance extrême :
Et c'est assez pour elle, à vous en bien parler,
De savoir prier Dieu, m'aimer, coudre et filer. »

(Acte 1, scène I)

« Dis-moi, n'est-il pas vrai, *quand tu tiens ton potage*,
Que, si quelque affamé venait pour en manger,
Tu serais en colère, et voudrais le charger? »

(Acte 2, scène III)

« Ne vous a-t-il point pris, Agnès, quelque autre chose?
Ouf!
      Hé! il m'a...
              Quoi?
                    Pris...
                            Euh!
                                Le...
                                      Plaît-il?
                                            Je n'ose
Et vous vous fâcherez peut-être contre moi.
Non.
      Si fait.
               Mon Dieu! Non.
                              Jurez donc votre foi.
Ma foi, soit.
              Il m'a pris... Vous serez en colère.
Non.
      Si.
          Non, non, non, non, Diantre que de mystère!
Qu'est-ce qu'il vous a pris?
                      Il...
                          Je souffre en damné.
Il m'a pris le ruban que vous m'aviez donné. »

              (Acte 2, scène V)

Exemple de *vulgarité* :

« Dans ses simplicités à tous coups je l'admire,
Et parfois elle en dit dont je pâme de rire.
L'autre jour (pourrait-on se le persuader)
Elle était fort en peine, et me vint demander,
Avec une innocence à nulle autre pareille,
Si les enfants qu'on fait se faisaient par l'oreille. »

              (Acte 1, scène II)

Et voici la première maxime sur le mariage :

« Celle qu'un lien honnête
Fait entrer au lit d'autrui
Doit se mettre dans la tête,
Malgré le train d'aujourd'hui,
Que l'homme qui la prend ne la prend que pour lui. »

Commentaire d'Arnolphe :

« Je vous expliquerai ce que cela veut dire;
Mais pour l'heure présente il ne faut rien que lire. »

              (Acte 3, scène II)

Le seul de ces exemples qui demande quelque explication est la *tarte à la crème*. Aujourd'hui encore, cette tarte fait rire mais les rieurs comprennent-ils? et qu'y a-t-il à comprendre? Le corbillon est un jeu de société où l'on pose des questions, successivement, aux membres de l'assemblée, avec obligation pour ceux-ci de répondre par une phrase se terminant en *on*. En terminant sa réponse en *ème* Agnès prouve donc qu'elle n'a rien compris. Elle est si simplette qu'elle n'est même pas capable de jouer au plus simple des jeux d'esprit. Mais le mot corbillon signifie aussi : petite corbeille. En proposant d'y mettre de la crème, Agnès suggère, en toute innocence, une énormité... qui ne sera entendue telle que par des esprits « mal » tournés, mais qui, pour ceux-ci, prend une salacité particulière du fait même de l'innocence de la jeune fille.

L'un des ressorts dramatiques essentiels de la pièce est d'ailleurs là, et Molière l'utilise, en le tendant à l'extrême, dans la scène du *Le...* Mais ce sous-entendu égrillard se rattache à autre chose, de plus profond et de plus essentiel encore : l'attitude moralement frôleuse d'Arnolphe devant Agnès (il l'aime, il la désire) entraîne une connivence du public, même et surtout si ce public devine, ce qu'Arnolphe n'apprendra qu'à la fin, qu'Agnès l'innocente ne l'était pas tant que ça, et que, inconsciente devant le vieux soupirant, elle allait s'inventer rapidement une conscience très précise de ses désirs devant le jeune. *L'École des Femmes* est réellement une pièce trouble, remuant mine de rien des sentiments, des sensations, des réalités, qu'on n'avait guère l'habitude de voir évoqués de cette façon au théâtre. Et tout est là, précisément : dans l'idée qu'on se fait du théâtre. A-t-il pour fonction d'imager poliment les conventions, ou de refléter, de styliser, la vérité de la vie?

Obscène et impie!

Le reproche d'obscénité était donc plus ou moins fondé — encore que le mot nous paraisse un peu fort, aujourd'hui, à nous qui sortons d'en entendre d'autres. Le reproche de moquerie des choses saintes l'était plus ou moins aussi. Objectivement, il n'y a rien de commun entre les dix maximes sur le mariage et les dix commandements, mais l'attitude qu'Arnolphe exige d'Agnès (obéissez d'abord, sans comprendre, on essayera de vous expliquer après!) prête à certaines équivoques.

Ceci admis, ni l'obscénité ni l'irrévérence ne sont bien méchantes, et la réponse que Molière met dans la bouche d'Uranie, dans la *Critique*, paraît assez astucieuse.

« Elle ne dit pas un mot qui de soi ne soit fort honnête ; et, si vous voulez entendre dessous quelque autre chose, c'est vous qui faites l'ordure, et non pas elle. »

Peu avant, la même Uranie faisait allusion à ces dames qui « étaient plus chastes des oreilles que de tout le reste du corps. »

Si les adversaires insistent sur ces critiques d'ordre moral ou religieux — auxquelles le clan dévot devait être sensible — ils ne négligent pas les autres : la scène des deux valets est trop longue, la comédie est mal construite, etc. ; d'ailleurs elle n'a rien d'original et, comme d'habitude, Molière copie mal.

Molière répond à tout cela à la fois dans la *Critique de l'École des femmes*, qui fait rebondir la querelle. Jamais encore un auteur n'avait ainsi transporté la polémique, réservée aux préfaces et aux gazettes, sur la scène. On a vu là une erreur de Molière, un mouvement d'humeur. On peut y voir aussi une habileté. Homme de théâtre, il préfère combattre sur le terrain qu'il connaît, avec les moyens dont il a la maîtrise. Au lieu de composer une dissertation, il trousse une petite comédie, qui va amuser, faire rire. Donneau de Visé, qui avait déjà patelinement attaqué Molière dans ses *Nouvelles Nouvelles*, écrit *Zélinde ou la Véritable critique de l'École des Femmes et la Critique de la Critique* (on ne sait si cette comédie fut jouée, mais elle parut en volume). Boursault fait jouer, à l'Hôtel de Bourgogne, le *Portrait du Peintre*. Un nommé Robinet compose un *Panégyrique de l'École des Femmes*, qui est évidemment un éreintement. Après *L'Impromptu de Versailles*, nouvelle innovation, véritable revue d'actualité où Molière et ses comédiens jouent leurs propres personnages, montrent comment ils travaillent et comment ils conçoivent le théâtre, Donneau de Visé encore compose la *Réponse à l'Impromptu de Versailles ou la Vengeance des Marquis*, et Montfleury *L'Impromptu de l'Hôtel de Condé*. Toutes ces œuvres ressassent les mêmes rancœurs, distillent les mêmes allusions méchantes et manifestent, par leur forme même, la fascination que Molière exerce sur le monde du théâtre tout entier, en même temps que l'incapacité des adversaires à se hausser à son niveau.

Après la piécette de Montfleury, la querelle s'enlise. Molière a gagné. Mais ses adversaires n'ont pas désarmé.

Un réquisitoire signé Robinet

Il serait long, et assez fastidieux, de citer ne fût-ce qu'un extrait de chacun des réquisitoires mentionnés. Je me limiterai à deux exemples. Voici une tirade du *Panégyrique* de Robinet, qui offre l'avantage de résumer les accusations portées contre Molière.

« Pour vous dire mes sentiments de cette *École*, je vous dirai franchement qu'elle n'a rien du tout de la belle comédie, et je vous le prouve démonstrativement. L'amour qui fait tout l'agrément du beau comique n'est-il pas fort bien manié dans cette pièce, où l'on voit un homme qui, ne se proposant en brutal que d'avoir pour femme un corps sans esprit, fait nourrir son Agnès comme une oie par deux paysans, ne lui parle jamais que de filer et de coudre, la tient enfermée comme une esclave et prend à tâche d'en faire une belle stupide? N'est-ce pas un agréable spectacle d'amour que de la lui voir toujours traiter en jaloux et en tyran et même, dans la catastrophe, la menacer de coups de poing à la crochetorale? N'est-ce pas aussi une jolie moralité de ne parler jamais que de la disgrâce des maris en des termes qui font soulever la pudeur sur les fronts les plus assurés? Ne voit-on pas de beaux sentiments que tout ce qu'il dit avec Agnès et les deux paysans, à qui il faut, par nécessité, qu'il s'explique naïvement pour s'en faire entendre? et tout ce que répondent aussi ces trois personnes, dont la grossière ignorance ne peut leur permettre de rien dire de raisonnable? N'est-ce pas quelque chose de bien surprenant que la scène d'Alain et de Georgette, lorsque ce brutal amant retourne de la campagne? et n'est-ce pas croire que nous aimons bien les fadaises, pour nous en donner de pareilles? Ne sont-ce pas de grands brillants d'esprit que mille petits rébus semés çà et là, outre desquels est l'équivoque du *Le*, qui force le sexe à perdre contenance et le réduit à ne savoir qui lui est le plus séant de rire ou de rougir? Toutes ces choses qui font miracle sur le théâtre ne paraissent-elles pas bien sur le papier? Enfin n'est-ce pas une noble instruction que l'on y donne pour gâter l'image de Dieu par l'ignorance et la stupidité? J'aurais encore à remarquer que cette *École* est non seulement contre toutes les règles du dramatique, mais contre celles du comique : le héros y montrant presque toujours un amour qui passe jusqu'à la fureur, et le porte à demander à Agnès si elle veut qu'il se tue, ce qui n'est propre que dans la tragédie, à laquelle on réserve les plaintes, les pleurs et les gémissements. Ainsi, au lieu que la comédie soit finie par quelque chose de gai, celle-ci finit par le désespoir d'un amant, qui se retire avec un *ouf !* par lequel il tâche d'exhaler la douleur qui l'étouffe, de manière qu'on ne sait si l'on doit rire ou pleurer dans une pièce où il semble qu'on veuille aussitôt exciter la pitié que le plaisir. Je remarquerais avec beaucoup de justice qu'il n'y a presque pas d'action, qui est le caractère de la comédie, et qui la discerne d'avec les poèmes de récit, et que Zoïle[1] renouvelle la coutume des anciens comédiens, dont les représentations ne consistaient qu'en perspectives, en grimaces et en gestes. Je passe sous silence que ce n'est qu'un mélange de larcins que l'auteur a faits de tous côtés, jusqu'à son *Prêchez, patrocinez jusqu'à la Pentecôte* qu'il a pris dans le Rabelais, ainsi que dans *Don Quichotte* le modèle des Préceptes d'Agnès, qui ne sont qu'une imitation de ceux que ce chevalier errant donne à son écuyer, lorsqu'il va prendre le gouvernement d'une île : de manière qu'on ne peut pas dire que Zoïle soit une source vive, mais seulement un bassin qui reçoit ses eaux d'ailleurs, pour ne pas le traiter plus mal, en le comprenant dans la comparaison que quelques-uns ont faite des compilateurs de passages à des ânes seulement capables de porter de grands fardeaux. Je tais encore que son jeu et ses habits ne sont non plus que des imitations de divers comiques, lesquels le laisseraient aussi nu que la corneille d'Horace, s'ils lui redemandaient chacun ce qu'il leur a pris. Je ne veux rien dire des vers, dont la plupart n'ont guère plus de cadence ni d'harmonie que ceux des airs du Pont-Neuf, n'étant qu'une prose rampante, mal rimée en divers endroits. Mais je suis trop attaché à l'intérêt des dames, pour ne pas soutenir que cette *École* est une satire effroyablement affilée contre toutes, qui mériterait tant soit peu l'époussette, si l'on était moins débonnaire en France ; et que les maximes qu'il y prêche à son Agnès sont des leçons horribles qu'il fait à tous les maris, pour réduire le beau sexe à la dernière des servitudes. »

Plus on le critiquera...

Et voici un court extrait de *Zélinde*, de Donneau de Visé :

ARISTIDE

« La réputation d'Élomire n'est déjà que trop bien établie ; je n'ai garde de travailler pour l'affermir davantage et je suis assuré que, plus on le critiquera, plus on le fera réussir... Pourquoi voulez-vous que j'aille ruiner ma réputation en attaquant un homme que tous les Turlupins de France assurent que l'on ne pourra jamais imiter ? et, bien qu'ils disent cela

---

[1] Nom par lequel Robinet désigne Molière dans sa pièce.

sans savoir ce qu'un autre est capable de faire, l'on les doit néanmoins croire, puisqu'ils y sont les plus intéressés.

ZÉLINDE

Quoi! vous êtes encore dans cette pensée? Faites rire comme lui et vous réussirez. Ils ne prennent son parti que parce qu'il les divertit. Renchérissez sur la satire, accommodez-vous au goût du siècle, et vous verrez si l'on ne dira pas que vous aurez autant de mérite qu'Élomire...

ARISTIDE

Mais il a le vent en poupe.

ZÉLINDE

Et c'est pour cela qu'il le faut attaquer, afin de faire retourner ce vent. »

Molière lui-même disait, dans la préface de l'*École* :

« Bien des gens ont frondé d'abord cette comédie; mais les rieurs ont été pour elle, et tout le mal qu'on en a pu dire n'a pu faire qu'elle n'ait eu un succès dont je me contente. »

La querelle de *L'École des femmes* apparaît surtout comme une explosion de colère et d'envie. De quoi se mêle ce nouveau venu qui, ne respectant pas les règles, les conventions, les usages, remporte un succès qui, de droit, nous revient, à nous. Comment ose-t-il devenir Molière?

Ceci est, et restera, le fond de la cabale. Les dévots y participent, mais sans grande passion. Molière va leur donner bientôt l'occasion de se déchaîner, eux aussi. Il joue *L'École des femmes* pendant toute l'année 1663. En mai 1664 débute l'affaire du *Tartuffe*.

LE TARTUFFE ET DON JUAN

L' « affaire » *Tartuffe* est longue et complexe. Il ne sera sans doute pas inutile de la résumer d'abord en un tableau chronologique.

1664	12 mai	Présentation du *Tartuffe*, en trois actes (les trois premiers?) au cours des fêtes de Versailles.
		La Confrérie du Saint-Sacrement, appuyée par la reine mère, fait interdire la pièce.
		L'abbé Roulé publie son pamphlet *Le Roi glorieux au monde.*
	21 juil.	Molière demande, et obtient, approbation pour sa pièce au légat pontifical Chigi.

		Placet au roi. Sans effet.
		Nombreuses lectures en ville, entre autres :
	29 nov.	Lecture du *Tartuffe* (en 5 actes?) chez le prince de Condé.
1665	15 févr.	Création de *Don Juan*.
		15 représentations. Succès. Mais après Pâques, à la suite de pressions discrètes, la pièce ne reparaît plus à l'affiche.
		Publication des *Observations sur la comédie de Don Juan*, par Rochemont. Pamphlet d'inspiration janséniste.
1666	4 juin	Création du *Misanthrope*.
1667	5 août	Création du *Tartuffe* (en 5 actes) au Palais-Royal sous le titre *L'Imposteur*, version adoucie.
	6 août	Interdiction par le président de Lamoignon.
	11 août	Lettre de l'archevêque de Paris, Hardouin de Péréfixe.
		La Grange et La Thorillère partent porter un placet au roi, alors à Lille.
		Publication de la *Lettre sur l'Imposteur*, anonyme, composée dans l'entourage de Chapelle.
1668		L'affaire ne progresse pas. Démarches.
1669	5 janv.	Autorisation de jouer *Tartuffe*. 33 représentations jusqu'à la fin de la saison. Reprise après Pâques.

L'affaire commence donc aux fêtes que, sous le titre général *Les Plaisirs de l'Ile Enchantée*, Louis XIV offre à la reine sa femme et à la reine sa mère — mais surtout à sa maîtresse Louise La Vallière. Une relation officielle a été conservée, de ces fêtes fastueuses qui durèrent sept jours. Les invités, au nombre de six cents, arrivèrent le 5 mai 1664 et s'en retournèrent le 14. Pour cette grande manifestation de prestige, le roi avait choisi le cadre de Versailles. La Relation nous dit :

« C'est un château qu'on peut nommer un palais enchanté, tant les ajustements de l'art ont bien secondé les soins que la nature a pris pour le rendre parfait. Il charme de toutes manières; tout y rit dehors et dedans, l'or et le marbre y disputent de beauté et d'éclat; et quoiqu'il n'y ait pas cette grande étendue qui se remarque en quelques autres palais de

Sa Majesté, toutes choses y sont si polies, si bien entendues et si bien achevées, que rien ne les peut égaler. Sa symétrie, la richesse de ses meubles, la beauté de ses promenades et le nombre infini de ses fleurs, comme de ses orangers, rendent les environs de ce lieu digne de sa rareté singulière. La diversité des bêtes contenues dans les deux parcs et dans la ménagerie, où plusieurs cours en étoile sont accompagnées de viviers pour les animaux aquatiques, avec de grands bâtiments, joignent le plaisir avec la magnificence, et en font une maison accomplie. »

Molière est étroitement associé à la régie générale de ces fêtes. Il rêvait de « théâtre total » : c'en était. Un théâtre total où intervenaient une armée de gardes, de jardiniers et d'artisans divers, un groupe de six cents courtisans ravis d'en être, une famille royale au grand complet et une immense troupe de comédiens et figurants professionnels. Sur le thème général du palais d'Alcine (emprunté à l'Arioste) proposé par un gentilhomme de Modène, M. de Vigarani, et élaboré par le premier gentilhomme de la chambre, le duc de Saint-Aignan, on vit, de jour et de nuit, des jeux galants, des ballets, des cortèges, des feux d'artifice, des jeux d'eaux, des bergeries, des comédies. Tout cela baigné de haute courtoisie et d'aimable libertinage. (C'est là qu'Armande découvre la coquetterie, et Molière la jalousie.)

Au cours de la deuxième journée des Fêtes, le 8 mai, Molière et sa troupe représentent *La Princesse d'Élide*. Au soir de la cinquième journée, ils jouent *Les Fâcheux*. Au soir de la sixième, nous apprend la Relation...

« Le soir, Sa Majesté fit jouer les trois premiers actes d'une comédie, nommée *Tartuffe*, que le sieur de Molière avait faite contre les hypocrites; mais, quoiqu'elle eût été trouvée fort divertissante, le roi connut tant de conformité entre ceux qu'une véritable dévotion met dans le chemin du ciel, et ceux qu'une vaine ostentation des bonnes œuvres n'empêche pas d'en commettre de mauvaises, que son extrême délicatesse pour les choses de la religion ne put souffrir cette ressemblance du vice avec la vertu, qui pouvaient être unis l'un pour l'autre; et, quoiqu'on ne doutât point des bonnes intentions de l'auteur, il la défendit pourtant en public, et se priva soi-même de ce plaisir, pour n'en pas laisser abuser à d'autres, moins capables d'en faire un juste discernement. »

Brossette, dans ses *Notes*, présente les choses un peu différemment :

« Quand Molière composait son Tartuffe, il en récita au Roi les trois premiers actes. Cette pièce plut à Sa Majesté, qui en parla trop avantageusement pour ne pas irriter la jalousie des ennemis de Molière et surtout la cabale des dévots. M. de Péréfixe, archevêque de Paris, se mit à leur tête et parla au Roi contre cette comédie. Le Roi, pressé là-dessus à plusieurs reprises, dit à Molière qu'il ne fallait pas irriter les dévots, qui étaient gens implacables, et qu'ainsi il ne devait pas jouer son Tartuffe en public. Sa Majesté se contenta de parler ainsi à Molière, sans lui ordonner de supprimer cette comédie. C'est pourquoi Molière ne se faisait pas une peine de la lire à ses amis. »

Conseil de prudence ou interdiction pure et simple? Le résultat était le même, et les dévots se félicitèrent du coup d'arrêt aux prétentions de « ce » Molière, histrion impudent ayant, comme tous les comédiens, pour seul but et projet de combattre la vérité sacrée et de gangrener les mœurs.

La *Gazette de France* du 17 mai 1664 imprima un remerciement au roi. Le roi, y lit-on, a prouvé qu'il est vraiment le Fils Aîné de l'Église en condamnant les cinq propositions (qu'on disait se trouver dans l'*Augustinus*, origine du grand drame de Port-Royal) et,

« il le fit voir encore naguère par ses défenses de représenter une pièce de théâtre intitulée *l'Hypocrite*, que Sa Majesté, pleinement éclairée en toutes choses, jugea absolument injurieuse à la religion et capable de produire de très dangereux effets. »

Un démon vêtu de chair

Pierre Roullé, curé de Saint-Barthélemy, y allait beaucoup plus fort dans son pamphlet *Le Roi glorieux au monde*.

« Un homme, ou plutôt un démon vêtu de chair et habillé en homme, et le plus signalé impie et libertin qui fût jamais dans les siècles passés, avait eu assez d'impiété et d'abomination pour faire sortir de son esprit diabolique une pièce toute prête d'être rendue publique en la faisant exécuter sur le théâtre, à la dérision de toute l'Église, et au mépris du caractère le plus sacré et de la fonction la plus divine, et au mépris de ce qu'il y a de plus saint dans l'Église ordonnée du Sauveur, pour la sanctification des âmes, à dessein d'en rendre l'usage ridicule, contemptible, odieux. Il méritait, par cet attentat sacrilège et impie, un dernier supplice exemplaire et public et le feu lui-même, avant-coureur de celui de l'Enfer, pour expier un crime si grief de lèse-majesté divine, qui va à ruiner la religion catholique, en blâmant sa plus religieuse et sainte pratique, qui est la conduite et direction des âmes et des familles par de sages guides et conducteurs pieux. »

En clair, et en termes modernes : si nous en avions le
pouvoir, nous ferions monter sur le bûcher les hommes
qui, comme ce Molière, osent discréditer l'autorité des
directeurs spirituels. Cette flambée de colère et de haine
monte vers Molière, mais ce n'est pas lui seul qui la
provoque. Il est, si j'ose dire, la paratonnerre qui reçoit
la décharge. Nous sommes loin, ici, des envies, des malveil-
lances et des coups bas du temps des *Précieuses* et de
L'École des femmes.

Pierre Roullé poursuit :

« Mais Sa Majesté, après lui avoir fait un sévère reproche,
animée d'une forte colère, par un trait de sa clémence ordinaire,
en laquelle il imite la douceur essentielle de Dieu, lui a, par
abolition, remis son insolence et pardonné sa hardiesse
démoniaque, pour lui donner le temps d'en faire pénitence
publique et solennelle toute sa vie. Et, afin d'arrêter avec succès
la vue et le débit de sa production impie et irréligieuse et de sa
poésie licencieuse et libertine, Elle lui a ordonné, sur peine de
la vie, d'en supprimer et déchirer, étouffer et brûler tout ce qui
en était fait et de ne plus rien faire à l'avenir de si indigne et
infamant, ni rien produire au jour de si injurieux à Dieu et
outrageant à l'Église, la religion, les sacrements et les officiers
les plus nécessaires au salut; lui déclarant publiquement et
à toute la terre qu'on ne saurait rien faire ni dire qui lui soit
plus désagréable et odieux et qui le touche le plus au cœur
que ce qui fait atteinte à l'honneur de Dieu, au respect de
l'Église, au bien de la religion, à la révérence due aux sacrements,
qui sont les canaux de la grâce que Jésus-Christ a méritée aux
hommes par sa mort en la croix, à la faveur desquels elle est
transfuse et répandue dans les âmes des fidèles qui sont
saintement dirigés et conduits. Sa Majesté pouvait-elle mieux
faire contre l'impiété et cet impie, que de lui témoigner un zèle
si sage et si pieux et une exécration d'un crime si infernal. »

Petite remarque en passant : Louis XIV ne semble
avoir fait aucune colère, ni des déclarations aussi édifiantes.
Mais — et c'est un moyen de pression très efficace —
comment démentir de telles allégations? Surtout si on
vous compare à Dieu! Ayant eu connaissance de cette
lettre, le roi fit reprocher à l'auteur ses excès de violence
verbale.

Autre remarque : cet éclat se produit alors que la pièce
n'a été représentée que devant quelques centaines de
personnes, et dans un texte incomplet.

Quant au fond... Est-il besoin de commenter ce texte
où se dénude, avec une sincérité ronflante et maladroite,

le véritable grief? Molière, c'est le théâtre lucide, en appelant à un public lucide, c'est un théâtre libre pour des esprits libres.

Reportons-nous maintenant à Grimarest, qui dessine la ligne générale de l'affaire.

« On sait que les trois premiers actes de la comédie du *Tartuffe* de Molière furent représentés à Versailles dès le mois de mai de l'année 1664, et qu'au mois de septembre de la même année, ces trois actes furent joués pour la seconde fois à Villers-Cotterets, avec applaudissements. La pièce entière parut pour la première et la seconde fois au Raincy, au mois de novembre suivant, et en 1665; mais Paris ne l'avait point encore vue en 1667. Molière sentait la difficulté de la faire passer dans le public. Il le prévint par des lectures; mais il n'en lisait que jusqu'au quatrième acte, de sorte que tout le monde était fort embarrassé comment il tirerait Orgon de dessous la table. Quand il crut avoir suffisamment préparé les esprits, le 5 août 1667, il fait afficher le *Tartuffe*. »

Un témoignage de Racine

Nous trouvons un écho d'une de ces lectures dans la *Seconde lettre à l'auteur des Hérésies imaginaires et des Deux Visionnaires* de Jean Racine. L'auteur des *Hérésies imaginaires*, c'est Nicole, de Port-Royal. Nicole avait écrit de la comédie en des termes si durs que le jeune Racine (il a alors vingt-sept ans) prend feu et, à son tour, attaque Nicole et Port-Royal. Il changera de camp plus tard. Mais il est intéressant, pour nous, ici, de l'entendre dire, dans sa première lettre, de janvier 1666 :

« Et qu'est-ce que les romans et les comédiens peuvent avoir de commun avec le jansénisme? Pourquoi voulez-vous que ces ouvrages d'esprit soient une occupation peu honorable devant les hommes, et horrible devant Dieu?

(...) Mais nous connaissons l'austérité de votre morale. Nous ne trouvons point étrange que vous damniez les poètes : vous en damnez bien d'autres qu'eux. Ce qui nous surprend, c'est de voir que vous voulez empêcher les hommes de les honorer. Hé! Monsieur, contentez-vous de donner les rangs dans l'autre monde : ne réglez point les récompenses de celui-ci. »

Et voici l'extrait de la seconde lettre, datée du 10 mai 1666, où il est question d'une lecture de *Tartuffe* :

« C'était chez une personne qui, en ce temps-là était fort de vos amies; elle avait eu beaucoup d'envie d'entendre lire le *Tartuffe*, et l'on ne s'opposa point à sa curiosité : on vous avait dit que les jésuites étaient joués dans cette comédie; les

jésuites au contraire se flattaient qu'on en voulait aux jansénistes. Mais il n'importe; la compagnie était assemblée, Molière
allait commencer, lorsqu'on vit arriver un homme fort échauffé,
qui dit tout bas à cette personne : « Quoi, madame! vous
entendez une comédie le jour que le mystère de l'iniquité
s'accomplit, ce jour qu'on nous ôte nos mères! Cette raison
parut convaincante; la compagnie fut congédiée. Molière s'en
retourna, bien étonné de l'empressement qu'on avait eu pour
le faire venir, et de celui qu'on avait pour le renvoyer. »

Molière est conscient

Les textes qui précèdent se rapportent à la première
phase de l'affaire, au cours des années 1664 à 1666.

Le grand éclat, avec condamnation formelle, attaques
violentes et accusations caractérisées d'impiété, se situe
en 1667.

La victoire de Molière se place en janvier 1669.

L'affaire de Port-Royal, elle, ouvertement déclenchée
en 1653 par la condamnation des cinq propositions, par
le pape, et qui a eu un premier temps chaud en 1656-57
(condamnation d'Arnault et publication des *Provinciales*
de Pascal), se ranime en 1661 (suppression des Écoles
de Port-Royal, obligation de signature du Formulaire
condamnant Jansénius). De 1664 à 1668, ce sont les
persécutions contre Port-Royal. Quand Molière « essaie »
sa pièce, l'atmosphère est déjà orageuse, et les trois années
au cours desquelles il argumente devant le roi, lit son texte
en ville, bataille avec ses ennemis, comptent parmi les plus
agitées, les plus passionnées, de toute l'histoire spirituelle
de la France.

Tout ceci affaiblit considérablement la thèse selon
laquelle Molière aurait, dans le *Tartuffe*, simplement utilisé
une matière dramatique intéressante, sans avoir aucune
préoccupation d'ordre moral, ni aucune arrière-pensée
critique. Un homme de théâtre opportuniste, dégagé par
rapport à ses sujets, eût évité de se fourrer dans pareil
guêpier. L'essai à Versailles, et la volée de bois vert reçue
après présentation du texte incomplet devant un public
limité, lui eût suffi.

Sans doute, on l'a vu, Molière n'aime pas abandonner
une pièce, mais il le fait pourtant quand il le juge utile.
En 1665, il écrit et crée *Don Juan*. Il ne tenait pas particulièrement à cette œuvre, écrite à la demande de la troupe

qui voyait d'autres compagnies faire bonne recette avec des comédies sur le même sujet. Molière « fabrique » donc un *Don Juan*, mais il n'est pas homme à traiter un thème sans lui imprimer sa marque. Cette pièce, qui aurait pu être une comédie fantastique à machines, devient une œuvre hybride, d'ailleurs mal construite, mais pensée dans les marges du *Tartuffe*. Aux yeux de ses ennemis, *Don Juan* aggrave son cas. La cabale se déchaîne, manifeste dans la salle. Un sieur de Rochemont prendra le porte-plume de l'opposition, peu après, pour écrire ces *Observations* dont on trouvera plus loin un extrait, et qui sont l'attaque la plus féroce jamais lancée contre un homme de théâtre. *Don Juan* n'en est pas moins un succès. Aucune interdiction ne vient le frapper. Peut-être conseille-t-on, discrètement... Molière n'insiste pas. Pour *Tartuffe*, il insiste.

Don Juan

On trouve, dans *Don Juan*, des tirades qui sont parfaitement en situation, mais qui s'éclairent curieusement lorsqu'on les lit en se rappelant la situation de Molière lui-même :

« (...) l'hypocrisie est un vice à la mode, et tous les vices à la mode passent pour vertus. Le personnage d'homme de bien est le meilleur de tous les personnages qu'on puisse jouer aujourd'hui, et la profession d'hypocrite a de merveilleux avantages. C'est un art de qui l'imposture est toujours respectée; et, quoiqu'on la découvre, on n'ose rien dire contre elle. Tous les autres vices des hommes sont exposés à la censure, et chacun a la liberté de les attaquer hautement; mais l'hypocrisie est un vice privilégié qui, de sa main ferme la bouche à tout le monde, et jouit en repos d'une impunité souveraine. On lie, à force de grimaces, une société étroite avec tous les gens du parti. Qui en choque un se les attire tous sur les bras; et ceux que l'on sait même agir de bonne foi là-dessus, et que chacun connaît pour être véritablement touchés, ceux-là, dis-je, sont toujours les dupes des autres; ils donnent hautement dans le panneau des grimaciers, et appuient aveuglément les singes de leurs actions. »

Il est difficile de ne pas reconnaître la voix de Molière sous le sarcasme de don Juan!

« Combien crois-tu que j'en connaisse qui, par ce stratagème, ont rhabillé adroitement les désordres de leur jeunesse, qui se sont fait un bouclier du manteau de la religion, et, sous cet habit respecté, ont la permission d'être les plus méchants hommes du monde? »

Par exemple le prince de Conti, ancien protecteur de Molière en province, alors libertin fieffé, joyeux drille, corrompu, et aujourd'hui dévot ostentatoire et dénonciateur acharné !

« On a beau savoir leurs intrigues, et les connaître pour ce qu'ils sont, ils ne laissent pas pour cela d'être en crédit parmi les gens; et quelque baissement d'yeux, un soupir mortifié, et deux roulements d'yeux, rajustent dans le monde tout ce qu'ils peuvent faire. C'est sous cet abri favorable que je veux me sauver, et mettre en sûreté mes affaires. Je ne quitterai point mes douces habitudes; mais j'aurai soin de me cacher, et me divertirai à petit bruit. Que si je viens à être découvert, je verrai, sans me remuer, prendre mes intérêts à toute la cabale, et je serai défendu par elle envers et contre tous. Enfin, c'est là le vrai moyen de faire impunément tout ce que je voudrai. Je m'érigerai en censeur des actions d'autrui, jugerai mal de tout le monde, et n'aurai bonne opinion que de moi. Dès qu'une fois on m'aura choqué tant soit peu, je ne pardonnerai jamais, et garderai tout doucement une haine irréconciliable. Je ferai le vengeur des intérêts du ciel; et, sous ce prétexte commode, je pousserai mes ennemis, je les accuserai d'impiété, et saurai déchaîner contre eux des zèles indiscrets, qui, sans connaissance de cause, crieront en public après eux, qui les accableront d'injures, et les damneront hautement, de leur autorité privée. C'est ainsi qu'il faut profiter des faiblesses des hommes, et qu'un sage esprit s'accommode aux vices de son siècle. »

(*Don Juan*, Acte 5 scène II).

Beaucoup de critiques avancent d'excellentes raisons pour nous dissuader de chercher Molière dans ses œuvres, et l'inspiration des œuvres dans sa vie. Même en redoublant de prudence et de retenue, comment ne pas voir dans Don Juan un Tartuffe qui vend la mèche et, dans l'homme de théâtre qui dramatise et le cas Tartuffe et le cas Don Juan, l'homme blessé qui fera de sa blessure le personnage dramatique d'Alceste? Ces trois pièces, *Tartuffe*, *Don Juan* et le *Misanthrope* ne sont pas seulement liées par la chronologie et les événements extérieurs d'une querelle dramatico-religieuse : elles reposent sur le même socle d'expérience, de dégoût, de souffrance. Molière ne s'est pas seulement permis de devenir Molière, il est devenu aussi un penseur.

Alceste reprend espoir

C'est le 4 juin 1666 que Molière crée le *Misanthrope* au Palais-Royal, alors que, depuis quatre ans, l'affaire

Tartuffe piétine, s'enlise dans les intrigues de couloirs, les pamphlets, les démarches secrètes, les menaces.

Mais précisément, le temps passe, la passion s'use et s'évente et l'affaire Port-Royal a pris un tour si dramatique qu'elle polarise l'attention et les énergies. Vers le milieu de 1667, Molière reprend espoir. Voici la version des faits donnée par Brossette, dans ses *Notes* :

« Madame, première femme de Monsieur, avait envie de voir représenter *Tartuffe*. Elle en parla au Roi avec empressement, et elle le fit dans un temps où Sa Majesté était irritée contre les dévots de la cour. Car quelques prélats, surtout M. de Gondrin, archevêque de Sens, s'étaient avisés de faire au roi des remontrances au sujet de ses amours *(multiples à l'époque, effectivement, jusqu'à comporter deux maîtresses officielles : Louise de La Vallière et Mme de Montespan)*. D'ailleurs, le roi haïssait les jansénistes, qu'il regardait encore, la plupart, comme les objets de la comédie de Molière. Tout cela détermina Sa Majesté à permettre à Madame que Molière jouât sa pièce. »

Grimarest ne dit rien de cette démarche de Madame, mais plusieurs adversaires y font plus ou moins clairement allusion. Il n'y a d'ailleurs rien que de très logique, de très plausible, dans la déclaration de Brossette — même les sous-entendus! Car on a pu aider Madame à se souvenir qu'elle désirait voir la pièce dont tout le monde parlait sans l'avoir vue. On a pu l'aider à choisir le moment où la bataille de Port-Royal énervant le roi, et les prétentions des dévots à régenter sa vie, à lui aussi, qui était pourtant, de droit divin, au-dessus des lois, même morales, le mettant en humeur, une démarche avait des chances de le trouver sensibilisé. On a pu aider aussi le roi à croire que *Tartuffe* était dirigé contre Port-Royal. Ce n'est peut-être pas un hasard non plus si Molière remet *Tartuffe* à l'affiche alors que Louis XIV vient de quitter Paris. Le roi présent, les événements ultérieurs eussent pris, peut-être, l'aspect d'une épreuve de force entre le pouvoir royal et les autorités religieuses.

En effet, au lendemain de la première, le 6 août 1667 donc, M. le président de Lamoignon, nanti de pouvoirs spéciaux en l'absence du roi, fait notifier par un huissier de la Cour du Parlement, interdiction absolue de représenter la pièce.

Brossette raconte :

« Molière porta ses plaintes à Madame, qui voulut faire savoir à M. le Premier Président les intentions du Roi (…)

M. le Premier Président lui fit (...) une visite trois ou quatre jours après; mais cette Princesse ne trouva pas à propos de lui parler de Tartuffe, de sorte qu'il n'en fut fait aucune mention... »

La grande crise

Bien que nous n'ayons pas les détails, jour par jour et heure par heure, de cette crise, nous comprenons fort bien pourquoi Madame, disposée le 6 ou le 7 à rappeler les intentions du roi, trois ou quatre jours après, c'est-à-dire le 10 ou le 11, ne trouve pas à propos de parler de *Tartuffe*. Madame, et ceux qui la conseillent, n'agissent pas sans réfléchir, ni sans s'informer. Or, on le sait déjà, dans les milieux « bien informés », les autorités ecclésiastiques vont intervenir.

« Hardouin, par la grâce de Dieu et du Saint-Siège apostolique Archevêque de Paris, à tous les curés et vicaires de cette ville et faubourgs, salut en Notre Seigneur.

Sur ce qui nous a été remontré par notre promoteur que, le vendredi cinquième de ce mois, on représenta sur l'un des théâtres de cette ville, sous le nouveau nom de *l'Imposteur*, une comédie très dangereuse et qui est d'autant plus capable de nuire à la religion que, sous prétexte de condamner l'hypocrisie ou la fausse dévotion, elle donne lieu d'en accuser tous ceux qui font profession de la plus solide piété et les expose par ce moyen aux railleries et aux calomnies continuelles des libertins, de sorte que, pour arrêter le cours d'un si grand mal qui pourrait séduire les âmes faibles et les détourner du chemin de la vertu, notre dit promoteur nous aurait requis de faire défense à toute personne de notre diocèse de représenter sous quelque forme que ce soit la susdite comédie, de la lire ou entendre réciter, soit en public soit en particulier, sous peine d'excommunication.

Nous, sachant combien il serait en effet dangereux de souffrir que la véritable piété fût blessée par une représentation si scandaleuse et que le Roi même avait ci-devant très expressément défendue; et considérant d'ailleurs que, dans un temps où ce grand monarque expose si librement sa vie pour le bien de son État, et où notre principal soin est d'exhorter tous les gens de bien de notre diocèse à faire des prières continuelles pour la conservation de sa personne sacrée et pour le succès de ses armes, il y aurait de l'impiété de s'occuper de spectacles capables d'attirer la colère du Ciel; avons fait et faisons très expresses inhibitions et défendons à toutes personnes de notre diocèse de représenter, lire ou entendre réciter la susdite comédie, soit publiquement, soit en particulier, sous quelque nom et quelque prétexte que ce soit, et ce sous peine d'excommunication.

1667

Le Vendredy 8me juillet. Sicilien. Mede. Malg. 133:   3:
part
Dimanche 10 Juillet Idem p Idem — 145:   3:
part
Mardy 12 Idem p Idem 172:   6:
part
Vendredy 15me Sicilien p le Cocu . 150   3: 15'
part
Dimanche 17me Idem p Idem . 197: 5   7: 10'
part
Mardy 19me Idem et Idem . 196:   7: 15'
part
Vendredy 22me Sicilien p les Medecins 116:   neant
Dimanche 24me Sicil. Med. malgré 152: 5   4: 10'
part
Mardy Neant
Vendredy 29me l'Escol. des M. p uf. a la m. 159   8: 10'
part
Dimanche 31 Juillet Idem p Idem 289   18:
part
Mardy 2me AOUST Escol des Maris
Et la Veuve a la mode 87   3:
part
Vendredy 5me TARTUFFE — 1890   138: 10'
part

Le lendemain 6me Un huissier de la Cour du parlement Est
venu de la part du premier President M. de la Moignon
deffendre la piece, Le 8me Le S. de la Torilliere & moy
De lagrange sommes partis de Paris pour aller trouver
le Roy au sujet de la d deffence S. M. Estoit au siege de l'Isle
en flandre, Ou nous fusmes tres bien Receus Monsieur
Nous protegea a bon cœur & la M. nous fit dire que son
retour a Paris il feroit Examiner la piece de Tartuffe & que
Nous la Joüerions. Apres quoy Nous sommes R'venus
La Veuve a cousté 1000 à la troupe

Une page du Registre de La Grange (août 1667) faisant écho à
l'interdiction de « Tartuffe ».

Si mandons aux archiprêtres de Sainte-Marie-Madeleine et de Saint-Séverin de vous signaler la présente ordonnance, que vous publierez en vos prônes aussitôt que vous l'aurez reçue, en faisant connaître à tous vos paroissiens combien il importe à leur salut de ne point assister à la susdite ou aux semblables comédies.

Donné à Paris sous le sceau de nos armes, ce onzième août mil six cent soixante-sept. »

Hardouin, archevêque de Paris.
Par mondit Seigneur, Petit.

On ne sait pas si c'est avant ou après la publication de cette lettre que Molière rencontra M. de Lamoignon. C'est le récit de Boileau que Brossette rapporte dans ses *Notes* dans les termes que voici :

« Il me pria, m'a dit M. Despréaux, d'en parler à M. le Premier Président. Je lui conseillai de lui en parler lui-même, et je m'offris de le présenter. Un matin, nous allâmes trouver M. de Lamoignon, à qui Molière expliqua le sujet de sa visite. M. le Premier Président lui répondit en ces termes : « Monsieur, je fais beaucoup de cas de votre mérite; je sais que vous êtes non seulement un acteur excellent, mais encore un très habile homme, qui faites honneur à votre profession et à la France, votre pays; cependant, avec toute la bonne volonté que j'ai pour vous, je ne saurais vous permettre de jouer votre comédie. Je suis persuadé qu'elle est fort belle et fort instructive, mais il ne convient pas à des comédiens d'instruire les hommes sur les matières de la morale chrétienne et de la religion : ce n'est pas au théâtre à se mêler de prêcher l'Évangile. Quand le roi sera de retour, il vous permettra, s'il le trouve à propos, de représenter le *Tartuffe*; mais pour moi, je croirais abuser de l'autorité que le roi m'a fait l'honneur de me confier pendant son absence, si je vous accordais la permission que vous me demandez. » Molière, qui ne s'attendait pas à ce discours, demeura entièrement déconcerté; de sorte qu'il lui fut impossible de répondre à M. le Premier Président. Il essaya pourtant de prouver à ce magistrat que sa comédie était très innocente, et qu'il l'avait traitée avec toutes les précautions que demandaient la délicatesse de la matière du sujet; mais, quelques efforts que pût faire Molière, il ne fit que bégayer, et ne put point calmer le trouble où l'avait jeté M. le Premier Président. Ce sage magistrat, l'ayant écouté quelques moments, lui fit entendre, par un refus gracieux, qu'il ne voulait pas révoquer les ordres qu'il avait donnés, et le quitta en lui disant : « Monsieur, vous voyez qu'il est près de midi; je manquerais la messe, si je m'arrêtais plus longtemps. »

Ce serait après cet entretien que, selon une tradition très ancienne, puisque la première mention du fait remonte à 1681, Molière aurait dit : « *L'Imposteur* ne sera pas joué : M. le Premier Président ne veut pas qu'on *le* joue ».

Et voici un deuxième *le*, qui d'une ambiguïté encore plus scandaleuse que celle du premier !

Un anonyme, ami de Molière assurément, ami de Chapelle vraisemblablement, Chapelle lui-même qui sait ? publia peu après une *Lettre sur la Comédie de l'Imposteur*, où il est répondu à Lamoignon :

« (D'aucuns condamnent Tartuffe) à cause seulement qu'il y est parlé de religion et que le théâtre, disent-ils, n'est pas un lieu où il la faille enseigner.

Il faut être bien enragé contre Molière pour tomber dans un égarement si visible, et il n'est point de si chétif lieu commun où l'ardeur de critiquer et de mordre ne se puisse retrancher après avoir fait son effort d'une si misérable et si ridicule défense. Quoi! si on produit la vérité avec toute la dignité qui doit l'accompagner partout, si on a prévu et évité jusqu'aux effets les moins fâcheux qui pouvaient arriver, même par accident, de la peinture du vice, si on a pris contre la corruption des esprits du siècle toutes les précautions qu'une connaissance parfaite de la saine antiquité, une vénération solide pour la religion, une méditation profonde de la nature de l'âme, une expérience de plusieurs années, et qu'un travail effroyable ont pu fournir; il se trouvera après cela des gens capables d'un contresens si horrible que de proscrire un ouvrage qui est le résultat de tant d'excellents préparatifs, par cette seule raison qu'il est nouveau de voir exposer la religion dans une salle de comédie, pour bien, pour dignement, pour discrètement, nécessairement et utilement qu'on le fasse? »

Il n'est pas nécessaire de commenter la déclaration de Lamoignon et la réponse de l'anonyme — qui reproduit évidemment la pensée de Molière lui-même — : nous sommes au cœur du sujet, au cœur, non seulement de la querelle du *Tartuffe*, mais de la controverse sur le sens et la portée de toute l'œuvre de Molière, voire du théâtre même.

Trois ou cinq actes?

La pièce représentée le 5 août 1667 s'intitulait *L'Imposteur*, et non *Tartuffe*, et elle était en cinq actes. Molière y avait apporté quelques « adoucissements ».

Quels adoucissements? Il semble bien que le premier Tartuffe, celui de 1664, portât le collet, était donc d'église, sinon prêtre. En 1667, vêtu comme tout le monde il n'est plus qu'un dévot. De cela, on est certain. Mais la certitude s'arrête là. Y avait-il d'autres audaces verbales, de l'encre de celles que, dans un autre chapitre, je rapproche d'extraits du *Livre abominable*? L'intrigue elle-même n'a-t-elle pas été modifiée? Molière y aurait-il introduit, entre autres, l'histoire d'amour de Mariane et de Valère (de façon à permettre plus tard à Pierre Louys d'accuser l'auteur de n'avoir rien compris, sinon que cela finissait par un mariage)? (Cf. le chapitre *Questions, Mystères et Potins*)

C'est en partant de là que des critiques ont pu lever, — ou créer? — le mystère des trois actes qui en deviennent cinq. Un fait est évident : la pièce publiée par Henry Poulaille et où celui-ci nettoie le texte « primitif » (de Corneille!) des becquets malencontreux attribués au comédien Molière, se tient très bien. D'où cette hypothèse : Molière aurait fait un premier *Tartuffe* en trois actes, qui était, exclusivement, la satire d'un faux dévot. L'opposition le força à délayer sa matière, à l'enrober dans une quelconque histoire d'amour, et cela forma le *Tartuffe* en cinq actes que nous connaissons. Hypothèse séduisante, mais qui ne repose sur rien de positif, et que viennent contredire de nombreux témoignages — dont ceux que je viens de citer — selon lesquels la pièce présentée à Versailles était incomplète, selon lesquels Molière lut, après la première interdiction, quatre actes d'une pièce qui en comptait cinq, et selon lesquels enfin les « adoucissements » concernaient non le fond de la pièce, ni l'intrigue, mais la présentation du personnage titulaire.

Appel au roi

Pendant la grande bataille d'août 1667, Molière décida d'en appeler au roi même : La Thorillère et La Grange partirent en poste vers Lille, avec un placet où Molière disait :

« C'est une chose bien téméraire à moi que de venir importuner un grand monarque au milieu de ses glorieuses conquêtes; mais dans l'état où je me vois, où trouver, Sire, une protection, qu'au lieu où je la viens chercher? et qui puis-je solliciter contre l'autorité de la puissance qui m'accable, que la source de la puissance et de l'autorité, que le juste dispensateur des ordres absolus, que le souverain juge et le maître de toute choses?

Ma comédie, Sire, n'a pu jouir ici des bontés de Votre Majesté. En vain je l'ai produite sous le titre de l'*Imposteur*, et déguisé le personnage sous l'ajustement d'un homme du monde. J'ai eu beau lui donner un petit chapeau, de grands

cheveux, un grand collet, une épée, et des dentelles sur tout l'habit; mettre en plusieurs endroits des adoucissements, et retrancher avec soin tout ce que j'ai jugé capable de fournir l'ombre d'un prétexte aux célèbres originaux du portrait que je voulais faire; tout cela n'a de rien servi. La cabale s'est réveillée aux simples conjectures qu'ils ont pu avoir de la chose.
(...)
J'attends, avec respect, l'arrêt que Votre Majesté daignera prononcer sur cette matière; mais il est très assuré, Sire, qu'il ne faut plus que je songe à faire des comédies, si les Tartuffe ont l'avantage; qu'ils prendront droit par là de me persécuter plus que jamais, et voudront trouver à redire aux choses les plus innocentes qui pourront sortir de ma plume. »

La Thorillère et La Grange trouvèrent le roi de très bonne humeur : la guerre dans les Flandres se présentait fort bien. Louis XIV fit donner mille livres aux émissaires et assura Molière de son appui. Mais lors de son retour à Paris, le 7 septembre, ces bonnes dispositions ne se muèrent pas, comme Molière l'escomptait sans doute, en levée d'interdiction. En somme, en faisant du roi le *Deus ex machina* de sa pièce, qui, par-dessus la loi écrite, rétablit l'équité, protège le bon droit et confond les méchants, Molière préjugeait de l'étendue du pouvoir royal. Tout une année passera encore, année au cours de laquelle Louis XIV multiplie les marques de faveur à son comédien, avant que le clan dévot, la Confrérie du Saint-Sacrement, l'archevêque, baissent pavillon devant la volonté royale.

Victoire de Molière

Le 1er janvier 1669, une médaille fut frappée pour commémorer la Paix de l'Église, décrétée par un bref du pape Clément IX solennellement remis au roi, à Versailles. Cette paix mettait fin, officiellement, aux dissentiments entre le roi et la cour de Rome et à la grande crise du Jansénisme (officiellement : en fait, le drame continuera). Or, c'est le 5 janvier de la même année que Molière, avec l'approbation du roi, remet *Tartuffe* à l'affiche.

Un anonyme publia, peu après, une *Lettre satirique sur le Tartuffe* où il dit :

> « Molière plaît assez, son génie est folâtre,
> Il a quelque talent pour le jeu du théâtre,
> Et, pour en bien parler, c'est un bouffon plaisant
> Qui divertit le monde en le contrefaisant;

Ses grimaces souvent causent quelques surprises.
Toutes ses pièces sont d'agréables sottises.
Il est mauvais poète et bon comédien,
Il fait rire, et, de vrai, c'est tout ce qu'il fait bien.
Molière à son bonheur doit tous ses avantages,
C'est son bonheur qui fait le prix de ses ouvrages;
Je sais que le *Tartuffe* a passé son espoir,
Que tout Paris en foule a couru pour le voir;
Mais, avec tout cela, quand on l'a vu paraître,
On l'a tant applaudi faute de le connaître;
Un si fameux succès ne lui fût jamais dû,
Et s'il a réussi, c'est qu'on l'a défendu. »

Un mois, jour pour jour, après la reprise triomphale
du *Tartuffe*, Molière adressa encore un placet au roi,
pour lui recommander son médecin, qui désirait un cano-
nicat devenu vacant par la mort de son titulaire. Il disait:

« Oserais-je demander encore cette grâce à Votre Majesté,
le propre jour de la grande résurrection de Tartuffe, ressuscité
par vos bontés? Je suis, par cette première faveur, réconcilié
avec les dévots; et je le serais, par cette seconde, avec les
médecins. C'est pour moi, sans doute, trop de grâces à la fois;
mais peut-être n'en est-ce pas trop pour Votre Majesté; et
j'attends, avec un peu d'espérance respectueuse, la réponse de
mon placet. »

Le médecin fut fait chanoine.

UN GRAND RÉQUISITOIRE

J'ai mentionné, plus haut, un mémoire du Sieur de
Rochemont, *Observations sur une comédie de Molière
intitulée le Festin de Pierre*. Rochemont est un pseudonyme
qui cache, croit-on, Barbier d'Aucour, janséniste, ayant
tout à la fois la haine des Jésuites, du théâtre, de la littérature, et de Molière. Le pamphlet parut en 1665, peu
après la création de *Don Juan*. J'ai cru préférable de
rassembler ici les quelques extraits qu'il était intéressant
de prendre, en illustration des querelles que Molière eut
à subir. On y trouve, en fait, une réponse circonstanciée,
encore que haineuse, à cette question générale : qu'est-ce
que les dévots reprochaient à Molière?

Molière : un farceur

« Il est vrai qu'il y a quelque chose de galant dans les
ouvrages de Molière, et je serais bien fâché de lui ravir l'estime
qu'il s'est acquise. Il faut tomber d'accord que, s'il réussit mal

à la Comédie, il a quelque talent pour la Farce; et, quoiqu'il n'ait ni les rencontres de Gautier-Garguille, ni les impromptus de Turlupin, ni la bravoure du Capitan, ni la naïveté de Jodelle, ni la panse de Gros-Guillaume, ni la science du Docteur, il ne laisse pas de plaire quelquefois et de divertir en son genre. Il parle passablement français; il traduit assez bien l'italien et ne copie pas mal les auteurs : car il ne se pique pas d'avoir le don d'invention ni le beau génie de la poésie, et ses amis avouent librement que ses pièces sont des jeux de théâtre, où le comédien a plus de part que le poète et dont la beauté consiste toute dans l'action; ce qui fait rire en sa bouche fait souvent pitié sur le papier et l'on peut dire que ses comédies ressemblent à ces femmes qui font peur en déshabillé et qui ne laissent pas de plaire quand elles sont ajustées, ou à ces petites tailles qui, ayant quitté leurs patins, ne sont plus qu'une partie d'elles-mêmes. Je laisse là ces critiques qui trouvent à redire à sa voix et à ses gestes et qui disent qu'il n'y a rien de naturel en lui, que ses postures sont contraintes et qu'à force d'étudier les grimaces, il fait toujours la même chose; car il faut avoir plus d'indulgence pour des gens qui prennent peine à divertir le public, et c'est une espèce d'injustice d'exiger d'un homme plus qu'il ne peut et de lui demander des agréments que la nature ne lui a pas accordés, — outre qu'il y a des choses qui ne veulent pas êtres vues souvent, afin qu'elles puissent plaire une seconde fois. Mais quand cela serait, l'on ne pourrait dénier que Molière n'eût bien de l'adresse ou du bonheur de débiter avec tant de succès sa fausse monnaie et de duper tout Paris avec de mauvaises pièces.

Voilà en peu de mots ce que l'on peut dire de plus obligeant et de plus avantageux pour Molière... »

‹(...)

« S'il n'eût joué que *les Précieuses* et s'il n'en eût voulu qu'aux petits pourpoints et aux grands canons, il ne mériterait pas une censure publique et ne se serait pas attiré l'indignation de toutes les personnes de piété. Mais qui peut supporter la hardiesse d'un farceur qui fait plaisanterie de la religion, qui tient école de libertinage et qui rend la majesté de Dieu le jouet d'un maître et d'un valet de théâtre, d'un athée qui s'en rit et d'un valet plus impie que son maître qui en fait rire les autres? »

(...)

Molière : un hypocrite

« Molière est lui-même un Tartuffe achevé et un véritable hypocrite (...) il ressemble à ces comédiens dont parle Sénèque, qui corrompaient de son temps les mœurs, sous prétexte de les réformer et qui, sous couleur de reprendre le vice, l'insinuaient adroitement dans les esprits; et ce philosophe appelle ces sortes de gens des pestes d'État et les condamne au bannissement et aux supplices. Si le dessein de la comédie est de corriger les hommes en les divertissant, le dessein de Molière est de les perdre en les faisant rire (...). La naïveté malicieuse de son Agnès a plus corrompu de vierges que les écrits les plus licencieux. »

(...)

« Toute la France a l'obligation à feu Monsieur le cardinal de Richelieu d'avoir purifié la comédie et d'en avoir retranché ce qui pouvait choquer la pudeur et blesser la chasteté des oreilles; il a réformé jusqu'aux habits et aux gestes de cette courtisane et peu s'en est fallu qu'il ne l'ait rendue scrupuleuse. Les Vierges et les Martyrs ont paru sur le théâtre et l'on faisait couler insensiblement dans l'âme la pudeur et la foi avec le plaisir et la joie. Mais Molière a ruiné tout ce que ce sage politique avait ordonné en faveur de la comédie, et, d'une fille vertueuse, il en a fait une hypocrite. Tout ce qu'elle avait de mauvais avant ce grand cardinal, c'est qu'elle était coquette et libertine; elle écoutait tout indifféremment et disait de même tout ce qui lui venait à la bouche; son air lascif et ses gestes dissolus rebutaient tous les gens d'honneur et l'on n'eût pas vu en tout un siècle une honnête femme lui rendre visite. Molière a fait pis; il a déguisé cette coquette, et, sous le voile de l'hypocrisie, il a caché ses obscénités et ses malices; tantôt il l'habille en religieuse et la fait sortir d'un couvent : ce n'est pas pour garder plus étroitement ses vœux; tantôt il la fait paraître en paysanne qui fait bonnement la révérence quand on lui parle d'amour; quelquefois c'est une innocente qui tourne par des équivoques étudiées l'esprit à de sales pensées, tâche de faire comprendre par ses postures ce que cette pauvre niaise n'ose exprimer par ses paroles. Sa *Critique* est un commentaire pire que le texte et un supplément de malice à l'ingénuité de son Agnès; et, confondant enfin l'hypocrisie avec l'impiété, il a levé le masque à sa fausse dévote et l'a rendue publiquement impie et sacrilège. »

(...)

Molière : un athée

« Molière a fait monter l'athéisme sur le théâtre; et, après avoir répandu dans les âmes ces poisons funestes qui étouffent la pudeur et la honte, après avoir pris soin de former des coquettes et de donner aux filles des instructions dangereuses; après ces *Écoles* fameuses d'impureté, il en a tenu d'autres pour le libertinage; et il marque visiblement dans toutes ses pièces le caractère de son esprit; il se moque également du paradis et de l'enfer et croit justifier suffisamment ses railleries en les faisant sortir de la bouche d'un étourdi. Ces paroles d'enfer et de chaudières bouillantes sont assez justifiées par l'extravagance d'Arnolphe et par l'innocence de celle à qui il parle. Et voyant qu'il choquait toute la Religion et que tous les gens de bien lui seraient contraires, il a composé son Tartuffe et a voulu rendre les dévots des ridicules et des hypocrites; il a cru qu'il ne pouvait défendre ses maximes qu'en faisant la satire de ceux qui les pouvaient condamner. Certes, c'était bien à faire à Molière de parler de dévotion, avec laquelle il a si peu de commerce et qu'il n'a jamais connue ni par pratique ni par théorie. »

(...)

Molière : un diable incarné

«Je n'ai pu m'empêcher de voir cette pièce (Don Juan) aussi bien que les autres et je m'y suis laissé entraîner par la foule d'autant plus librement que Molière se plaint qu'on le condamne sans le connaître et que l'on censure ses pièces sans les avoir vues. Mais je trouve que sa plainte est aussi injuste que sa comédie est pernicieuse; que sa farce, après l'avoir bien considérée, est vraiment diabolique et vraiment diabolique est son cerveau, et que rien n'a jamais paru de plus impie, même dans le paganisme.

Auguste fit mourir un bouffon qui avait fait raillerie de Jupiter et défendu aux femmes d'assister à des comédies plus modestes que celles de Molière. Théodose condamna aux bêtes des farceurs qui tournaient en dérision nos cérémonies; et néanmoins cela n'approche point de l'emportement de Molière et il serait difficile d'ajouter quelque chose à tant de crimes dont sa pièce est remplie. C'est là que l'on peut dire que l'impiété et le libertinage se présentent à tous moments à l'imagination : une religieuse débauchée et dont l'on publie la prostitution; un pauvre à qui on donne l'aumône à condition de renier Dieu; un libertin qui séduit autant de filles qu'il en rencontre; un enfant qui se moque de son père et qui souhaite sa mort; un impie qui raille le ciel et qui se rit de ses foudres; un athée qui réduit toute la foi à deux et deux sont quatre et quatre et quatre sont huit; un extravagant qui raisonne grotesquement de Dieu et qui par sa chute affectée casse le nez à ses arguments; un valet infâme, fait au badinage de son maître, dont toute la créance aboutit au Moine-Bourru : car, pourvu que l'on croie au Moine-Bourru, tout va bien, le reste n'est que bagatelle; un démon qui se mêle dans toutes les scènes et qui répand sur le théâtre les plus noires fumées de l'enfer; et enfin un Molière pire que tout cela, habillé en Sganarelle, qui se moque de Dieu et du diable, qui joue le ciel et l'enfer, qui souffle le chaud et le froid, qui confond la vertu et le vice, qui croit et qui ne croit pas, qui pleure et qui rit, qui reprend et qui approuve, qui est censeur et athée, qui est hypocrite et libertin, qui est homme et démon tout ensemble : un diable incarné, comme lui-même se définit. Et cet homme de bien appelle cela corriger les mœurs des hommes en les divertissant, donner des exemples de vertu à la jeunesse, réprimer galamment les vices de son siècle, traiter sérieusement les choses saintes, et couvre cette belle morale d'un feu de théâtre, d'un foudre imaginaire et aussi ridicule que celui du Jupiter, dont Tertullien raille si agréablement, et qui, bien loin de donner de la crainte aux hommes, ne pouvait pas chasser une mouche ni faire peur à une souris. En effet, ce prétendu foudre apprête un nouveau sujet de risée aux spectateurs et ce n'est qu'une occasion à Molière pour braver en dernier ressort la justice du ciel avec une âme de valet intéressée, en criant : Mes gages, mes gages; car voilà le dénouement de la farce. Ce sont les beaux et généreux mouvements qui mettent fin à cette galante pièce, et ne vois pas en tout cela où est l'esprit, puisqu'il avoue lui-même qu'il n'est rien plus facile que de se guinder sur des grands sentiments, de dire des injures aux dieux et de cracher contre le ciel. »

On a répondu à ces accusations. On trouvera des éléments de ces réponses dans d'autres parties du présent dossier.

Je m'en voudrais cependant de terminer sur les cris de haine du sieur de Rochemont. Et dire, ce que je pense, que Molière voulait, précisément, combattre et s'il se pouvait anéantir, un monde, une conception du monde, donnant naissance à des Rochemont, n'était pas suffisant.

Voici donc un texte : il est, modestement, tiré du programme d'un spectacle *Tartuffe* du Théâtre National de Belgique.

« Pourtant, Tartuffe est toujours d'actualité.

C'est que les Tartuffe pullulent encore. En toute cause, en tout parti, en tout grand mouvement d'idées, ils se glissent, sournoisement d'abord, puis gagnent de l'ampleur, haussent le ton, prennent toute la place. « La maison est à moi, c'est à vous d'en sortir... »

Plus la cause est belle, mieux elle peut couvrir leurs sordides desseins, plus ils s'y précipitent. Ils crient plus haut que tous, surenchérissent sur tout, écrasent de leur intolérance, persécutent, tuent s'il le faut ceux qui se permettent de ne pas être de leur avis.

Et ce qu'ils détestent le plus, c'est le rire, le rire libérateur, le rire leur ennemi intime, car avant toute chose, ils veulent être pris au sérieux.

Ainsi va de toute tyrannie.

Louis XIV vieilli, incendiaire du Palatinat, persécuteur des protestants, n'aurait guère goûté *Tartuffe*.

De Tartuffe, Napoléon disait : « Si on l'avait fait de mon temps, je n'aurais pas permis qu'on le jouât. »

LA MORT DE MOLIÈRE
par
Jean Anouilh

Léon Tolstoï commençant de mourir dans la salle d'attente de la gare d'Astapovo; Gœthe se levant et s'asseyant dans un fauteuil, face à la lumière; Balzac abandonné, dans son lit, alors que Victor Hugo s'éloigne après une ultime visite; Molière en scène, au Palais-Royal, pour jouer une dernière fois le Malade imaginaire...

Il y a ainsi, dans notre histoire, de ces agonies dont le regard mouillé des siècles ne peut se détacher. Celle de Molière, entre toutes, continue de fasciner, de faire mal et d'exalter à la fois, par son atroce grandeur. Jamais, sans doute, la solitude dans la mort ne fut plus absolue, ni plus absurde, ni mieux refusée et même niée, que ce soir du 17 février 1673, quand le rideau se leva sur un Argan trop fardé et dont la main tremblait.

Tous ceux qui aiment Molière sont, depuis trois siècles, dans la salle, et regardent, ne se lassent pas de regarder, d'éterniser cette prodigieuse leçon d'énergie et d'humanité.

« On crève, mais on finit son rôle ! » disait Joseph Béjart.

« Il y a cinquante pauvres ouvriers qui n'ont que leur journée pour vivre » dit Molière.

Et il pense, sans le dire, aux cinq cents spectateurs qui n'avaient que ce soir-là pour s'amuser un peu…

Tout moliériste, tout homme de théâtre a imaginé, a vécu par l'imagination, cette soirée-là. Et nous sommes relativement bien renseignés sur les circonstances de cette journée du 17 février. Baron, l'informateur de Grimarest, et Lagrange étaient là. On peut rêver, à partir de leurs témoignages.

C'est ce qu'a fait Jean Anouilh, dans le texte émouvant et d'une criante vérité que je suis heureux de pouvoir inclure dans ce Dossier. Se basant sur les documents authentiques, il a reconstitué l'événement tel qu'aurait pu le vivre un jeune comédien de la troupe — un de ceux qui tenaient un rôle de médecin. Le jeune comédien se souvient, un an après la mort de Molière et puis, quatre ans après, en 1677, relisant son mémoire, il ajoute encore quelques lignes.

AUJOURD'HUI 17 FÉVRIER, MORT DE MOLIÈRE

Aujourd'hui, 17 février, voilà un an que Monsieur Molière mourait à son domicile rue de Richelieu, où il s'était fait porter, se sentant incommodé, peu après la quatrième représentation du *Malade imaginaire*. Il était dans sa cinquante-deuxième année.

Déjà, dans l'après-midi, il s'était senti très las. Il avait fait appeler Monsieur Baron qu'il considérait un peu comme son fils spirituel, et Mademoiselle Molière, sa femme.

Il avait fait un effort pour leur sourire quand ils étaient entrés ensemble dans sa chambre. Leur grâce et leur jeunesse, à tous deux, malgré ce que nous savons qu'elles lui avaient coûté de peines et d'angoisses (maintenant qu'il n'est plus, il est permis de dire ce que chacun se chuchotait à l'oreille, dans la troupe) faisaient toujours naître sur son grave visage ce sourire un peu triste pour lequel nous l'aimions tous — ce sourire amer, fait d'une immense bonté et d'une connaissance exacte des hommes.

Il savait, bien sûr, que le petit Baron recueilli par lui

à l'âge de treize ans, dans une troupe de saltimbanques et à qui il avait enseigné avec amour les lois de son art, avait fini par devenir l'amant d'Armande à l'époque des répétitions de *Psyché*. C'était pendant ces quelques années où Molière avait dû se résigner à se séparer de sa femme. Armande, qui avait d'abord été furieusement jalouse du petit Baron — jusqu'à le gifler un jour en plein théâtre — avait soudain découvert son charme un peu grandi, dans ce rôle de l'Amour adolescent qui lui allait si bien. Depuis, les deux jeunes gens s'étaient d'ailleurs quittés, comme ils s'étaient pris — sans drame.

Mais comme cette trahison semblait loin à Molière aujourd'hui... qu'ils étaient jeunes et charmants tous les deux! Et n'avaient-ils pas eu raison, après tout, comme les amoureux de ses pièces qui ignorent joyeusement les souffrances des barbons?

Après les avoir considérés un moment en silence, étonnés qu'il les eût fait appeler ensemble, il leur dit soudain :

— Tant que ma vie a été mêlée également de douleur et de plaisir, je me suis cru heureux. Mais aujourd'hui que je suis accablé de peines sans pouvoir compter sur aucun moment de satisfaction et de douceur, je vois bien qu'il me faut quitter la partie.

Et sans écouter leur protestation, qu'il interrompit d'un petit geste las de la main, il acheva :

— Je ne puis plus tenir contre les douleurs et les déplaisirs qui ne me donnent pas un instant de relâche... Mais qu'un homme souffre avant de mourir!

— Mais pourquoi parler de mourir? Vous savez bien que vous êtes seulement un peu plus fatigué aujourd'hui, murmura Armande.

Molière s'était alors mis à sourire. Et Monsieur Baron m'a dit depuis que ce sourire avait été si doux et si terrible qu'il avait eu beaucoup de peine à retenir ses larmes.

— Non, leur répondit-il doucement, je sens bien que je finis.

Mademoiselle Molière et Monsieur Baron avaient fait alors ce qu'on fait toujours avec un malade qu'on sent gravement atteint. Ils s'étaient faits bourrus, plaisantant sur son éternel pessimisme, qu'ils connaissaient bien. N'avait-il pas cent fois remonté le courant? Sa santé, certes, laissait à désirer ces derniers temps, tout le monde

en convenait, mais n'avait-il pas déjà surmonté d'autres
crises et repris sa débordante activité? Peut-être faisait-il
allusion à d'autres ennuis, d'ordre professionnel? Au coup
que venait de lui porter l'infâme petit Lulli, qu'il avait
protégé à ses débuts et qui, maintenant, lui tirant dans les
jambes, venait d'obtenir du roi le privilège exorbitant
d'être le seul maître des textes, comédies et chansons
pour lesquels il avait fait de la musique, et qu'aucune
troupe, hors la sienne, puisse avoir plus de six violons
sur le théâtre? Il savait bien ainsi, le perfide Italien, porter
une botte dangereuse à Molière, dont le *Malade imaginaire*
comportait une grande mise en scène et une partition
importante (qu'il ne lui pardonnerait jamais d'avoir
commandée à Charpentier). Mais il allait falloir lutter
voilà tout! Faire le siège du roi. Et s'il était vrai que Sa
Majesté semblait s'être refroidie à son égard — toujours
sous l'influence de Lulli devenu le grand maître de ses
plaisirs — refroidie au point de ne point demander la
primeur du *Malade* à Versailles, sachant pourtant que
Molière avait écrit ce divertissement pour la délasser de
ses travaux de la campagne de Hollande, eh bien, n'avait-il
pas de puissants amis à la cour : susceptibles de contre-
balancer l'influence de ses ennemis? Ennemis de plus en
plus nombreux, c'était vrai et de plus en plus acharnés.

Mais qu'il se rappelle la bataille du *Tartuffe*, autrement
âpre et dangereuse... Elle avait duré cinq ans. Cinq ans
d'interdiction de représenter la pièce, avec des curés
qui demandaient en chaire que son auteur soit brûlé en
place de Grève! Ce jour-là, oui, c'était grave, car la
Compagnie du Saint-Sacrement qui avait juré sa perte,
pouvait tout. N'en était-il pas pourtant sorti vainqueur
et n'avait-on pas joué la pièce à la fin et avec les plus
grosses recettes qu'on ait jamais faites depuis l'*École des
femmes*?

" La petite Armande "

Molière souriait toujours sans répondre. Mais il était
tout pâle et il avait fermé les yeux. Alors leur fausse
gaieté, leur assurance de commande les avait abandonnés.
Ils avaient senti soudain qu'il était en effet plus mal.
Ils s'étaient agenouillés près de son fauteuil, avec ces
mines d'enfants, qu'ils prenaient tous les deux avec lui,
rajustant la couverture qui couvrait ses jambes et lui disant,

qu'après tout, le mieux était de ne pas aller jouer ce jour-là puisqu'il ne se sentait pas bien.

Molière rouvrit les yeux à cette proposition :

— Comment voulez-vous que je fasse? Il y a cinquante pauvres ouvriers qui n'ont que leur journée pour vivre. Que feront-ils si l'on ne joue pas? Je me reprocherais d'avoir négligé de leur donner du pain un seul jour, le pouvant faire absolument.

Et, faisant un immense effort sur lui-même, il s'était levé, rejetant sa couverture. Il avait seulement prié Baron de se rendre en toute hâte au théâtre et de faire annoncer qu'on commencerait à 4 heures précises, car s'il lui fallait attendre l'heure habituelle de la représentation, il craignait de ne point en avoir la force et qu'on dût rembourser l'argent.

Resté seul avec Mademoiselle Molière, qui ne pouvait retenir ses larmes, il l'avait regardée un long moment sans rien dire. Et le regard de ses yeux bleus qu'il avait un peu gros, n'était que bonté — avec quelque chose comme un reproche très doux. Le reproche d'un petit garçon à qui on a fait de la peine et qui ne peut arriver à comprendre pourquoi. Pourtant, l'enfant c'était cette jeune femme agenouillée, l'air innocent, et qui pouvait faire tant de mal.

Sa main, courte et fine, s'était avancée doucement, timidement presque, jusqu'aux cheveux roux et lumineux, jusqu'aux beaux yeux en larmes — où il ne lisait que la pitié et l'épouvante de la mort — et où il avait épié tant de fois cette petite flamme dansante qui était le signe de son malheur. Il avait effleuré la joue ronde et humide et murmuré simplement :

— La petite Armande…

— Combien a-t-on fait Lagrange?

— 1219 livres.

Nous l'attendions tous, angoissés, au théâtre. Quand il arriva, il fit ou s'efforça de faire, peut-être pour nous rassurer, toutes ses plaisanteries habituelles. Il donna le coup de canne pour rire, qu'il donnait toujours à notre vieux moucheur de chandelles, qui était le plus grand niais qu'on eût jamais vu et qu'il aimait bien — à cause de cela peut-être. « Il n'y a que lui qui n'est pas méchant, assurait-il. La bêtise est toujours méchante, mais lui,

il a dépassé la bêtise. » Il demanda comme d'habitude :
« Il y a du monde, mes enfants? » Et il s'engouffra dans sa
loge pour revêtir son dernier costume.

Il y avait une belle salle, mais (peut-être que le changement d'horaire au dernier moment y était pour quelque
chose) pas tout à fait aussi belle que celle de la troisième
représentation, ni surtout que celle de la première. On fit
ce jour-là, 1 219 livres, contre 1 879 livres l'avant-veille
et 1 992 livres le jour de la première.

— En comptant ces 1 200 livres, le lendemain, me confia
Lagrange qui tenait nos livres, à ma tristesse d'avoir perdu
mon maître, je ne pus m'empêcher d'ajouter un peu
d'amertume, de n'avoir pas pu lui annoncer davantage
quand il me cria — comme il le faisait chaque soir en
s'en allant — pour la dernière fois : « Combien a-t-on fait
Lagrange? »

Paris n'avait pas boudé, mais il avait tout de même
choisi, en partie, un autre plaisir, ce soir-là. S'ils avaient su,
bien sûr, ils seraient tous venus les beaux messieurs et les
belles dames, même ses pires ennemis, trop heureux de
pouvoir dire après : « J'étais là, le soir où le pauvre Molière... » Tout de même! 1 219 livres. C'était pour assurer
cette recette-là qu'il était mort. Et il n'avait eu que deux
parts, une part de comédien, une part d'auteur, comme
d'habitude. Le reste nous avait été partagé.

Au début — je le surveillais des coulisses — je sentais
bien qu'il faisait un gros effort pour jouer. Il s'était maquillé
un peu plus qu'à l'habitude pour faire ce faux malade
rubicond dont il allait se moquer une dernière fois, en
mourant. Mais on sentait qu'il était livide sous le rouge.

Nous ne pensions pas, bien sûr, qu'il pouvait mourir
ce soir-là, mais nous étions inquiets tout de même. Et
tous ceux qui n'étaient pas en scène, au lieu de bavarder
ou de taper le carton dans le foyer comme à l'accoutumée,
étaient debout derrière les portants à le regarder. Toutes
ces faces de faux médecins, rendues cocasses par un détail
outré, qui le regardaient dépenser ses dernières forces
sans rien pouvoir pour lui! Mais qu'auraient pu les vrais?

Cependant — c'est le miracle du théâtre — j'ai vu des
camarades entrer en scène avec des fièvres de cheval,
se porter comme un charme tout le temps de la pièce
quittes à se recoucher après. A mesure que Molière jouait,
il s'animait et sa voix se faisait plus ferme. Les effets

comiques au début incertains, se firent un par un, au moment exact où il avait décidé qu'ils devaient se faire. Il y en avait un qui n'était pas encore au point, depuis le peu de jours qu'on jouait la pièce, c'est à la réplique où Argan, étendu sur deux chaises, pour faire croire à Béline qu'il a passé de vie à trépas, demande soudain en ouvrant un œil : « Y a-t-il quelque danger à contrefaire le mort? » A la première un public plus averti peut-être (car, si méchant que soit le public des premières, c'est finalement celui qui fait les meilleurs effets), l'éclat de rire avait été immédiat. Rien à la seconde, presque rien à la troisième. Pourtant à la troisième, Molière, qui travaillait à même la salle (un vieux reste de ses anciennes improvisations dans les granges de campagne) s'y était pris autrement pour lancer sa réplique. Quelques rires isolés ce jour-là lui répondirent. Ce n'était pas assez, mais, pour un homme comme lui, c'était une indication pour savoir comment il fallait sortir dorénavant le « *Y a-t-il quelque danger à contrefaire le mort?* » J'étais bien tranquille qu'à la quatrième, l'effet serait au point. Je connaissais Molière, il n'était pas homme à se laisser démonter par une salle rétive, il savait où et comment, en l'écrivant, l'effet devait se faire. Et il fallait qu'il se fît comme il l'avait décidé.

Ce soir de la quatrième, malgré mon angoisse, par un vieux réflexe professionnel, je guettais l'effet incertain. Je le vis venir. Molière était à demi couché, les yeux fermés, soudain il ouvrit un œil rond, face au public : « *Y a-t-il quelque danger...* » Un petit temps — c'était là le secret — il ne lui avait fallu que deux représentations pour le trouver, et il lève une tête ahurie, achevant, impayable, avec ce hoquet bizarre qui avait été au début un défaut, mais qui était devenu un des charmes de sa diction : « *...à contrefaire le mort?* » Eclat de rire immédiat et général, plus franc encore qu'à la première. Son œil rencontra le mien, en coulisses, il y passa une petite lueur qui semblait dire : « *Ca y est. Je l'ai eu!* »

Tout alla bien jusqu'à la cérémonie finale

J'avais beau être noyé de tristesse, en revenant de cet enterrement honteux dans la nuit : j'ai beau pleurer bêtement sur mon papier aujourd'hui en écrivant : je ne peux m'empêcher d'être fier et heureux au fond de ma

peine. Tout de même pour la dernière fois qu'il jouait :
« Il les a eus », comme d'habitude.

Tout alla à peu près bien jusqu'à la cérémonie finale.

Depuis, plus j'y pense — et compte tenu de l'émotion
qui nous étreignait tous ce soir-là — je crois pourtant que
Molière n'a jamais si bien joué.

Car Molière était un incomparable acteur comique.
Je sais bien que, s'il doit rester à jamais vivant dans la
tendresse des hommes, comme j'en suis convaincu, ce n'est
pas à son talent d'acteur (ce talent qui ne vit que le temps
d'une autre vie : le temps du souvenir de la dernière petite
fille qui a vu votre représentation d'adieux) qu'il le devra.
Molière auteur sera toujours le premier, bien sûr, mais
Molière acteur comique a été et restera toujours la gloire
de notre profession. Qu'on se rappelle l'*Impromptu de
Versailles* où il s'est peint au naturel. Tout ce qu'il nous
disait était là. Il nous a appris à être drôles en étant vrais.
Molière a été le premier comédien de France et il en a
fait sa gloire.

Je reviendrai tout à l'heure sur les honteux marchandages
qu'on fit à sa dépouille, d'un peu de terre chrétienne, à lui,
chrétien sincère, malgré *Dom Juan*. L'état de comédien
n'était pas au moment de sa mort tout autant méprisable
aux yeux du monde qu'il l'avait été, par exemple, au
temps de ses débuts, quand il abandonna son honorable
famille et la survivance d'un poste de tapissier du roi
pour suivre ces dérobeurs de poules à l'étape, ces séducteurs
de filles, ces maudits que nous étions.

Nous étions pourtant restés des animaux de plaisir
que l'Église assimilait dans ses anathèmes, aux excommuniés
et autres interdits, comme prostituées, concubinaires,
usuriers et sorciers… C'est pourquoi nous ne lui garderons
jamais assez de gratitude dans nos cœurs, grand monsieur
comme il était devenu, riche, considéré, flatté par les plus
grands seigneurs (et jusqu'aux derniers temps protégé
particulièrement par le roi lui-même), d'avoir mis toujours
son honneur à rester comédien. Qu'un homme honoré,
opulent (car Molière, c'est une petite faiblesse de lui dont
on peut parler en souriant, aimait bien les honneurs et
l'opulence), ait trouvé plus honorable que tout de continuer
à se graisser le visage tous les soirs et recevoir des coups
de bâton, n'y a-t-il pas là quelque chose de troublant?

1673

Dimanche 29 Janvier Maris Infidelles 599ᵗᵗ :10ˢ — 33:

part

Mardy 31ᵐᵉ Maris Infidelles - - - 179ᵗᵗ :10ˢ — 5:5ˢ

part

Vendredy 3 febvrier Trissotin 298ᵗᵗ : — 11:

part

Dimanche 5 Idem - - - 389ᵗᵗ : — 18:10ˢ

Mardy 7ᵐᵉ Repetition

Piece Nouuelle et derniere de Mˡ Dr Molière

Vendredy 10ᵐᵉ 1ʳᵉ Representation du malade Jmaginaire - - - - 1992ᵗᵗ — 71:14ˢ

part

Dimanche 12 Malade Jmag·ʳᵉ 1459ᵗᵗ : — 55:

part

Mardy 14ᵐᵉ mal. Jmag· 1879ᵗᵗ :10ˢ — 80:

part

Du Vendredy 17 - - - 1219ᵗᵗ : — 39:

part

Ce mesme Jour apres la Comedie sur les 10 heures du soir Monsieur de Molière mourut dans sa maison Rue de Richelieu, ayant Joué le rôlle dud. malade Jmaginaire fort Jncommode d'un Rheume et fluction sur la poitrine qui luy Causoit Vne grande toux de sorte que dans les grans Efforts qu'il fist pour cracher il se rompit vne veyne dans le Corps et ne vesquit pas demye heure ou trois quars d'heure depuis lad. veyne Rompue et son Corps Est Enterré a St Joseph Ayde de la paroisse St Eustache, Jl y a vne tombe Esleuée d'vn pied hors de terre.

Dans le desordre Ou la troupe se trouua apres cette perte irreparable le Roy eust dessein de Joindre les acteurs qui la composoient aux Comediens de l'hostel de Bourgogne

La page du Registre de La Grange relatant la mort de Molière, le 17 février 1673.

" Il y a honneur pour moi à ne point quitter "

M. Boileau-Despréaux, qui fut son ami et le défendit toujours envers et contre tous, le lui avait reproché un jour, souffrant de cet état infâme où il voyait celui qu'il tenait pour un des premiers esprits de son temps :

— Contentez-vous donc, lui dit-il, de composer, et laissez l'action théâtrale à quelqu'un de vos comédiens. Cela vous fera plus d'honneur dans le public qui regardera vos acteurs comme vos gagistes et vos acteurs, d'ailleurs, qui ne sont pas des plus souples avec vous, sentiront mieux votre supériorité...

— Ah! Monsieur, lui répondit Molière, que dites-vous là? Il y a honneur pour moi à ne point quitter.

M. Boileau-Despréaux, tout intelligent qu'il fût, ne pouvait pas comprendre. Il eût fallu qu'il fût de notre métier pour sentir de quel honneur il s'agissait là. Le bel honneur qui donnait le droit à un duc de La Feuillade de vous mettre le visage en sang en vous le frottant contre les boutons de diamants de son habit, comme on s'inclinait devant lui, en pleine galerie de Versailles... Tarte à la crème! Tarte à la crème! criait le duc, croyant venger on ne sait qui, d'on ne sait quelle insulte, après l'*École des femmes*. Et le sang coulait sur le visage de Molière qui ne put que s'incliner et disparaître dans la foule des courtisans sous les quolibets... comme on ne put que lui conseiller de se taire quand il s'avisa de ne pas trouver bon que de jolis marquis courtisassent sa femme... « Morbleu! Si on ne peut plus rire un peu de ces pitres et caresser un peu leur femme quand elle est belle, c'est le monde à l'envers! » Riez, messieurs. Le monde, un jour, se mettra à l'envers. Et un petit jeune homme sensible, sorti de votre sang, aura peut-être honte, dans très longtemps, de s'appeler La Feuillade, quelque illustre que soit sa maison ducale — à cause de la bonne farce que son aïeul aura faite à un baladin.

A la cérémonie finale, cependant, nous sentîmes que Monsieur Molière faiblissait étrangement. Nous étions tous autour de lui, braillant notre latin de cuisine, criant, sautant, bouffonnant et ne regardant que son pauvre visage que nous sentions se décomposer... Vers la fin, au moment où il prononça le *Juro* qui va le faire médecin, lui permettre de se soigner lui-même et de se garantir ainsi à jamais contre la mort — ô la dérision de cette dernière scène! — il eut une sorte de convulsion. Le public dut s'en apercevoir. Il y eut comme un remous dans la salle. Nous comprîmes qu'il le sentait. Il fit un effort terrible, éclata d'un rire forcé et s'efforça de masquer la mort qui venait de poser sa griffe sur son visage par une si horrible et si drôle grimace que toute la salle s'esclaffa.

Dès le spectacle fini nous l'emmenâmes dans la loge de Monsieur Baron qui était la plus proche du plateau. Déjà la fièvre le secouait. Monsieur Baron s'en aperçut et ne put s'empêcher de murmurer ,inquiet :

— Vous me paraissez plus mal que tantôt.

— Cela est vrai, lui dit Monsieur Molière. J'ai un froid qui me tue.

Monsieur Baron lui prit les mains qu'il trouva glacées et les lui mit dans son manchon pour les réchauffer. Molière souriait toujours doucement, les mains dans le manchon, comme absent. Il demanda seulement avec cette petite flamme dans l'œil qu'il avait toujours quand il s'agissait de théâtre :

— Que dit-on de ma pièce, Baron?

On le porta en hâte rue de Richelieu dans la chaise de Baron. Il y avait de grands éclats de rire dans la loge de Mademoiselle Molière quand il passa devant. Je ne veux pas charger plus qu'il ne le faisait lui-même ce pauvre petit oiseau inconscient. Elle avait un grand succès dans la pièce, les petits marquis s'étaient précipités chez elle pour lui baiser les mains et la complimenter... Elle laissa passer Monsieur Molière — pauvre ombre désolée que nous soutenions tant bien que mal — devant sa porte close, d'où fusaient les voix de fausset des admirateurs de ses fragiles charmes, sans songer à l'accompagner.

Elle ne devait pas le revoir vivant. Quand Baron, une heure plus tard, courut la chercher et la ramena, celui qui l'avait tant aimée (et qui avait si peu reçu) était mort — sans elle.

Lorsque nous l'eûmes monté dans sa chambre, la fidèle La Forest, sa servante (qui avait eu le privilège d'entendre la première la plupart des scènes de son maître et dont le rire était un jugement sans appel. « La Forest n'a point ri, disait-il. je raye la réplique. Elle n'est sûrement pas bonne »), la fidèle La Forest s'empressa de bassiner son lit et voulut lui donner un bouillon qui était préparé, comme chaque soir, pour Mademoiselle Molière. Il le repoussa doucement.

— Non, dit-il. Les bouillons de ma femme sont de vraie eau-forte pour moi. Vous savez tous les ingrédients qu'elle y fait mettre!...

Il sourit un peu, gentiment, car, jusqu'au bout, je veux le dire, malgré les colères terribles qu'il prenait contre nous, sur le plateau, quand nous disions mal son texte, Monsieur Molière a été gentil...

— Donnez-moi donc plutôt un peu de fromage de parmesan...

" Voici du changement " dit-il
en regardant son mouchoir

Il faut dire que Molière qui s'était mis sagement au lait depuis des années, s'était remis à manger de la viande rouge et à boire du vin depuis qu'il avait repris la vie commune avec sa femme, honteux peut-être de cet état maladif qui ajoutait à leur différence d'âge.

Il mangea quelques bouchées de pain et de fromage, but une gorgée de vin, et se mit au lit. Il voulut seulement qu'on lui fît porter un oreiller de sa femme qu'elle avait empli d'une drogue pour dormir. Des médicaments il n'en voulait pas entendre parler :

— Tout ce qui n'entre pas dans le corps, nous dit-il, souriant, je l'éprouve volontiers. Mais les remèdes qu'il faut prendre me font peur. Il ne faut rien pour me faire perdre ce qui me reste de vie.

A peine se fut-il mis au lit qu'une quinte de toux plus violente qu'à l'ordinaire le secoua. Après avoir craché, il demanda de la lumière. On approcha le bougeoir.

— Voici du changement, dit-il, en regardant son mouchoir tout rouge entre ses mains.

Et comme Baron qui était jeune et sensible et l'aimait sincèrement se décomposait :

— Ne vous épouvantez point, dit Molière. Vous m'en avez vu rendre davantage. Cependant allez dire à ma femme qu'elle monte.

Baron sans mot dire, s'éloigna, comme à regret. Il savait, lui, qu'Armande retenue par ses petits blondins au théâtre, n'était pas encore rentrée.

Il y avait dans les chambres du troisième étage deux religieuses, des Clarisses, qui étaient à Paris pour quêter et à qui Monsieur de Molière avait accoutumé de donner chaque année l'hospitalité, durant leur séjour ici. Ces deux braves filles descendirent et furent avec M. Couthon, un voisin que Molière aimait bien, et qui était accouru le sachant mal, les seuls témoins des derniers instants de la vie du grand homme.

Car tout se passa très vite. Le sang se remit à affluer par la bouche avec encore plus d'abondance qu'au premier accès — l'étouffant. Les deux saintes filles lui donnèrent, à ce dernier moment de sa vie, tout le secours édifiant qu'on pouvait attendre de leur charité, et il leur fit paraître, quoi qu'il ne pût parler, tous les sentiments d'un bon chrétien et toute la résignation qu'il devait à la volonté du Seigneur.

Quand Monsieur Baron revint enfin, avec Mademoiselle Molière, ils le trouvèrent mort.

Il était 10 heures du soir.

Dès que nous l'avions senti plus mal, La Forest, comprenant son angoisse, avait couru à Saint-Eustache. Elle réveilla successivement deux prêtres, M. Lenfant, puis M. Lechat, mais tous deux refusèrent absolument de venir malgré ses supplications. La Forest passa alors chez le sieur Jean Aubry, le beau-frère de Mademoiselle Molière qui habitait tout près. M. Jean Aubry s'habilla aussi vite qu'il put et courut à son tour à l'église. Son autorité et quelques liens d'amitié qu'il avait avec lui, lui firent décider, non sans hésitations, un autre vicaire, M. Paysan, à venir assister le pauvre malade. Mais tous ces retards firent que, lorsque cet ecclésiastique arriva enfin avec lui, tout était fini.

Le fait que Monsieur de Molière fût mort, bien malgré lui, sans les secours de la religion, n'allait pas arranger les choses par la suite. Le prêtre fût arrivé à temps qu'on eût pu espérer — comme pour Madeleine Béjart, la première compagne de Molière, morte l'année d'avant, jour pour jour — une abjuration de la profession de comédien, lui donnant droit à la terre chrétienne. C'est la règle formelle de l'Église pour nous enterrer religieusement, nous autres, gens de théâtre. Il paraît qu'elle s'applique même, curieusement, aux violons, aux moucheurs de chandelles et aux colleurs d'affiche...

J'ai écrit « on eût pu espérer » et je ne suis pas sincère. Tout au fond de mon cœur, et si cher que je doive payer durant mon éternité cette pensée secrète, il m'est doux que Molière soit mort des nôtres.

Dès le lendemain, Mademoiselle Molière — qui fit paraître un chagrin sincère et qui sembla avoir compris, en le perdant, auprès de quel homme elle avait vécu — fit une démarche à l'archevêché, arguant que si Molière était mort sans confession ce n'était pourtant pas faute de réclamer, autant que son état le lui permettait, l'assistance d'un prêtre. Elle demandait à M. de Harlay, l'archevêque, de revenir sur la décision du curé de Saint-Eustache.

" Sa Majesté approuvait les crimes de mon mari "

La réponse de l'archevêque fut négative.

Entre temps, Monsieur Baron s'était rendu à Saint-Germain, où était le roi, pour annoncer la triste nouvelle à Sa Majesté, qui en fut, paraît-il, touchée et daigna en témoigner. Accompagnée du curé d'Auteuil (où Monsieur Molière avait une petite maison où il avait accoutumé de se réfugier, depuis longtemps, fuyant ses ennuis). Mademoiselle Molière se rendit le lendemain au château. Cet ecclésiastique devait témoigner de bonne foi que Molière avait été ces dernières années de sa vie un de ses meilleurs paroissiens.

Le roi, passant dans la galerie après sa messe, voulut bien s'arrêter un instant près d'elle. Mademoiselle Molière à ses genoux, le supplia de faire revenir l'archevêque sur sa décision et comme le roi gardait le silence, elle s'emporta soudain et faisant preuve d'une violence et d'un courage bien en dehors de son caractère, à elle qui n'avait jamais songé qu'à plaire, elle se laissa aller jusqu'à dire que « si son mari était un criminel, ses crimes avaient été approuvés par Sa Majesté elle-même »! Baron la fit taire comme il put. Le roi l'avait regardée un instant, étonné, puis avait poursuivi son chemin sans un mot, les laissant au milieu de la foule des courtisans aux visages glacés. On devait pourtant apprendre le lendemain que Sa Majesté avait daigné faire dire à Mgr l'archevêque qu'il veuille faire tout dans cette affaire, pour éviter l'éclat et le scandale.

M. de Harlay, pour donner satisfaction au roi, consentit alors à revenir sur la défense du curé de Saint-Eustache et à accorder l'inhumation en terre sainte, à condition que ce fût sans aucune pompe, avec deux prêtres seulement et hors des heures du jour. « Étant bien entendu, toutefois » ajoutait la note de l'archevêché, « qu'il ne serait fait aucun service solennel au sieur Molière, ni dans ladite paroisse de Saint-Eustache, ni ailleurs — ni même dans aucune église de réguliers ».

" Comment, malheureuse, il est bien Monsieur pour toi "

Le corps de Molière fut donc emporté le soir suivant — sans messe.

Le soir de l'enterrement, un soir de brouillard épais comme il en est souvent en février, nous nous retrouvâmes tous, la nuit tombée, devant cette belle maison que Molière avait été si fier de louer et qu'il avait à peine eu le temps d'achever de meubler.

Nous eûmes la surprise de voir une grosse foule de peuple devant la porte. Il y avait trois prêtres, alors que l'archevêché n'en avait autorisé que deux. Les deux prêtres de la paroisse et un autre, inconnu de tous. Que ce courageux saint homme, dont on ne saura jamais le nom, soit remercié d'avoir tenu, de lui-même, contre la défense de son archevêque, à venir rendre ses devoirs à Molière.

Quand on descendit la bière nous eûmes, tous ceux de la troupe, un recul et nous baissâmes la tête, en silence : *on avait recouvert le cercueil du poele des tapissiers*. C'est à son titre de tapissier du roi que Molière eut droit à quelque indulgence.

Nous suivimes en silence, dans la nuit percée par la lumière avare des cierges, le corps de ce tapissier qui avait été notre dieu.

Comme on passait rue Montmartre, quelqu'un demanda à une commère qui regardait devant sa porte quel était celui qu'on portait en terre nuitamment :

— Hé, c'est ce Molière ! répondit la femme dédaigneusement.

Une autre bonne femme qui était à sa fenêtre et qui l'entendit, lui cria :

— Comment, malheureuse ! Il est bien *Monsieur* pour toi !

Ce cri nous fit chaud au cœur, dans notre peine et notre humiliation. Il y en avait donc d'autres que nous, et dans le plus bas peuple, qui savaient déjà que Molière serait *Monsieur* pour tout le monde et pour toujours. Et que, dans très longtemps, lorsque les écoliers confondraient les noms des victoires et des défaites de notre glorieux souverain, pourtant le plus grand roi de la terre, son nom, à lui, serait encore intact.

Trois jours plus tard, on reprenait le répertoire avec *Le Misanthrope* et Baron dans le rôle d'Alceste. La Thorillière, qui est un bon camarade et un bon comédien, se mit à faire ce qu'il put, aussi bien qu'un autre ma foi, dans les rôles où Molière avait été incomparable. Et, dix jours plus tard, on affichait à nouveau *Le Malade* et Mademoiselle Molière reprenait le rôle d'Angélique où tout le monde la réclamait. Il faut bien que le théâtre continue et que le public s'amuse. Molière le savait aussi bien que nous. Le soir même de cette reprise, qui fit une très honorable recette, le bruit courut au théâtre que le curé de Saint-Eustache avait fait exhumer les restes de Molière et les avait fait transporter secrètement près de la maison du chapelain, à l'endroit où l'on enfouit les enfants mort-nés. Qu'importe, après tout. C'est dans nos cœurs qu'il est maintenant.

Le bon M. La Fontaine, qui fait des petites fables et des chansons, et que Monsieur Molière défendait toujours contre la raillerie des autres, disant qu'il leur survivrait tous, a composé deux beaux vers pour sa tombe :

Sous ce tombeau dorment Plaute et Térence
Et cependant le seul Molière y gît…

Mais qui se souciera de les faire graver — et où maintenant?

★

Ce soir de 1677, où je rajoute ces quelques lignes qui achèveront ce petit récit du triste événement d'il y a quatre ans — déjà quatre ans! — Mademoiselle Molière nous a appris, au théâtre, qu'elle allait se remarier avec un jeune comédien nouvellement engagé dans la troupe qui se nomme Guérin d'Estriché.

Il est fort et gaillard, point mauvais garçon, quoique assez autoritaire. Elle semble très éprise de lui et résolue à filer doux devant celui-là.

Un petit couplet comme il en a tant couru sur notre maître, pour son désespoir, et sans doute d'une même plume, court déjà les ruelles et les cercles de beaux esprits :

Elle avait un mari d'esprit qu'elle aimait peu
Elle en prend un de chair qu'elle aime davantage.

Qu'importe maintenant le fiel des Donneau de Vizé, des abbés de Pure, des Ménage et autres écrivaillons qu'il a d'ailleurs si bien ridiculisés dans ses pièces — puisque Monsieur Molière n'entend plus.

Une chose me peine davantage. Il paraît qu'elle a vendu à ce vieux cuistre aigri et jaloux de Thomas Corneille, qui a tant insulté Molière de son vivant, le droit, pour deux mille deux cents livres, de tripoter le texte de *Dom Juan*, sous prétexte de le mettre en vers.

Enfin! rien ne peut atteindre *Dom Juan*, même pas ce vieux Trissotin. Et ces deux mille livres, ce sera le dernier cadeau — lui qui lui en avait fait tant d'autres — que Molière fera à la petite Armande.

Les obsèques

« Mardi, 21 février 1673, sur les neuf heures du soir, l'on a fait le convoi de Jean-Baptiste Pocquelin Molière, tapissier-valet de chambre, illustre comédien, sans autre pompe sinon de trois ecclésiastiques; quatre prêtres ont porté le corps dans une bière de bois couverte du poêle des tapissiers; six enfants bleus portant six cierges dans six chandeliers d'argent; plusieurs laquais portant des flambeaux de cire allumés. Le corps, pris rue de Richelieu, devant l'hôtel de Crussol, a été porté au cimetière de Saint-Joseph et enterré au pied de la croix.

Il y avait grande foule de peuple, et l'on a fait distribution de mille à douze cents livres aux pauvres qui s'y sont trouvés, à chacun cinq sols. Ledit Molière était décédé le vendredi au soir, 17 février 1673. M. L'Archevêque avait ordonné qu'il fut ainsi enterré sans aucune pompe et même défendu aux curés et religieux de faire aucun service pour lui.

Néanmoins, l'on a ordonné quantité de messes pour le défunt. »

*(récit anonyme, adressé à M. Boyvin, prêtre,
docteur en théologie à Saint-Joseph.)*

Acte d'inhumation

« Le mardi 21e février 1673, défunt Jean-Baptiste Poquelin de Molière, tapissier-valet de chambre ordinaire du Roi, demeurant rue de Richelieu, proche de l'Académie des Peintres, décédé le 17 du présent mois, a été inhumé dans le cimetière Saint-Joseph. »

(l'acte ne porte aucune signature)

Oraisons funèbres

« Après tout, il n'y eut pas trop à rire pour Molière, car loin de se moquer de la médecine, s'il eût suivi ses préceptes, s'il eût moins échauffé son imagination et sa petite poitrine, et s'il eût observé cet avis d'un meilleur médecin quoique moins bon poète que lui :

Et l'on en peut guérir pourvu que l'on s'abstienne
Un peu de comédie et de comédienne,

s'il eût, dis-je, suivi cet avis et qu'il eût bien ménagé l'auteur et l'acteur, ceux dont il prétendait se railler, n'auraient pas eu leur revanche et leur tour. Quant aux pauvres malades qu'il prend tant de plaisir à railler, comme les visionnaires mêmes sont en cela fort à plaindre, il me semble qu'il les devoit laisser là, s'il n'en vouloit avoir compassion.

Aussi que luy arriva-t-il d'avoir voulu jouer les misérables? Il fut lui-même joué en diverses langues, et puni selon son mérite, d'avoir fait sottement le mort :

(...)
Ci gît un qu'on dit être mort,
Je ne sçai s'il l'est ou s'il dort;
Sa maladie imaginaire
Ne sçaurait l'avoir fait périr :
C'est un tour qu'il joue à plaisir,
Car il aimait à contrefaire.
Comme il est grand comédien,
Pour un malade imaginaire,
S'il fait le mort, il le fait bien. »

J. Bernier. « *Essais de médecine* », *1689.*

« Il était tout comédien depuis les pieds jusqu'à la tête; il semblait qu'il eût plusieurs voix; tout parlait en lui, et d'un pas, d'un sourire, d'un clin d'œil et d'un remuement de tête, il faisait plus concevoir de choses que le plus grand parleur ne l'aurait pu dire en une heure. »

Donneau de Visé. Oraison funèbre de Molière, dans « Conversation dans une ruelle de Paris sur Molière défunt », 1673.

QUESTIONS, MYSTÈRES ET POTINS

UNE MORT SUSPECTE?

Dans le récit qu'il fait de la mort de Molière, Jean Anouilh a assez judicieusement mis en lumière le tragique qui entoura cette mort, et l'odieux qui s'ajouta au tragique lors des obsèques, pour me dispenser d'y revenir encore.

Un autre mystère subsiste cependant, que l'histoire officielle gomme complètement, mais que quelques textes, attentivement considérés, révèlent en quelque sorte, au sens photographique du mot.

Pour l'histoire officielle, Molière est mort dans la nuit du 17 février 1673, d'une maladie qui pourrait être la tuberculose. Il en souffrait depuis longtemps. Les fatigues d'une existence mouvementée et laborieuse en hâtèrent l'issue.

Quelle maladie?

Ni La Grange, ni Grimarest, ni personne, ne fournit de précisions sur cette maladie. La Grange parle d'un rhume et fluxion sur la poitrine, et d'une veine rompue à force de tousser. Un médecin, consulté, hausse les épaules devant pareil diagnostic. Par ailleurs, on ne voit nulle mention, dans le *Registre*, d'une maladie prolongée, d'une indisposition, d'une fatigue particulière de Molière. Apparemment, Molière, après sa retraite de convalescence dans sa maison d'Auteuil, en 1667 (on avait fait courir le bruit de sa mort; il avait été malade, ou peut-être simplement très fatigué) avait repris très normalement son travail d'auteur-directeur-comédien. Il mourra sans testament. Ordonné comme il l'était, ayant un enfant... et une épouse dont il connaissait la légèreté, il n'eût pas manqué d'en rédiger un s'il avait su sa vie en danger.

Mort subite, donc, et au sujet de laquelle, pendant des dizaines d'années encore, se colportent des « bruits » auxquels les mémorialistes font allusion, avec des prudences, des airs entendus, voire des sourires et des clins d'œil, mais sans jamais les transcrire.

La Grange note, dans sa préface aux *Œuvres* :

« Sa mort, dont on a parlé diversement... »

Et Grimarest, à la fin de sa *Vie* :

« J'ai cru que je devais entrer dans le détail de la mort de Molière pour désabuser le public de plusieurs histoires que l'on a faites à cette occasion. »

Et Bossuet, dans un texte terrible de condamnation, qu'on trouvera plus loin, déclare :

« La postérité saura peut-être la fin de ce poète comédien... »

Il y aurait donc quelque chose à savoir, quelque chose de grave et de mystérieux, connu de quelques privilégiés participant au secret des dieux; un secret dangereux dont il convenait de ne parler qu'à mots très couverts?

Le détail des heures ayant précédé et suivi la mort de Molière nous est révélé par Grimarest (informé par Baron, témoin oculaire) dans sa *Vie*, qui date de 1705. Or, en 1706, parut, sans signature, une *Lettre critique* prenant assez vivement Grimarest à partie, et principalement au sujet du récit de la mort. On y lit ceci, entre autres :

« Grimarest ne dit pas la moitié de ce qu'il faut dire; par exemple sur son enterrement dont il aurait eu de quoi faire un volume aussi gros que son livre et qui aurait été rempli de faits fort curieux qu'il sait sans doute. Car pour être mystérieux avec esprit, il faut savoir toutes les circonstances des faits qu'on rapporte. Pour moi, je n'en juge que par le bruit public; on accuse l'auteur de n'avoir pas dit tout ce qu'il devait ou du moins tout ce qu'il pouvait dire : et dès que je suis prévenu sur cela je ne saurais être content de l'auteur qui devait tout dire ou se taire. Il a manqué à ce qu'il devait à la vérité, comme historien, dès qu'il a supprimé des faits ou des circonstances. »

Grimarest répond à la *Lettre critique*. Il dit que ce qu'il a rapporté des circonstances de la mort de Molière a :

« du moins servi à détromper le public de ce qu'il pensait sur cette mort. »

Et il conclut :

« C'était la principale fin que je m'étais proposée. »

Parlant de son contradicteur, il précise :

« Quant à ce qui se passa après que Molière fut mort, je laisse à mon censeur le soin de nous le donner. Apparemment qu'il en est bien informé puisqu'il avance qu'il y aurait de quoi faire un livre fort curieux. J'ai trouvé la matière de cet ouvrage si délicate et si difficile à traiter que j'avoue franchement que je n'ai osé l'entreprendre; et je crois que mon critique y aurait été aussi embarrassé que moi; il le sait bien. »

Quand on sait que la *Lettre critique* était de la plume de Grimarest lui-même, on se défend mal de l'impression que notre homme savait un secret, qu'il voulait qu'on sache qu'il le savait, mais ne désirait pourtant pas prendre le risque de le crier sur les toits.

A moins, évidemment, qu'il ait voulu faire l'intéressant, l'homme au courant de la vérité occulte, pour faire rebondir l'intérêt public de son livre.

Des faits curieux

En l'absence de toute certitude, de tout autre document, on inclinerait peut-être vers cette dernière opinion si de petits faits curieux ne venaient raviver les doutes.

Ainsi, peu après la mort de Molière, d'Assoucy, le joyeux pique-assiette dont Molière, autrefois, excusait toutes les incartades en disant : « Le pauvre homme! », d'Assoucy publia quelques notes sur son ami et l'épitaphe que voici :

« O dieux, que le destin sévère
De Poclin Baptiste Molière,
Qui tenait le monde joyeux,
Va faire de gens malheureux!
Que le Marais est en cholère!
L'Hostel s'arrache les cheveux,

Lully le déplore en tous lieux,
La Faculté s'en désespère,
Cotin en a mouillé ses yeux,
Et le Tartuffe pris la haire.
Passant, si tu crois le contraire,
Et si de ce poète fameux
La gentillesse te fust chère,
A cest esprit plein de Lumière
Donne au moins un soupir ou deux,
Et dis, approchant de sa bière :
Adieux les ris, adieu les jeux. »

En nommant le Marais, l'Hôtel de Bourgogne, Lully, les
médecins, Cotin et les dévôts, d'Assoucy n'apprend rien
à personne : c'étaient les principaux ennemis de Molière —
ceux à qui sa mort profitait : ceci étant une interprétation
semi-accusation. C'est cette interprétation-là qu'adoptèrent
les pouvoirs publics et le gentil d'Assoucy écopa d'un mois
de prison.

Donneau de Visé, de son côté, eut des ennuis, et vit son
journal, *Le Mercure Galant*, saisi par la censure royale,
simplement pour avoir commencé son article par ces mots :
« S'il avait eu le temps d'être malade... »

Des biographes, s'appuyant sur les textes que je viens
de citer, et quelques autres qui rendent le même son, ont
élaboré la thèse d'une mort par empoisonnement, d'une
espèce de complot bien monté et tenu secret grâce à des
complicités haut placées. Dans l'état actuel de nos connaissances, il est impossible de trancher.

QUAND EST MORT MOLIÈRE?

Et si Molière n'était pas mort le 17 février 1673? S'il
avait seulement disparu, enlevé, par ordre donné en très
haut lieu, et si on avait fait courir le bruit de sa mort,
et simulé un enterrement?

Roman! Mais il en va de cette hypothèse comme de
n'importe quelle autre : il suffit de la considérer un instant
en s'efforçant d'y croire pour que, aussitôt, l'histoire
et la chronologie le plus traditionnelles et le plus solidement
fondées présentent l'un ou l'autre détail insolite qui se
mue bientôt en commencement de preuve... pour convertis.

Brunetière ayant dit qu'on ne connaît pas le XVIIe siècle,
des chercheurs ont éprouvé qu'en effet, c'est un siècle
« truqué », un siècle qui avait de sa gloire une idée si

« Tartuffe »
Ci-dessus,
avec Jean Parédès
et Anne Vernon.
Ci-dessous,
Louis Jouvet.

« Les Amants magnifiques », comédie ressuscitée par Jean Meyer à la Comédie-Française en 1954. A gauche, Robert Hirsch. Ci-contre, Jacques Charron, Annie Ducaux, Jean-Paul Roussillon et Renée Faure.

Louis Jouvet
dans
« Don Juan ».

précise et impérieuse qu'il l'imposait par tous les moyens, et même à la postérité. Dans cette disposition d'esprit, un roman qui ferait de Molière le véritable Masque de Fer, et même davantage, n'a rien qui doive effrayer.

Voici ce roman, en bref.

Il repose, sans doute essentiellement, sur l'incertitude où l'on est du lieu précis où fut inhumé Molière. Des fouilles furent entreprises, en 1792, afin de retrouver les dépouilles de Molière et La Fontaine. On ne retrouva ni l'une, ni l'autre. De là à déclarer que Molière n'avait pas été inhumé à l'endroit désigné par la tradition, n'avait pas été inhumé du tout... De là à rappeler qu'en 1673, Molière était en disgrâce, non seulement par suite des intrigues de Lulli, qui avait réussi à le discréditer aux yeux de Louis XIV et à le supplanter dans ses faveurs, mais pour d'autres raisons, plus graves, plus mystérieuses... Lesquelles? Molière avait-il ou non eu part à la rédaction du *Livre Abominable?* Molière n'appartenait-il pas au clan des libertins, dont le roi, l'âge venant, se séparait de plus en plus? On alla plus loin, Molière n'avait-il pas été « l'organisateur des plaisirs » du roi, — et creusez le sens précis de cette expression! — qui, assagi, allait désirer qu'on oublie ses écarts, aidant au besoin les témoins à oublier en les faisant disparaître...

Brodant là-dessus, on obtient un beau roman à la Dumas père. Un commando d'hommes de main, masqués et vêtus de manteaux couleur de muraille, enlèvent Molière, le soir du 17 février 1673, à son retour du théâtre où il a joué *Le Malade Imaginaire*. Ils l'enveloppent dans leur cape, le poussent dans une voiture et disparaissent au galop. D'autres hommes de main demeurent sur place pour organiser la supercherie. Il faut bien supposer qu'ils achètent, à prix d'or, ou par menaces, le silence d'Armande, de La Grange, de Baron, des religieuses ayant soigné le malade, du médecin et d'une douzaine d'autres personnes encore. Qu'à cela ne tienne, c'est la volonté du roi et impossible n'est pas français. Au soir du 21 février — et l'enterrement de nuit, comme le refus d'assistance religieuse, s'expliquent très bien — on enterre un cercueil contenant une bûche. Quant à Molière, un peu malade mais bien vivant, il se retrouve à la Bastille. On lui pose un masque de fer — d'ailleurs en cuir comme on sait! — qu'il n'enlèvera jamais plus et, prisonnier sans nom, inconnu même de ses geôliers et du commandant de la place, il se survivra jusqu'en 1704.

Anatole Loquin a raconté une histoire de cette encre, mais avec beaucoup plus de détails, dans *Le Prisonnier de la Bastille, son histoire authentique*, publié en 1900.

On fit mieux. Henry Poulaille, dans son *Corneille sous le Masque de Molière*, auquel je reviendrai dans une autre note, rappelle qu'une suite a été donnée au roman de la Bastille.

Après quelques années de captivité, et sans doute avec d'occultes complicités, Molière réussit à s'évader et à se réfugier dans le Midi — pour lequel il a toujours eu une prédilection. Après avoir erré quelque temps, il passe en Italie, on précise : à Gênes, en se cachant sous un faux nom. On connaît ce faux nom : M. de Bonnepart. Ce nom était peut-être avant tout un mot de passe pour les amis, sinon les membres d'une société secrète d'opposition à la dictature royale : l'homme se présentant venait de « bonne part ». De Gênes, M. de Bonnepart passa en Corse, où il fit souche. Mais il italianisa un peu son faux nom et en fit… Buonaparte. C'est lui, le père de Napoléon, qui apparaît ainsi comme le vengeur de l'honneur de son père…

Thèse difficile à soutenir. Napoléon étant né en 1769, cela donne à Molière une longévité assez rare en nos régions. Petite erreur, sans doute : Molière ne doit pas être le père, mais le grand-père de Napoléon.

Avouez que l'histoire est trop croustillante pour n'avoir pas les honneurs du dossier.

EXISTE-T-IL DES INÉDITS DE MOLIÈRE?

La première édition des œuvres complètes de Molière, publiée par La Grange et Vinot en 1682, comportait trente-trois titres de pièces. Les éditions qui se succèdent depuis n'en comptent pas davantage. On joint souvent, en appendice au théâtre complet, quelques pièces de vers (Remerciement au roi, Stances, Vers, Bout-rimés, Au Roi sur la conquête de la Franche-Comté, Sonnet à M. La Mothe-Le-Vayer, La Gloire du Dôme du Val-de-Grâce) que la tradition attribue à Molière sans que l'érudition y fasse trop de résistance.

On produit, de temps à autre, des inédits.

Y aurait-il des inédits de Molière?

De grandes œuvres : c'est peu plausible. De grandes œuvres *oubliées* par La Grange et Vinot, lorsqu'ils constituèrent l'édition de 1682 : c'est impensable. Et à supposer que La Grange ait pu commettre une telle bévue, les éditeurs suivants eussent évidemment réparé pareil oubli. Aucune pièce de Molière, jouée entre 1658 et 1673, n'a passé inaperçue.

De grandes œuvres que Molière lui-même n'eût pas fait jouer, eût gardé en réserve dans le fameux coffre recouvert de cuir où il serrait ses papiers et qui le suivait partout : c'est tout aussi peu plausible. Pendant ses quinze ans d'activité parisienne, Molière n'eut guère de loisirs, et qu'il ait pu produire autant d'œuvres, tout en assurant la direction d'une troupe, la mise en scène de tous les spectacles et l'interprétation d'un nombre considérable de rôles, suppose une puissance de travail peu commune. On l'imagine difficilement, dans le tourbillon de travail, de préoccupations, d'ennuis, de son existence parisienne, écrivant des pièces sans les faire jouer aussitôt par sa troupe. L'affaire *Tartuffe* montre qu'il n'est pas homme à retirer une pièce, quelles que soient les pressions qu'on fasse sur lui, et quel que soit le danger qu'il y aurait à la jouer. Quant à avoir gardé secrètes des œuvres écrites avant l'installation à Paris... On le voit utiliser les moindres textes, replacer des scènes d'une pièce manquée (*Don Garcie*, par exemple), reprendre des thèmes de farces d'autrefois. S'il n'est pas homme de lettres, il est homme de théâtre. S'il n'écrit pas pour la postérité, il travaille pour une troupe qui doit jouer chaque jour, et à laquelle il a le devoir d'assurer un répertoire tel que la recette ne baisse pas.

Tout ce qu'on peut espérer retrouver, en fait d'inédit, ce seraient les textes, ou les canevas, de ces petites comédies dont il « régalait les provinces », pendant les tournées de 1645-1658; ou l'une ou l'autre petite œuvre de circonstance, composée hâtivement pour un divertissement royal; ou encore le « premier état » d'une comédie.

Deux « inédits » ont été présentés au cours de ces dernières années : une *Églogue*, publiée par Louis Hénusse en 1954, et une comédie, *Les Fourberies de Joguenet ou les Vieillards dupés*, présentée au premier Festival de Poissy par le *Théâtre pour Tous* dirigé par Daniel Joski.

L'Eglogue

L'*Églogue* est une petite pièce de dix-huit pages, quatre cent et deux vers, mettant en scène les bergères Iris et Philis, et le berger Lisis. L'auteur de cette « exhumation » la présente en un gros volume de 555 pages (Éditions Biblis, Sélection des Lettrés, Bruxelles, 1954). Il base l'attribution à Molière sur une conviction personnelle, toute intuitive, et 375 pages de notes où il rapproche chaque vers ou hémistiche de l'*Églogue* de tous les vers ou hémistiches des autres œuvres de Molière où sont employés les mêmes mots ou les mêmes tournures. Par exemple le vers 101, *Pour moy je la connus dès le premier moment*, est rapproché de 33 vers repris dans l'œuvre entière et où apparaît ce *pour moi*, ou *et moi* ... Un tel travail est évidemment émouvant, mais prouve-t-il quoi que ce soit?

A supposer, d'ailleurs, que l'*Églogue* soit de Molière, cela n'ajouterait rien à sa gloire, ni même à la connaissance que nous avons de lui — sauf, peut-être, qu'il était capable d'écrire, lui aussi, de très ennuyeuses bergeries, semblables en tous points aux centaines d'autres qu'on écrivit en son siècle, pour les lire ou jouer dans les salons.

Joguenet-Scapin

Les Fourberies de Joguenet n'était qu'une réexhumation puisque ce texte a été découvert, dit-on, en 1865, à Toulouse, par Paul Lacroix, le célèbre mais suspect bibliophile Jacob. Le même Paul Lacroix publia, en 1869, un volume : *Poésies diverses attribuées à Molière ou pouvant lui être attribuées*, recueillies et publiées par P-L. Jacob, bibliophile (Paris, Éd. Lemerre, 1869) dont toutes les pièces furent contestées, et définitivement écartées de l'œuvre possible de Molière, par la presque unanimité des spécialistes.

Lacroix prétendait avoir eu communication du manuscrit des *Fourberies de Joguenet*, manuscrit de la main de Molière... et définitivement reperdu par la suite. Analysant le papier, l'encre, l'orthographe, il datait la copie de 1640 au plus tôt, et de 1655 au plus tard. Cette comédie reproduit, ou préfigure comme on voudra, à quelques détails près, les *Fourberies de Scapin*, créé en 1671. On y trouve, entre autres, la fameuse scène du « Qu'allait-il faire dans cette galère », empruntée par Molière au *Pédant joué* de son ami de jeunesse Cyrano de Bergerac.

Premier état des *Fourberies de Scapin*? On l'admettrait, sans que cela change rien à rien, s'il n'y avait précisément cette scène reprise à Cyrano. *Le Pédant joué* fut publié pour la première fois en 1654, à Paris. Molière, à cette époque, se trouvait en Languedoc et joua, avec sa troupe, aux États de Pézenas, *L'Étourdi* et le *Dépit amoureux*. Il faut donc supposer qu'il a connaissance de la comédie de Cyrano dès sa sortie de presse, qu'il a décidé sur l'heure d'y prendre (ou reprendre si, comme on le prétend, la scène lui appartient, ayant été écrite au temps de l'Illustre Théâtre, ou même avant ce temps) la fameuse scène pour la replacer dans une comédie... qu'il n'aurait jamais jouée avant d'en faire nouvelle mouture en 1671.

Que de bruit pour rien, aurait dit Shakespeare!

Le Docteur amoureux

L'histoire d'inédit moliérien la plus amusante date de 1845.

En février 1845, le journal *L'Entracte* publiait une lettre de M. Guirault-Lagrange, avocat à Rouen, et descendant de La Grange, le rédacteur du *Registre*, l'ami et collaborateur de Molière. M. Guirault-Lagrange, après avoir rappelé cette filiation intéressante, racontait qu'en fouillant les papiers légués par son aïeul, il avait retrouvé une copie d'une pièce perdue de Molière : le fameux *Docteur amoureux*, ni plus ni moins, la petite comédie que Molière avait jouée au Louvre, devant le roi, après le *Nicomède* de Corneille, lors de la première soirée parisienne de la troupe, le 24 octobre 1658. La révélation bouleversa évidemment le monde littéraire et théâtral et M. Lireux, directeur de l'Odéon, décidant de battre tous ses concurrents à la course, écrivit à Rouen pour mettre sa salle et sa troupe à la disposition de Molière retrouvé.

M. Guirault-Lagrange répondit. Il donnait bien volontiers la pièce à l'Odéon. Mais, souffrant, il ne pouvait faire le voyage de Paris et demandait à son jeune ami, M. de Colonne, de le représenter. Ce fut en effet M. de Colonne qui vint lire la pièce à la troupe, qui la reçut évidemment par acclamations, s'étonnant, s'extasiant, de trouver dans ce *Docteur amoureux* les amorces de scènes reprises et développées plus tard, par Molière, dans *M. de Pourceaugnac*, *L'Avare* et *Le Mariage forcé*. Voilà pourquoi Molière n'avait jamais repris le *Docteur* : il

l'avait débité en tranches pour en faire trois autres pièces!
Lireux fit mettre aussitôt en répétitions. L'œuvre retrouvée
serait présentée au cours d'une soirée Molière ayant
à l'affiche *L'Avare* et *Le Malade imaginaire*. (Notons en
passant la densité des spectacles de l'époque : en une
soirée, deux pièces de 5 et 3 actes, et un intermède en
un acte!)

Tout le monde, cependant, ne partageait pas l'enthousiasme de Lireux, ancien journaliste sans talent et directeur
sans envergure. Des moliéristes rappelaient, par exemple,
que La Grange était mort sans postérité... Le murmure
grandit tant que Lireux, inquiet pour la recette, exigea
qu'à défaut de M. Guirault-Lagrange, toujours souffrant,
on produise du moins le manuscrit. M. de Colonne se fit
un peu prier : étudiant et homme de lettres — il écrivait,
entre autres, une pièce intitulée *Sous le masque* — il
n'avait guère de loisirs, mais il finit cependant par se rendre
à Rouen, Lireux ayant menacé d'arrêter les répétitions
si le manuscrit n'était pas produit. M. de Colonne ramena
le manuscrit. « Une fort estimable calligraphie, écrit
Augustin-Thierry : quatre-vingts pages d'une haute cursive
allongée dont l'encre avait congrûment pâli depuis deux
siècles, et sur papier de fil aux armes du duc de Pomponne. »

La « première » du *Docteur amoureux* eut lieu, le
1er mars 1845, devant une salle comble. Tous les grands
critiques, tous les chroniqueurs à la mode étaient là :
Jules Janin, Théophile Gautier, Gustave Planche, Étienne
Arago, Alphonse Karr, Mme Émile de Girardin, Désiré
Nisard, Villemain, etc. A l'entr'acte, ils vinrent tous
contempler le manuscrit, exposé en vitrine au foyer.
M. de Colonne resplendissait de joie, mais M. Guirault-
Lagrange, hélas, n'avait pu quitter son lit de souffrance
de Rouen.

Au lendemain de cette « première », on lut ceci dans le
plus grand journal parisien du moment, *Le Siècle* : « L'attribution de Molière paraît des plus vraisemblables. Celui-ci
se pillait, se refaisait sans cesse. On retrouve dans ce
Docteur des scènes de cinq ou six autres de ses
comédies. »

Tous les critiques réagirent à peu près dans le même
sens, sauf Jules Janin, qui garda un silence prudent, et
Théophile Gautier qui disait du manuscrit : « nous serions
bien trompés si ce prétendu manuscrit ancien avait plus

de six mois de date »; et de la pièce : « Ce pastiche est assez adroitement fait. »

Ni le public, cependant, ni le directeur de l'Odéon, ne perdirent leur enthousiasme et il fallut les bavardages inconsidérés de M. de Colonne — dont la pièce *Sous le Masque* venait d'être reçue à l'Odéon —, pour décider Lireux à faire enfin ce que lui conseillaient les sceptiques : s'informer, à Rouen... Il n'existait pas d'avocat du nom de Guirault-Lagrange à Rouen. Furieux et affolé, le directeur somma Colonne de dire la vérité. La pièce était un faux, le manuscrit aussi. Colonne avait trouvé ce moyen de s'introduire à l'Odéon et d'y placer sa pièce... On retira le *Docteur*, Vireux démissionna, *Sous le Masque* ne fut jamais joué.

QUE SONT DEVENUS LES PAPIERS DE MOLIÈRE?

En décembre 1953, un quotidien, *Le Parisien Libéré* annonçait, par un grand titre sur plusieurs colonnes, qu'on allait très bientôt mettre au jour les papiers laissés par Molière, après sa mort, dans la petite ville de Feucherolles (Seine-et-Oise). L'information fournit aux chroniqueurs un prétexte pour rappeler le mystère des papiers de Molière, mais l'exhumation annoncée n'eut pas lieu.

Ce n'était pas la première annonce du genre, et ce ne sera pas la dernière : le mystère des papiers de Molière est certainement le plus épais, le plus irritant, de tous ceux que présentent sa vie et son œuvre.

Aucun manuscrit de Molière n'est parvenu jusqu'à nous. Aucune note, aucune lettre. En fait d'autographes même, on ne possède, de sa main, que deux quittances datant de 1650 et de 1656 (elles se trouvent aux Archives départementales de l'Hérault) et quelques signatures au bas de contrats d'association de comédiens, de plaintes contre des resquilleurs qui entraient sans payer au Palais-Royal, et d'actes de baptême d'enfants de comédiens de la troupe. Il y a là plus qu'un mystère : un fait illogique, extravagant, suspect.

Molière fut auteur, comédien, metteur en scène, directeur de compagnie, organisateur de spectacles de cour. Il devait, fatalement, entretenir des rapports suivis avec une foule de personnes : auteurs, comédiens, administrations publiques, services de la cour, artisans travaillant pour les

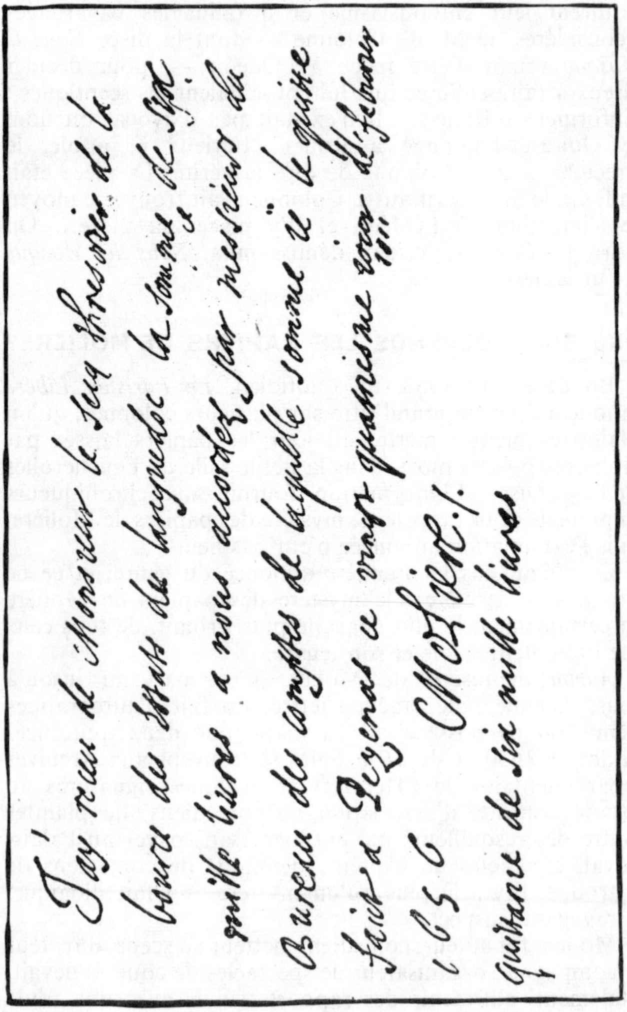

J'ay receu de Monsieur le Secq thresorier de la
bourse des Estats du languedoc la somme de six
mille livres a nous accordez par messieurs du
Bureau des comptes de laquelle somme je le quitte
faict a Pezenas ce vingt quatriesme jour de febvrier
1656 Molière.
Quittance de six mille livres

Quittance autographe de Molière, datée du 24 février 1656.

théâtres, marchands de drap et de chandelle (l'un d'eux le fit mettre en prison, un jour!) et quoi encore? Beaucoup de ces rapports furent et restèrent verbaux : l'administration publique et privée, était moins paperassière au XVIIe siècle que de nos jours. Il n'en existait pas moins une administration et qui, dans certains cas (location de salles, accords pour réparations, etc.) devait avoir besoin de pièces justificatives. Les hommes du XVIIe siècle n'avaient pas non plus comme nous, la religion de l'authentique, de l'autographe, du document personnel. Les belles dames qui faisaient leurs délices des lettres de Mme de Sévigné, par exemple, se préoccupaient peu d'authenticité matérielle : une copie valait l'original, puisque seul importait le texte. Néanmoins, au XVIIe siècle comme aujourd'hui, il existait des dépôts d'archives, publiques et privées, et si on n'avait pas le culte du chiffon, on se léguait néanmoins les papiers de famille (quitte à leur infliger des traitements barbares, comme ce fut le cas pour les papiers laissés par Pascal.)

Qu'*aucun* manuscrit, *aucune* lettre, *aucune* liasse de notes, *aucune* brochure annotée, de la main de Molière, ne soient parvenus jusqu'à nous et, même, ne semblent s'être trouvé en circulation à partir du début du XVIIIe siècle, donne à penser, quelque résistance que l'on fasse aux « romans », qu'il y a *quelque chose* derrière ce fait aberrant. *Quelque chose :* mais quoi?

Dans *La Jeunesse de Molière*, G. Michaut (représentant le plus récent de la grande critique universitaire, sérieuse, rationnelle, raisonnable et prudente) met les choses au point de la façon la plus raide :

« Pour comble de malchance, la négligence de sa veuve, — car il n'y a aucune raison sérieuse d'imaginer un autre motif[1] — a laissé disparaître ses papiers, et personne n'a pris la peine de rechercher et de rassembler ses lettres. »

Il ajoute en bas de page en référence au ([1]) :

« Voir les imaginations ridicules du Bibliophile Jacob (les papiers de Molière détruits par les soins infatigables de la mystérieuse Congrégation de l'Index : *Œuvres de Cyrano de Bergerac, Avertissement*, p. V-VI) et les imaginations délirantes de Loquin (les papiers de Molière anéantis pour cacher un secret d'état : *Molière à Bordeaux* I, 113; II, 18 et passim.) »

Molière traqué ?

J'ai déjà cité Loquin et sa thèse d'un Molière-Masque de fer, embastillé pour faciliter la conversion du roi aux bonnes mœurs. Cet embastillement devait évidemment s'accompagner d'une censure sévère de tous les papiers du faux mort, et en pareils cas, la meilleure des censures est encore la destruction totale. Cela force à imaginer des bataillons serrés de police secrète battant Paris et la province pour piquer, dans les dépôts publics, mais aussi et surtout dans les cabinets de travail, les malles à paperasses et les fonds de greniers, le moindre chiffon portant le nom de Molière... Opération difficile à organiser, et plus difficile encore à garder secrète. Or, aucun mémorialiste ne fait allusion à rien de semblable.

La thèse de Paul Lacroix, le bibliophile Jacob, est moins délirante, mais sans être ridicule, comme dit Michaut, elle pèche en ce qu'elle affirme sans preuves.

Voici le texte en cause :

« Les œuvres de Cyrano de Bergerac ont été imprimées au moins douze fois, sans compter les éditions partielles, qui sont nombreuses; et cependant, on peut les ranger parmi les livres qui, sans être rares, ne se rencontrent pas souvent dans le commerce de la librairie et qui manquent presque toujours dans les grandes bibliothèques. Pourquoi ces éditions ont-elles disparu? sont-elles allées pourrir sur les quais et tomber en pâte sous le pilon? Non, certainement, car elles n'ont jamais été décriées et négligées; jamais l'acheteur ne leur a fait défaut et leur prix vénal s'est maintenu toujours à un taux honnête, sinon élevé. L'auteur est connu, l'ouvrage est estimé, mais le livre a disparu.

Nous sommes convaincus que, jusqu'à l'époque de la Révolution de 89, les éditions de Cyrano de Bergerac ont été détruites systématiquement par les soins infatigables de la mystérieuse confrérie de l'Index. Cette confrérie, qui faisait une guerre sourde et terrible aux ouvrages des philosophes et des libres penseurs, qu'elle avait marqués du sceau de l'athéisme ou de l'impiété, se recrutait parmi les laïques comme parmi les ecclésiastiques; ses instruments les plus actifs et les plus redoutables étaient les confesseurs *in extremis* et les syndics de la Librairie. Dès qu'un homme connu par ses opinions hardies en matière de religion et noté comme tel sur les listes de l'Index était dangereusement malade, il se voyait circonvenu et obsédé par les gens qui tenaient à honneur de le confesser, de le convertir, de lui faire faire amende honorable : s'il cédait à ces persécutions, on lui enlevait ses papiers. Dans tous les cas, après sa mort, sa succession avait peine à défendre son cabinet et sa bibliothèque contre l'invasion de la confrérie de l'Index, qui faisait main basse sur tout écrit, sur tout imprimé portant témoignage des idées antireligieuses du défunt. C'est ainsi que s'épuraient les collections de livres, qui ne pouvaient être mises en vente sans avoir subi le contrôle rigoureux de deux experts du Syndicat de la librairie. L'objet de cette visite était d'extraire et d'anéantir les livres *défendus*, les uns notoirement désignés par l'autorité civile comme dangereux à différents titres, les autres condamnés secrètement comme hérétiques par la confrérie de l'Index. Quant aux ouvrages inédits des écrivains accusés d'être les ennemis avoués ou latents de la religion catholique, quant à leurs correspondances particulières; on les recherchait avec un zèle et une persévérance qui triomphaient tôt ou tard de la vigilance des parties intéressées. Voilà comment nous avons perdu non seulement tous les autographes de Molière, mais encore toutes les lettres qui lui avaient été adressées, toutes celles aussi où son nom se trouvait mentionné, comme si l'on eût essayé d'effacer la mémoire de l'auteur du *Tartuffe*.

Il en a été de même de Cyrano, qui était, ainsi que Molière, inscrit dans le répertoire des athées, par la confrérie de l'Index. »

Outre qu'il affirme sans prouver — « nous sommes convaincus » dit-il, et voilà tout —, Paul Lacroix a le tort de mêler des choses très différentes : la traque des *mauvais* livres, la destruction des papiers personnels des *mauvais* esprit, la destruction des lettres ou papiers, dispersés aux quatre coins du pays, où apparaissait leur nom.

Qu'on ait fait la chasse aux *mauvais* livres voire qu'on la fasse encore : nul n'en doute. Que cette chasse ait été organisée, en France, sous l'Ancien Régime, par une confrérie, plus ou moins organisée et centralisée, on a des raisons de le penser (mais sans qu'on puisse, cependant, donner à cette Confrérie, de l'Index ou du Saint-Sacrement, l'ampleur et les pouvoirs que lui prête une passion anticléricale un rien délirante). On peut citer des titres de livres — *Francion* de Sorel, les *Œuvres* de Cyrano, au XVIIe siècle; *De l'Esprit* et *De l'Homme*, d'Helvétius, au XVIIIe — véritablement persécutés, systématiquement détruits, au point qu'aujourd'hui encore, ils sont inconnus et n'occupent pas, dans l'histoire de la littérature, la place qui leur reviendrait normalement. Mais cette chasse aux livres et aux dépôts de papiers personnels, déjà assez extraordinaire, devient effrayante si elle avait réellement atteint son but et expurgé les successions de *tous* les correspondants de Molière de *toute* pièce de sa main.

Les papiers personnels de Molière, contenus, selon la tradition, dans une malle qu'il transportait partout avec lui et qu'il gardait, pendant la dernière partie de sa vie, dans les coulisses du Palais-Royal, où il travaillait plus à l'aise que dans le cabinet de sa belle maison, furent utilisés par La Grange et Vinot lors du recueil qu'ils firent des Œuvres pour l'édition de 1682. On dit même que la malle et son contenu avaient été légués à La Grange par Molière mourant.

Il est question encore des *papiers* de Molière en 1699. Nicolas Guérin d'Estriché, fils qu'Armande avait eu de son second mari, fit ce que nous appellerions aujourd'hui une adaptation de *Mélicerte*, pièce laissée inachevée par Molière. Dans sa préface, Guérin signale qu'il n'a trouvé « parmi les papiers de Molière » aucune note ni esquisse indiquant quel dénouement Molière comptait donner à sa pièce.

En 1699, les papiers se trouvent donc encore chez Armande. Armande meurt en 1700. Guérin est son seul héritier. Il meurt lui-même dix ans plus tard et sa veuve, illettrée, dit-on, se remarie en 1716 avec un M. Bellin, et s'installe avec lui à Feucherolles. Souvenons-nous que c'est à Feucherolles que le rédacteur trop optimiste du *Parisien Libéré* espérait exhumer le trésor.

Une charrette fantôme

Rapprochons de cela l'anecdote rapportée, selon les uns par Charles Nodier, selon les autres par Victorien Sardou.

En 1820, un paysan s'était présenté à la Bibliothèque Nationale, avec une charrette à âne remplie de ballots de papiers. La Bibliothèque n'était pas ouverte ce jour-là. Le concierge invita le paysan à revenir le lendemain et à s'adresser au conservateur : il ne pouvait pas, lui, prendre livraison, sans ordre, de livres ou d'archives. « Pourtant, dit le paysan en remontant sur sa charrette, j'apporte des choses intéressantes : il y a là tous les papiers de M. Molière. » On fit une enquête, plus tard, et on apprit que l'homme était originaire de... Feucherolles. Comment l'apprit-on? Pourquoi ne le revit-on jamais, ne le retrouva-t-on jamais? L'histoire ne le dit pas.

Cette permanence du nom de Feucherolles peut passer pour un signe, si on a la foi, et pour un détail très suspect, si on est porté au sceptisme. D'ailleurs, à supposer même que « les papiers de M. Molière » reposent encore, aujourd'hui, dans quelque grenier de Feucherolles ou d'ailleurs, condamnés à la poussière, non par la négligence d'Armande, mais par l'ignorance de sa bru, cela n'expliquerait encore que la moitié du mystère. Les « papiers de M. Molière » comportaient sans doute des manuscrits, des livres annotés, des notes de mise en scène, et les lettres reçues par Molière. Il reste les lettres *envoyées* par Molière. Où sont-elles?

MOLIÈRE EST-IL MOLIÈRE?

Tout au long de sa carrière, des détracteurs accusent Molière de plagiat.

« Il parle passablement français; il traduit assez bien l'italien et ne copie pas mal les auteurs. »

Tel est le jugement du sieur de Rochemont, personnage assez mystérieux dont les *Observations* sont intéressantes en ce qu'on y trouve la critique à la fois la plus complète, la plus concise et la plus haineuse de l'œuvre et de la personne morale de Molière.

Quand, en pleine querelle de *L'École des femmes*, Chapelain inscrit Molière dans son rapport de propositions à des pensions royales, c'est avec cet intitulé :

« Molière. Il a connu le caractère du comique et l'exécute naturellement. L'invention de ses meilleurs poèmes est imitée, mais judicieusement. Sa morale est bonne et il n'a qu'à se garder de la scurrilité. »

On pourrait multiplier ces citations : toutes se répètent, toutes signalent les emprunts aux anciens, aux italiens, aux espagnols, beaucoup en exagèrent l'importance, quelques-uns ajoutent que Molière ne se piquait pas d'invention.

Ce reproche de plagiat, il faut le souligner, était moins grave au XVIIe siècle qu'il ne le serait aujourd'hui. La plupart des grandes œuvres classiques se raccrochent d'une manière ou d'une autre à des thèmes anciens, ou à des œuvres italiennes ou espagnoles. Qu'on pense au *Cid*, à *Andromaque*, qu'on pense à La Fontaine qui se réclame d'Esope, à La Bruyère qui en appelle à Théophraste, etc. Le XVIIe siècle n'a pas plus la religion du sujet original qu'il n'a celle de l'autographe. Quand Molière dit qu'il prend son bien où il le trouve, il exprime une idée commune à tous ses confrères. Quand les détracteurs parlent de plagiat, ils lui reprochent moins l'emprunt en soi que la mauvaise élaboration de cet emprunt.

Mais personne, au XVIIe siècle, ne met en doute que Molière soit bien l'auteur de l'œuvre signée de son nom.

Cette mise en question suprême manquait évidemment à sa gloire : il faudra attendre le XXe siècle pour la voir se réaliser.

Molière : un masque

Le premier à lancer la bombe fut Pierre Louÿs.

Dans un article du 7 novembre 1919 de *Comœdia*, il affirmait :

« Il y a vingt mille vers de Corneille que bientôt on ne pourra plus signer Molière. »

et d'ajouter :

« Il est évident que toutes les ignorances de la chronique et du professorat vont couvrir d'injures une thèse qu'elles tiendront pour un attentat à leur critique. Je m'y attends et cela m'est égal, parce que j'ai la certitude que ma thèse est vraie. »

Pierre Louÿs n'était pas venu d'un coup à cette certitude. Partant de faits établis (Molière a beaucoup joué les œuvres de Corneille et les deux hommes ont collaboré parfois — presque tout le texte de *Psyché* est de Corneille) il en vint à attribuer à Corneille d'abord le seul *Amphitryon*, ensuite *Don Juan*, enfin *Tartuffe* et le *Misanthrope*.

Il semble que ce soit l'analyse de la genèse de *Tartuffe* (pièce en trois actes, et puis en cinq) et le rappel d'un jugement de Brunetière qui, le premier, fit remarquer que *Tartuffe* est « une manière de Polyeucte à rebours », qui aient cristallisé l'opinion dès lors catégorique de Louÿs.

Mais les preuves?

A la base, on trouve évidemment ce grand mystère, que nous avons déjà formulé et souligné : comment un fils de tapissier, sans traditions culturelles familiales, sans formation scolaire particulièrement poussée, devenu comédien, à vingt ans, par goût de l'histrionisme et amour d'un jupon, qui court la province pendant douze ans, avec une troupe vraisemblablement sans génie, peut-il, dès après son installation à Paris à la fin de 1658, se métamorphoser en auteur dramatique, en génie de la scène?

« On n'apprend pas à l'âge d'Arnolphe la virtuosité suprême du vers et du style cornéliens. »

En d'autres termes : on ne *devient* pas Molière. On l'est ou on ne l'est pas, et si on l'est, on l'est dès le début. Corneille produit des pièces faibles avant l'éclat de génie du *Cid*, mais dès la première de ces œuvres de jeunesse, il prétend être Corneille, s'il ne l'est pas encore, et la critique, *a posteriori*, n'aura pas de peine à retrouver les annonces, les promesses du génie dans le balbutiement des « œuvres de jeunesse ». Mais devenir Molière à quarante ans : non, impossible.

La bombe de Pierre Louys, qui sera relancée par Henry Poulaille en 1951 et en 1957, paraît à première vue un fait curieux, amusant, intéressant, mais sans portée. En réalité, c'est l'état aigu d'une résistance qui se manifeste de mille manières au cours de trois siècles. La meilleure façon de prouver qu'on ne devient pas Molière, ne serait-ce pas de montrer qu'en réalité, Molière n'est pas Molière?

Le cas n'est d'ailleurs pas unique du génie contesté parce qu'il n'a pas suivi les voies normales et convenues, parce qu'il n'est pas issu des classes, sociales ou culturelles, qui ont seules le droit de produire des génies, parce qu'il a procédé par mutations longues ou brusques — en d'autres termes, parce qu'il n'a pas respecté les règles.

Le cas Shakespeare est, à cet égard, parallèle au cas Molière. Pour lui aussi, la contestation va jusqu'à la négation. Le petit roturier miséreux de Stradford-sur-Avon, qui garda les chevaux devant le théâtre, et puis devint lui aussi un bateleur, un amuseur, un grotesque de la scène, ne peut pas être devenu en même temps l'auteur de *Hamlet*! Tout en affirmant que l'œuvre seule importe, et que les questions d'attribution restent d'importance secondaire, on verra la critique chercher, inlassablement, un personnage prestigieux, ayant si j'ose dire du sang bleu culturel, à mettre sous le masque de Shakespeare. Lord Rutland, Francis Bacon, le comte de Derby, voire une réincarnation du comte de Saint-Germain (cf. Jacques Duchaussoy : *Bacon, Shakespeare ou Saint-Germain?* Paris, La Colombe, 1963). N'importe qui, mais pas William de Stradford.

La contestation ne va pas toujours aussi loin : il faut que les circonstances s'y prêtent. Et elles s'y prêtent à merveille pour les deux grands génies du théâtre occidental. Mais c'est le même mécanisme mental qui joue lorsque l'intelligentsia nord-américaine refuse à Mark Twain la dignité d'écrivain authentique, et à Herman Melville le droit d'être davantage qu'un raconteur d'histoires maritimes, lorsque la littérature « officielle » n'admet Simenon que dans un paragraphe à part, rejeté en appendice, lorsque Sainte-Beuve minimise Balzac (qui avait pourtant pris la précaution, comme plus tard Simenon, de crever sous lui plusieurs pseudonymes avant de prétendre à devenir Balzac avec *Les Chouans*) lorsque Claudel s'écrie, à la question : « Quel est le plus grand lyrique français »; « Hugo, hélas! », etc.

Corneille a tout fait

Molière n'est donc pas Molière. Mais les preuves?

« J'ai publié le secret avant la preuve et sans vous consulter, messieurs les moliéristes.

J'ai toutes vos notes. Vous n'avez pas les miennes et vous me demandez mes preuves quand il est déjà trop tard pour que j'aie besoin de les donner. »

Mais encore!

« L'homme qui, la même année, fit le *Cid* et le *Matamore*, pour épurer du brave toute la bravacherie, — le même homme fit ensuite, et l'un avec l'autre, *Polyeucte* avec l'*Imposteur*, la martyr et l'hypocrite, les deux tenants de l'idéal : celui qui en meurt, celui qui en vit.

Exactement le même procédé et le seul d'où puisse naître le héros sans tache — Rodrigue ou Polyeucte.

J'ai dit qu'en 1658, six mois durant, Corneille avait instruit Molière.

Voici la suite.

En 1660, Corneille supprime de ses œuvres, et jamais plus il ne réimprimera, la préface de 1643 où il déclarait sa prédilection irrésistible pour la comédie.

La même année, Molière fait imprimer sa première pièce — la première vengeance de Corneille contre les précieuses.

En 1662, Corneille se résout à faire jouer enfin « Le Drame de sa vie », c'est-à-dire presque tout ce que Molière signa. — Il le fera dans un secret absolu; mais s'il donne *Agnès* au théâtre et même s'il ne signe point, il lui faut quitter Rouen, à jamais.

Il déménage. — Quatre dates vous diront pourquoi : 7 octobre 1662. Corneille quitte Rouen pour Paris et redevient le voisin de Molière.

21 novembre. — Achevé d'imprimer *L'Étourdi*.

24 novembre. — Achevé d'imprimer *Dépit amoureux*.

26 décembre. — Première représentation de *L'École des femmes*.

Est-ce clair, quatre dates? »

En toute objectivité, non : pas si clair que ça.

N'importe quelle chronologie fournirait des rapprochements analogues et dont on tirerait des conclusions autrement sensationnelles pour peu qu'on donnât carte blanche à son imagination!

Il est amusant de rappeler ici que, par des méthodes analogues, un anonyme prouva, en cette même année 1919, que sous le masque de Molière se cachait... Louis XIV. L'anonyme était Me Maurice Garçon. Il composa ce canular, non à la suite de la bombe Pierre Louys, qu'il ignorait encore, mais pour se moquer, gentiment, de son hôte d'alors, Abel Lefranc, qui venait de prendre position dans la querelle Shakespeare et attribuait les œuvres du Grand Will au comte de Derby. La page de garde de *Sous le masque de Molière : Louis XIV*, annonçait d'autres révélations qui rapprochaient Virgile et Mécène, Voltaire et Frédéric II, Marat et André Chénier, Victor Hugo et Sainte-Beuve. Malgré cela, il se trouva des lecteurs pour *marcher*. Quand Me Garçon republia sa petite fantaisie dans *Historia*, en 1953, le nombre de lecteurs à *marcher* resta si grand que l'auteur, inquiet, reprit le canular en brochure, mais y ajouta une préface aussi explicite que possible. Cette facilité à admettre des attributions farfelues renforce peut-être l'idée, esquissée il y a un instant, d'un désir de contestation de certains génies.

Dans la « démonstration » de Pierre Louys, bien des anomalies sautent aux yeux (pourquoi Corneille doit-il absolument quitter Rouen en 1662, même s'il ne signe pas *Agnès*?), mais la plus grave est certainement que, sous prétexte de rendre à Corneille ce qui est à Corneille, Pierre Louys transforme Corneille en lâche et en sournois. De quoi s'agit-il, en effet : d'un auteur illustre qui, ayant écrit des comédies où il se venge d'un tas de gens, les fait jouer sous le nom d'un autre de façon que cet autre reçoive à sa place les coups de bâton éventuels. Si Corneille est l'auteur de *Tartuffe* et s'il laisse Molière, son prête-nom, batailler seul sous les tornades que la pièce déclenche, que doit-on penser de sa prestance morale? Le Grand Auteur, on le sait, ne brillait pas particulièrement par le courage, mais il y a des limites qu'un honnête homme comme lui ne franchit pas. Pierre Louys insiste sans vergogne :

« En 1659, Corneille avait une haine accrue par seize ans de silence et de solitude pendant lesquels il avait traduit le *De Silentio et Solitudine* ou *L'Imitation*, non pas en chrétien, mais en furieux misanthrope, selon le texte (tiens!). Quel incident avait rendu Corneille misanthrope à ce point qu'il finit par quitter le théâtre? Il avait lu *Polyeucte* en 1643 chez les précieuses, les véritables précieuses, les seules qui fussent ridicules. »

A noter : la première édition de la traduction de *L'Imitation de Jésus-Christ* par Corneille parut en 1654 et Corneille fit jouer des pièces nouvelles, très régulièrement, jusqu'en 1674.

Autre argument :

« En 1650, Corneille a fini d'inventer toutes les formes de la comédie moliéresque : la comédie de mœurs *(Galeries du Palais)* la comédie lyrique *(Illusion comique)*, la comédie de caractère *(Le Menteur)*, la comédie critique *(La Suite du Menteur)*; la féerie à grand spectacle *(Andromède)*, la comitragédie *(Don Sanche d'Aragon)*, la théorie de la grande comédie bourgeoise *(Préface de Don Sanche)*. »

Même en rappelant, ce que nul n'ignore, que Molière a joué du Corneille tout au long de sa carrière de comédien, à Paris comme en province, et qu'il a certainement joué, en particulier, les pièces citées, on ne voit pas ce que cela prouve.

« Aucun biographe que j'aie lu ne paraît soupçonner ici que l'acteur Molière, ambitieux d'écrire, allait à Rouen pour y faire ses études sous le maître le plus illustre du monde. Un critique peut-il être assez étranger à la psychologie d'un écrivain pour ne pas deviner qu'après avoir inventé les sept formes de la comédie moliéresque, le grand Corneille a modelé en six mois, de ses mains géantes, un Molière à sa dissemblance? Je n'en ai que trop dit par ce mot-là; Molière est un chef-d'œuvre de Corneille. Il ne lui ressemble guère, ni de style, ni d'âme. Il n'est pas de son sang, il est de son pouce. En octobre, Molière débuta devant le roi, puis à Paris dans *Nicomède*, de Corneille; *Héraclius* de Corneille; *Rodogune* de Corneille, le *Cid* de Corneille; *Cinna* de Corneille. Puis il devint immédiatement ce que Corneille ne voulait pas être et voulait qu'il fût à sa place. »

Y aura-t-il manque d'objectivité, ou méchanceté, à souligner toutes les erreurs que contiennent ces lignes?

Aucun biographe ne passe sous silence le voyage à Rouen, et tous avouent ignorer les raisons de ce voyage. Tous supposent, mais sans en avoir la preuve, que Molière y rencontra Corneille.

En octobre 1658, la troupe de Molière joua une seule fois devant le roi, à Paris : *Nicomède* de Corneille et *Le Docteur amoureux*. La Grange, qui tiendra le fameux *Registre*, n'entrant dans la troupe qu'en mai 1659, nous ne savons strictement rien des pièces que la troupe a pu jouer d'octobre 1658 à mai 1659.

Quant au modelage en six mois, par Corneille, d'un Molière qui n'est pas de son sang mais de son pouce (remarquer l'expression : très révélatrice), que signifie-t-il? Que désormais, Corneille va donner à Molière des pièces que celui-ci, hâtivement mais mal formé, alourdira, pour les besoins de la mise en scène, de béquets de moindre qualité. Et Corneille laisse faire!

Le cas Tartuffe

Et là, du moins, la bombe Pierre Louÿs attire l'attention sur un fait curieux, qui n'avait pas passé inaperçu jusque-là, mais qu'on avait minimisé : l'inégalité flagrante de l'écriture de certaines scènes. Pierre Louÿs en donne des exemples.

« Il y a ici deux langages. Le second est d'un metteur en scène. C'est évident.

TARTUFFE

Que le ciel à jamais par sa toute bonté
Et de l'âme et du corps vous donne la santé.
Comment de votre mal vous sentez-vous remise?

Ainsi commençait la troisième scène de l'acte III. Et c'étaient trois vers français. Mais là, le directeur de théâtre éprouve le besoin de faire asseoir Elmire et Tartuffe, et il saccage le texte. Tous les auteurs dramatiques me comprendront.

Voici ce que devient le début de cette scène illustre :

TARTUFFE

Que le ciel a jamais par sa toute bonté
Et de l'âme et du corps vous donne la santé
Et bénisse vos jours autant que le désire
Le plus humble de ceux que son amour inspire.

ELMIRE

Je suis fort obligée à ce souhait pieux.
Mais prenons une chaise afin d'être un peu mieux.

TARTUFFE

Comment de votre mal vous sentez-vous remise?

Donc, c'est pour faire asseoir Elmire et Tartuffe qu'est ajouté au texte ce vers désolant : *mais prenons une chaise afin d'être un peu mieux.*

(Et «une» c'est inexact; il voulait dire «deux»; il n'a pas su l'écrire); c'est pour cela que Molière gâte les premiers vers de Tartuffe!

En effet, dans une pièce en alexandrins à rimes plates, les béquets sont au moins de quatre vers. Voilà pourquoi nous ne comprenons rien à ce que dit Tartuffe. « Son amour »? L'amour de qui? de quoi? de « le »? de la santé? du corps? de l'âme? du ciel? »

La différence de tons, dans cette scène comme dans bien d'autres, est flagrante en effet, et invoquer les besoins de la mise en scène, qui sont pour Molière plus impératifs que ne le peut comprendre un lettré de cabinet comme Pierre Louys, ne suffit pas à dissiper l'espèce de trouble qui nous vient lorsque nous lisons le texte, l'esprit éveillé à ces anomalies.

Louys cite encore un autre exemple intéressant, tiré de la même scène de *Tartuffe* :

« Mais restons à la troisième scène de cet acte. Corneille la terminait ainsi :

ELMIRE

Je ne redirai pas la chose à mon époux
Mais…

DAMIS

Non, Madame, non! Ceci doit se répandre.

Mais l'acteur-directeur, qui achève de copier une scène immortelle, a d'autres soucis que la littérature. Il pense à la recette. Tout cela finira par un mariage entre Valère et Marianne. Il ne voit que cela, dans un pareil drame! — Lui qui est excommunié, ne soupçonne pas qu'il fallait être Polyeucte, et savoir mourir avec joie au cri deux fois crié de « Je suis chrétien! » pour haïr le faux dévot au point de lui faire dire ceci :

Mais les gens comme nous brûlent d'un feu discret
Avec qui pour toujours on est sûr du secret.
Le soin que nous prenons de notre renommée
Répond de toute chose à la personne aimée,
De l'amour sans scandale et du plaisir sans peur.

Et il s'arroge le droit de bouleverser la fin de la scène jusqu'à rendre incompréhensible le coup de théâtre :

Mais je veux en revanche une chose de vous (!)
C'est de pousser tout franc et sans nulle chicane (!)
L'union de Valère avecque Marianne (!)
De renoncer vous-même à l'injuste pouvoir (!)
Qui veut du bien d'un autre enrichir votre espoir (!)
Et…
— Non, madame! non! ceci doit se répandre.

Les pauvres vers! Et dès lors à quoi s'adresse le veto éclatant de Damis? A quel verbe dit-il *non*? Est-ce à *enrichir*? est-ce à *veut* ou *veux*, si gauchement répété? Est-ce à *renoncer*? à *pousser*?

Molière s'en moquait bien. Il semble n'avoir rien compris à *Tartuffe*, sinon que cela finissait par un mariage. »

Du ton de la critique lucide, nous passons à celui du dénigrement pur! Pierre Louys, dans *Tartuffe*, ne voit décidément qu'un texte à lire, des yeux et mentalement. Au théâtre, tout le monde comprend à quoi Damis crie « non ».

Pierre Louys, dans le débat assez animé que déclenchèrent ses révélations, annonça à plusieurs reprises qu'il publierait l'immense dossier rassemblé par lui de longue date, et qui balayerait toutes les objections. Pierre Louys ne publia jamais ce dossier. Le débat retomba comme il était né : d'un coup. Et nul encore ne sait, aujourd'hui, si l'auteur d'*Aphrodite*, qui ne manquait ni d'humour ni d'ironie, avait monté un immense bateau ou si, comme le prétendent d'autres, il est mort déçu, découragé et blessé par la tornade de rires et de quolibets (parfois méchants, il faut le reconnaître) que lui valut sa « bombe ».

Non, on ne devient pas Molière!

La contestation fut reprise par Henry Poulaille, en deux temps : en 1951, il publiait un volume intitulé : *Pierre Corneille : Tartuffe ou la Comédie de l'Hypocrite, présentée et préfacée par Henry Poulaille*, et en 1957 un gros volume intitulé : *Corneille sous le masque de Molière*.

Il reprend, dans la préface de la pièce comme dans l'essai ultérieur, tous les arguments de Pierre Louys, mais en les délayant et les obscurcissant. Lui aussi annonçait un dossier de deux mille pages qui n'a pas vu le jour. Lui aussi parle, bavarde, très brillamment, soulève des questions intéressantes (comme par exemple, encore, la genèse de *Tartuffe*, le mystère de cette pièce en trois actes qui en a cinq en définitive), mais retarde sans cesse le moment de produire des preuves pourtant annoncées comme irrésistibles.

Il y a, vers les deux tiers de l'ouvrage, une scène joliment troussée. A Rouen, en 1658, Corneille reçoit Molière. Molière se plaint de la crise du théâtre (déjà!), du manque de pièces gaies, alors que le public en réclame. Corneille sourit. « En voici... Tenez... en voulez-vous une? » Molière s'enhardit... Si Dumas le père avait eu connaissance d'une telle chose, il eût dansé de joie, comme le jour où il s'avisa que ses trois mousquetaires étaient quatre. Mais personne n'a eu connaissance d'une telle scène, qui ne repose sur rien.

De même, il est difficile de prendre au sérieux la « preuve » tirée du nom de Molière. Henry Poulaille rejette la version du « mot lierre — le lierre des mots qui enserrerait une œuvre vraie ». Par contre, il retient celle d'un de ses correspondants, Schrieber, artiste peintre allemand, que voici :

« Il apparaît que le nom Corneille contient les lettres C N L, comme premières lettres des syllabes. Les lettres qui restent, qui sont oreile, peuvent être mises en anagramme sous la forme oliere. Les noms Corneille et M(olière) sont donc étroitement liés. »

Restait à justifier le M. *M*, c'est l'initiale de *manque*. Ajoutez C N L, qui Manquent à oliere, et vous obtenez Corneille !

Chercher, et trouver, l'anagramme d'un nom de sept lettres dans un nom de neuf lettres, et avec de telles astuces : c'est fort !

Une opinion de Corneille

A ce dossier de la contestation de Molière comme auteur de son œuvre — dossier succint et très incomplet : dix mille pages annoncées par Louys et deux mille par Poulaille se réduisent mal en pilules ! — je m'en voudrais de ne pas ajouter au moins une pièce.

En décembre 1659, Thomas Corneille écrivit une lettre à l'abbé de Pure. Cet abbé de Pure, était l'ami et le correspondant des deux frères, mais Thomas tenait souvent la plume pour Pierre. Les deux frères vivaient d'ailleurs dans une grande intimité de pensée. Thomas exprime donc des opinions que Pierre partage. Voici la lettre :

« J'ai eu bien de la joie de ce que vous avez écrit d'*Oreste et Pylade* et suis fâché en même temps que la haute opinion que M. de la Clerière avait du jeu de Messieurs de Bourbon, n'ait pas été remplie avantageusement pour lui. Tout le monde dit qu'ils ont joué détestablement sa pièce, et le grand monde qu'ils ont eu à leur Farce des précieuses, après l'avoir quittée, fait bien connaître qu'ils ne sont propres qu'à soutenir de semblables bagatelles, et que la plus forte pièce tomberait entre leurs mains. »

Voici quelques éclaircissements, nécessaire, je crois.

Messieurs de Bourbon : c'est la troupe de Molière qui, par grâce royale, joue au Théâtre du Petit-Bourbon. Le

Registre que La Grange tient depuis peu nous apprend que la compagnie de Molière a joué, du 23 au 28 novembre, une pièce, *Pylade et Oreste* d'un M. la Clairière ou de la Clerière, auteur rouennais ami des Corneille. La Farce des précieuses, ce sont les *Précieuses ridicules*, créées le 18 novembre et reprises (avec prix des places doublé) à partir du 2 décembre.

C'est donc bien de Molière, de sa troupe et de ses productions que parle Thomas. Et il en dit : ces comédiens n'ont aucun talent et sont tout au plus capables de faire rire la galerie avec des farces, des bagatelles comme les *Précieuses*. On ne prise guère le petit Poquelin, chez Corneille...

Mais ce peut être une feinte, évidemment !

LE LIVRE ABOMINABLE

Le Livre Abominable est un pamphlet, d'une rare violence, qui commença de se répandre, sous le manteau, en 1663. Il se compose de cinq dialogues en vers, mettant en scène Colbert et divers autres personnages des hautes sphères gouvernementales. Il est dirigé principalement contre Colbert, mais également contre Mazarin (dont Colbert est accusé d'exécuter les volontés posthumes), contre la reine mère Anne d'Autriche, dont on rappelle sans ménagements les légèretés d'autrefois, avant qu'elle ne soit passée au clan dévot, contre le roi et ses maîtresses, à l'occasion, et surtout contre la *cabale des dévots*.

On a accusé Molière d'être l'auteur de ce pamphlet.

On l'a accusé d'y avoir collaboré.

On l'a accusé de faire partie du cercle libertin où il fut composé.

On l'a accusé de l'avoir approuvé, apprécié, et d'en avoir transposé l'esprit dans plusieurs de ses pièces, dans le *Tartuffe* en particulier.

On a affirmé que Molière est parfaitement étranger à cette littérature souterraine.

On a fait honte à Molière d'en être.

On l'en a félicité.

On a déclaré que, étant ce qu'il était, il ne pouvait pas ne pas en avoir été.

Etc.

Et, quelque degré d'innocence ou de culpabilité qu'on lui attribuât, on n'a jamais apporté aucune preuve, ni pour ni contre.

La relation éventuelle de Molière avec ce fameux *Livre* devient ainsi un test, assez curieux et éclairant, de l'opinion réelle que les critiques ont du grand homme. La grande critique, universitaire et académique, ignore la question, jugée indigne d'être prise en considération. Les tenants de la thèse Molière-réformateur des mœurs se divisent en deux camps : disons la gauche et la droite. Pour la gauche, Molière, libertin c'est-à-dire précurseur des grands révolutionnaires, n'est pas étranger à la rédaction du Livre. Pour la droite, Molière, homme de bon sens et d'ordre, y est totalement étranger. Les tenants de la thèse Molière-homme de théâtre pur haussent les épaules et déclarent que l'affaire est sans importance. Les critiques qui s'efforcent de ne tomber dans aucun de ces camps, et qui essaient de comprendre, à partir de ce qu'on sait, et d'interpréter, en faisant appel aux documents, à la logique, au bon sens, à l'humain, voire à l'imagination contrôlée, avouent simplement qu'il y a là un mystère insoluble... Quitte à ajouter que, peut-être, compte tenu de ce qu'on lit, dans le texte et entre les lignes, du *Tartuffe* et de *Don Juan* entre autres, si Molière a eu connaissance du *Livre*, il a dû s'en amuser, comme la plupart de ses contemporains, et, ici et là, y retrouver ce qu'il pensait lui-même, comme la plupart de ses contemporains encore. Aller plus loin est impossible, serait hasardeux.

Quelques abominations

Était-il donc si terrible, ce *Livre Abominable*?

Qu'on en juge par quelques extraits.

Le Livre accuse la *cabale des dévots*, servie par Colbert, soutenue par les jésuites, la reine-mère Anne, les ministres, les hauts fonctionnaires, d'être la cause de tous les malheurs publics et d'user de tous les moyens pour s'assurer le contrôle du pouvoir.

Voici comment Colbert y raconte la débauche de Louise de La Vallière, choisie par la cabale pour subjuguer le roi :

« Je crus manqué mon but et ma peine perdue,
J'en mourais de chagrin, quand, par un sort heureux,
Le roi vit La Vallière et devint amoureux.

J'avais dedans la cour de secrets émissaires,
Et j'eus par eux l'avis de ces premiers mystères :
J'intrigue avec la fille et luy gagne l'esprit.
Par mes sages leçons la Demoiselle apprit
Que les règles d'honneur ne sont que bagatelles
Qu'ont fait certains jaloux pour brider les femelles,
Que de l'honnesteté, la honte et la pudeur
Sont bien pour l'apparence et non point pour le cœur,
Et que cette action qu'on nomme criminelle
Aux sottes seulement pourrait passer pour telle.
Mais que, pour des esprits qui sont plus raffinés,
L'Amour n'augmente point le nombre des damnés,
Que celui d'un Monarque rehausse la sujette. »

L'interlocuteur de Colbert, un certain Berrier, constate :

« Ces leçons, Monseigneur, sont d'un grand Maquereau. »

Et Colbert de mettre le point final :

« Pour m'agrandir, Berrier, je me ferais Bourreau. »

Évoqué par Colbert, Mazarin déclare :

« J'ai vu toute la France à mon pouvoir soumise,
La reine dans mes fers m'a captivé son Roi
Et, faisant l'une et l'autre obéir à ma loi,
Je me suis vu, Colbert, toute chose permise. »

Sentant venir la mort, Mazarin transmet ses pouvoirs à Colbert, et lui ordonne de poursuivre son œuvre, avec les mêmes principes :

« Que cette vérité dans ton cœur soit empreinte;
Viole sans respect les plus justes des lois;
Quand on a dans les mains la puissance des Rois,
Nous pouvons profaner les choses les plus saintes,
Et la Religion doit, ainsi qu'il nous plaît
Prendre pour document notre seul intérêt.
Colbert, dans cette route, il faut que tu chemines,
Et tu dois dans l'état faire passer pour lois
Que les biens des sujets appartiennent aux Rois
Que les vols qu'ils en font ne sont point des rapines. »

A l'article de la mort, Mazarin précise, sans aucune équivoque :

« Va, ne crains point le monde et crains encor moins Dieu. »

Et le compère Berrier de demander si cet homme était chrétien. Colbert répond :

> « Chrétien? Oui, bon chrétien! Dans les temps où nous sommes,
> Apprends que le seul nom suffit à ces vrais hommes
> Dont le sort plus heureux ou bien l'esprit plus grand
> A l'art de s'élever sur un peuple ignorant.
> Cette loi des chrétiens, contraire à leurs maximes,
> Arrêterait leur main de commettre des crimes,
> Car quiconque, Berrier, a peur de se damner
> Est, dans tous les États, mal propre à gouverner. »

Lisant cela, incontestablement, on pense à Tartuffe. Et le rapprochement s'impose plus encore avec cet autre extrait : C'est un nommé Poncet, cette fois, qui parle.

> « Tout méchant que je suis, j'eus l'âme bien surprise
> De voir qu'à ces dévots toute chose est permise.
> Ils mettent leur vertu dans l'art de se cacher;
> Ce que l'on ne sait point ne se dit point pécher;
> Réglant leurs actions dessus cette maxime,
> Un criminel prudent ne fait jamais un crime;
> Ils semblent en public combattre les plaisirs;
> On dirait pour la foi qu'ils se feraient martyrs;
> Mais ces gens ont une âme en malice féconde,
> Sensible comme une autre aux délices du monde!
> Et ces gens en secret ne se refusent rien
> Pour goûter un plaisir ou pour gagner du bien!
> La vengeance, le vol, le meurtre et l'adultère,
> N'est rien quand en secret on a l'art de le faire.
> Et si par un malheur quelqu'un est découvert
> Avec tant de support la cabale le sert
> Que les plus clairvoyants sont aveuglés de sorte
> Que le coupable enfin sur l'innocent l'emporte.
> Et chacun voit si loin aller la trahison
> Que tous leurs ennemis n'ont jamais de raison.
> Sur les plus fins dévots, saint Ignace a l'empire
> C'est pour cette raison que sa cabale attire
> Avec autorité tous les dévots à soi
> Car tous ses ennemis le deviennent au roi. »

Il faut relire, ici, la leçon de *morale libertine*, ou de *libertinage dévot*, que Tartuffe fait à Elmire (Acte III, scène 3). C'est la même voix, en plus des mêmes théories :

> « Mon sein n'enferme pas un cœur qui soit de pierre
> ...

L'amour qui nous attache aux beautés éternelles
N'étouffe pas en nous l'amour des temporelles;
(...)
Ah! pour être dévot, je n'en suis pas moins homme :
(...)
Mais les gens comme nous brûlent d'un feu discret
Avec qui pour toujours, on est sûr du secret.
Le soin que nous prenons de notre renommée
Répond de toute chose à la personne aimée;
Et c'est en nous qu'on trouve, acceptant notre cœur,
De l'amour sans scandale et du plaisir sans peur. »

La leçon se complète à l'acte suivant (acte IV, scène 5)

« Je puis vous dissiper ces craintes ridicules
Madame, et je sais l'art de lever les scrupules,
Le ciel défend, de vrai, certains contentements,
Mais on trouve avec lui des accommodements.
(...)
Et le mal n'est jamais que dans l'éclat qu'on fait
Le scandale du monde est ce qui fait l'offense,
Et ce n'est pas pécher que pécher en silence. »

Le parallélisme est, pour le moins troublant.
Revenons au texte du *Livre*. Après la description imagée
des mœurs et théories du clan dévot, Poncet conclut :

« Cette secte, est, Monsieur, pire que l'athéisme. »

Et Colbert répond :

« Je la connais Poncet, j'en sais tous les secrets
Ces gens sont mes amis et leur secte me plaît.»

De conclusion, je n'en hasarderai aucune.
Que Molière ait ou non, directement ou indirectement,
participé à la rédaction du *Livre Abominable*, ne changerait
rien au fait que la pensée qui anime ce livre incline dans le
même sens que la pensée qu'on entrevoit à l'arrière-plan
de plusieurs de ses œuvres.
L'affaire du *Livre* est liée à celle du *Tartuffe*.
Et ces deux affaires participent à la grande bataille
qui oppose les conservateurs ou réactionnaires de l'époque
(le clan dévot, la Confrérie du Saint-Sacrement, les Jésuites)
et les progressistes (les libertins) Colbert a des attaches
dans le camp conservateur, et les libertins attaquent sa

politique comme, sur le plan religieux, ils soutiennent Port-Royal contre les Jésuites et, en art, soutiennent Mignard contre Lebrun.

Autre fait — et non des moindres — : c'est à l'occasion de la grande bataille du *Tartuffe* que les dévots reçoivent les grands coups dont ils ne se relèveront pas. En autorisant enfin, à partir du 26 février 1669, la représentation publique de *Tartuffe*, Louis XIV, dont la pensée reste très indécise au cours de la bataille, prend un parti dont la signification dépasse la littérature et le théâtre.

LES REVENUS DE MOLIÈRE

On peut imaginer qu'à l'époque où Jean-Baptiste Poquelin, âgé de vingt ans, entretenait son brave homme de père de ses rêves de gloire théâtrale, le grand argument du tapissier était : « Comédien! Tu veux devenir comédien! Mais, malheureux, ces gens-là meurent sur la paille! »

Molière mourut riche.

Sa fortune ne se compare certes pas à celles qu'édifièrent, plus tard, d'autres gloires du théâtre et de la littérature. Nous sommes loin des quatre milliards de francs laissés en héritage par Victor Hugo. Mais Molière s'assura, à partir de l'installation définitive à Paris en 1658, des revenus de plus en plus confortables, et comme il gérait son bien avec la sagesse et la prudence héritées de sa lignée d'ancêtres bourgeois, il se trouva, à la fin de sa vie, à la tête d'une fortune dont sa belle maison richement meublée était, à proprement parler, le très honnête pignon sur rue.

Un inventaire de trente pages!

Du 13 au 21 mars 1673, les notaires De Beaufort et Levasseur, en présence d'Armande et de deux témoins, Taconnet et Boudet, dressèrent l'inventaire des biens meubles et immeubles, des créances et des dettes du défunt. Le lecteur curieux de détails trouvera cet inventaire, in-extenso, dans *Cent Ans de Recherches sur Molière*, de MMme Jurgens et Maxfield-Miller. On m'excusera certainement de ne pas le recopier ici : le document, dans le volume cité, couvre trente pages, en petits caractères.

Les dettes — des notes de fournisseurs, récentes — s'élevaient à environ 3 280 livres tournois. Les biens meubles (argenterie, mobilier, ustensiles de cuisine, tapisseries, livres, vêtements, etc) étaient estimés à environ

18 000 livres. Il s'agissait, ne l'oublions pas, d'un inventaire pour succession, et en pareilles circonstances, les estimations se situent en dessous de la valeur réelle.

Traduire ces chiffres en monnaie d'aujourd'hui serait intéressant, mais les économies s'y refusent farouchement. Le mode et le niveau de vie ont radicalement changé en trois siècles, disent-ils, et aucun critère stable n'existe (pas même celui de l'or, dont la valeur a changé par rapport à lui-même, pas même les denrées de première nécessité, dont la valeur objective, dans la vie quotidienne, s'est modifiée) qui permettrait de comparer la livre tournois au franc, français, belge ou suisse, de 1964.

A titre d'indication on peut signaler, d'après La Grange, qu'une collation pour la troupe en répétition (douze personnes) a coûté une livre en 1662; qu'un machiniste, engagé en *extra* pour la représentation de *Psyché*, a reçu deux livres en salaire; que la note impayée de la blanchisseuse (du ménage Molière, non du théâtre) s'élevait à neuf livres; qu'au tarif ordinaire (et le prix des places était considéré comme élevé à l'époque) une loge de premier rang, comportant huit places, se payait cinq livres douze sols et une place, debout, au parterre, 15 sols. La livre valait 20 sols.

Quant à la valeur marchande actuelle des objets repris à l'inventaire, il est tout aussi difficile de la situer. C'est donc, simplement, pour marquer un ordre de grandeur que je me hasarde à dire qu'il y en aurait au moins aujourd'hui pour cinquante mille francs français, soit un demi-million de francs belges.

L'inventaire pour succession donne donc une idée du train de vie du ménage : beaucoup de simplicité, d'austérité même, dans la partie de la maison réservée à Molière, luxe éclatant dans les appartements d'Armande (un certain lit « à pieds d'aiglon feins de bronze verte etc. » qui impressionne à ce point le notaire qu'il consacre vingt-deux lignes à en décrire les ornements, est estimé à 2 000 livres et vaudrait aujourd'hui, pour le moins, vingt mille francs français ou deux cent mille francs belges).

Le Registre de *La Grange* fournit, lui, des indications sur les revenus de Molière entre avril 1659 (quand La Grange, engagé dans la troupe, commence à tenir sa comptabilité) et le fatal 17 février 1673. Ces revenus sont de plusieurs espèces. Molière touche une part de comédien lorsqu'il est de la distribution — et il est de presque toutes les distributions. On remarquera, en passant, qu'il n'est payé ni comme directeur, ni comme metteur en scène. Il touche aussi un forfait, ou une part, comme auteur de ses pièces. Il touche, éventuellement, des droits sur les publications en volumes. Il touche une pension royale, comme auteur, et le revenu de sa charge de « tapissier et valet de chambre ordinaire du Roy ». On doit y ajouter encore, à partir de Pâques 1661 (c'est-à-dire un an avant son mariage) la part de comédienne d'Armande.

Les parts de comédien

Comme on le sait, ces parts sont constituées par le partage, entre tous les membres fixes de la troupe, des bénéfices nets. Pour calculer ceux-ci il fallait déduire, de la recette brute des spectacles, des frais et débours souvent très importants.

Les recettes, en cas de succès, étaient considérables puisque, comme on l'a vu, les prix des places étaient élevés. Mais les frais ne l'étaient pas moins, surtout lorsqu'il s'agissait de grands spectacles comme *Psyché*. Pour la création de cette comédie-ballet, La Grange nous apprend que :

« Tous les frais et despances... en charpenterie, menuiserie, bois, serrurerie, peintures, toiles, cordages, contrepoids, machines, ustensilles, bas de soye pour les danseurs et musiciens, vin des répétitions, laques de fer blanc, ouvriers, fils de fer & letton et generallement touttes choses, se sont montées à la somme de ... 4 359 £ 1 s. »

Mais il ne s'agit là que de certains frais « extraordinaires ». Il s'y ajoute encore, toujours selon La Grange :

12 danseurs à 5 £ 10 s., cy	66 £
4 petits danseurs à 3 £, cy	12 £
3 voix à 11 £, cy	33 £
4 voix à 5 £ 10 s., cy	22 £
Symphonie, 4 escus	12 £
12 violons	36 £
2 petites graces à 5 £ 10 s., cy	11 £
6 assistants, amours, zéphirs &a	9 £
Baigneur et garçon tailleur	6 £
2 saulteurs	11 £
Machiniste et 2 menuisiers	7 £
Ouvriers à 1 £	16 £
Mlle de l'Estang	11 £
M. de Beauchamp	11 £
	263 £

Chandelle	30 £
Concierge à cause du feu	3 £
Soldats	15 £
Frais ordinaires	40 £
En tout	351 £

Mais, de plus, il faut payer le maître à danser :

« Dans le cours de la pièce, Monsieur de Beauchamp a receu de recompance pour avoir faict les balletz et conduit la musique, onze cent livres, non compris les 11 £ par jour que la Troupe luy a données, tant pour battre la mesure à la musique que pour entretenir les ballets ».

On peut évaluer avec une grande exactitude les revenus de comédien de Molière. La Grange, en effet, a dressé son propre bilan à Pâques 1673. Il aligne les totaux de ses parts, pour toutes les saisons théâtrales depuis mars 1660 jusqu'à mars 1673, et arrive au total général de 51 670 livres 14 s. La part de comédien, depuis la mort de Molière jusqu'à la fin de la saison en cours, ayant été de 522 livres, nous pouvons déduire que Molière a touché, comme les comédiens de sa troupe, en chiffres ronds, 51 150 livres en quatorze saisons.

Les parts d'Armande s'élevaient, elles, en chiffres ronds toujours, à 46 200 livres.

Les parts d'auteur

On a moins de certitudes quant aux parts d'auteur de Molière. Pour quatre pièces, il reçut des forfaits : 1 000 livres pour les *Précieuses;* 1 500 pour le *Cocu;* 550 pour *Don Garcie* (bide mémorable pour la troupe) et 880 (prélevés sur une gratification royale) pour *Les Fâcheux.* A partir de 1662, Molière abandonna le système du forfait et reçut un part d'auteur, égale à la part de comédien, pour chaque représentation de ses pièces. Parfois, La Grange note que l'auteur reçoit deux parts, mais cette prime — peut-être de qualité? — n'avait rien de systématique.

Le total des parts de comédiens, d'après le bilan de La Grange, fut d'environ 45 600 livres pour les saisons 1662-1673 (jusqu'au 17 février). Molière avait reçu, en forfait, 3 930 livres. Total : 49 530 livres. Mais on n'a pas compté les doubles parts. Molière a donc reçu, en quatorze ans, environ 60 000 livres de droits sur ses pièces.

Les droits d'auteur pour publication en librairie nous sont inconnus, et nous ne disposons que de très peu d'éléments pour les évaluer. Sans doute les papiers de Molière contenaient-ils aussi des comptes à ce sujet...

La notion de droit d'auteur n'était absolument pas définie au XVIIᵉ siècle. On peut dire qu'elle n'était même pas dans les mœurs et que les libraires ne concevaient que difficilement qu'ils eussent à payer l'auteur d'un livre au même titre que leur fournisseur de papier et leurs typographes. Molière fut imprimé plusieurs fois malgré lui, dut intenter des procès et n'obtint qu'en 1670 un privilège sur ses propres ouvrages. Le libraire Ribou lui alloua 200 livres pour l'édition de *Tartuffe* : la valeur de location d'une loge pendant quarante représentations (et *Tartuffe* en eut 43), le salaire de cent matinées de travail d'un machiniste *extra*. Quand Armande, après la mort de Molière, fit imprimer les sept pièces encore inédites de son mari (entre autre *Don Juan*), elle obtint, après de longues discussions, un forfait de 1 500 livres.

Considérant tout cela, on peut estimer qu'en fixant à 4 000 livres les droits d'auteurs sur publications en volume, on est au-dessus de la réalité.

Restent la pension royale de 1 000 livres environ, pendant dix ans, et la charge de tapissier qui rapporta 4 400 livres.

Nous pouvons maintenant dresser le bilan approximatif des revenus de Molière pour les quatorze saisons de la fin de sa vie :

Parts de comédien	:	51 150 livres
Parts d'Armande	:	46 200 livres
Droits d'auteur	:	60 000 livres
Droits d'édition	:	4 000 livres
Pensions royales	:	10 000 livres
Charge de tapissier	:	4 400 livres
Total	:	175 750 livres

Cela représente un revenu annuel moyen de 12 500 livres environ.

A défaut de pouvoir traduire ce revenu annuel en son correspondant de 1964, je signalerai un fait, qui fournit tout de même un point de comparaison : les comédiens de la troupe jouissaient, en revenu annuel, du tiers de la somme dont disposait Molière. Or ces comédiens étaient mariés, élevaient des enfants, menaient une vie régulière sinon bourgeoise, avaient un logement décent et souvent cossu et faisaient honneur à leurs obligations de décorum,

« Le Médecin malgré lui » au T. N. P.

Ci-dessus, Louis Seigner
dans son costume
de M. Jourdain.

La garde-robe
née en Amér

urgeois gentilhomme » emmenée par la Comédie-Française pour une tour-
Sud. Il fallut vingt-neuf malles d'osier pour transporter les costumes.

Jacques Charron
dans « Amphitryon »
à la Comédie-Française.

vestimentaire et autre. Tous les mémorialistes — du moins ceux qui prennent la peine de nous informer du train de vie des comédiens — s'accordent là-dessus : les membres de la troupe de Molière vivaient dans l'aisance.

On a pu se demander si, en 1673, Molière n'était pas déprimé par le demi-échec de sa carrière parisienne. En effet, son rêve d'un Palais-Royal, centre du théâtre français, groupant les meilleurs auteurs autour de la meilleure troupe, ne s'était pas réalisé, tant s'en faut. La faveur royale, d'autre part, qui l'avait soutenu jusque là, commençait à se dérober. Et faut-il rappeler l'échec douloureux du mariage avec Armande ? Mais, matériellement parlant, les craintes de papa Poquelin, d'une vie de misère, s'avéraient sans fondement : bien loin de mourir sur la paille, Molière avait gagné, par son travail, une petite fortune.

MOLIÈRE JUGÉ PAR LES SIÈCLES

Comment devient-on Molière?

A force de courage, de conviction, de passion, de génie. Mais la voix occulte de la Sagesse des Nations ajoute qu'on n'a pas le droit de devenir Molière, qu'il n'y a jamais de place gardée au chaud pour un Molière, et que si un Molière prétend néanmoins s'imposer, ce sera toujours contre vents et marées, et à ses risques et périls.

On vient de les voir, ces vents et ces risques, ces marées et ces périls. L'homme de cinquante ans qui s'effondrait, dans la nuit du 17 février 1673, mourut épuisé par une lutte trop longue, trop âpre, trop cruelle.

Et dans cette lutte, Molière était seul. Sans doute, il eut des maîtresses, une épouse, des amis; à des moments importants, ou pénibles, de son existence, il fut soutenu par Madeleine, voire Armande, Chapelle, Boileau, La Grange, Louis XIV. Appuis toujours fragmentaires, limités à un aspect des choses, à une chambre du cœur ou de l'esprit. Molière était seul, comme Shakespeare son frère aîné, comme Balzac, Gogol, Tolstoï, Melville, ses petits-neveux.

Seul avec son génie, devant le public.

Les documents cités jusqu'à présent, on l'aura remarqué, présentent bien plus de dénigrements que d'approbations ou d'encouragements. Dans la salle, un vieillard crie « Bravo Molière ! » et le public rit et applaudit, mais la critique minimise, abaisse, conteste, chicane.

Vision romantique du puissant créateur incompris? Je ne le pense pas. Les textes nous empêchent de le penser : au xviie siècle (soit jusqu'en 1715) on cherchera en vain, sous la plume d'une « grand » de l'époque, ou d'un représentant qualifié d'une des principales tendances spirituelles, un hommage sans épines.

Esprit rare et fameux...

Une exception pourtant : La Fontaine. Il est vrai qu'il s'agit d'une épitaphe : genre qui admet difficilement la réticence critique. Mais, j'en suis certain, le bon Jean de La Fontaine était sincère lorsqu'il écrivait :

Sous ce tombeau gisent Plaute et Térence
Et cependant, le seul Molière y gît.
Leurs trois talents ne formaient qu'un esprit
Dont le bel art réjouissait la France.
Ils sont partis! Et j'ai peu d'espérance
De les revoir. Malgré tous nos efforts
Pour un long temps, selon toute apparence,
Térence et Plaute et Molière sont morts.

Autre ami intime de Molière : Nicolas Despréaux, dit Boileau. Il soutiendra Molière, de toute sa jeune autorité, dans diverses querelles, mais, malgré le jugement élogieux qu'il porte sur lui, on n'a pas l'impression qu'il ait vraiment compris son ami.

Voici le début de la *Satire II* (1662) dédiée à Molière.

Rare et fameux esprit, dont la fertile veine
Ignore en écrivant le travail et la peine;
Pour qui tient Apollon tous ses trésors ouverts,
Et qui sait à quel coin se marquent les bons vers :
Dans les combats d'esprit savant maître d'escrime,
Enseigne-moi, Molière, où tu trouves la rime.

On dirait, quand tu veux, qu'elle te vient chercher;
Jamais au bout du vers on ne te voit broncher,
Et, sans qu'un long détour t'arrête, ou t'embarrasse,
A peine as-tu parlé, qu'elle même s'y place.

Hommage, oui, mais ambigu. Molière n'est, précisément, pas un très grand versificateur. Boileau célèbre sa facilité. Il loue le contraire dans son *Art Poétique* (vingt fois sur le métier...) Les partisans de la thèse « Molière masque de Corneille » y voient une malice, et presque la preuve que Boileau connaissait l'auteur véritable des bons vers de Molière.

On sait, d'autre part, que Boileau conseillait à Molière de ne plus paraître lui-même sur la scène, de renoncer au comique burlesque, à la farce, et de n'écrire plus que de grandes comédies, comme celle du *Misanthrope*, qui trouve grâce à ses yeux.

Voici le jugement, au chant III de l'*Art Poétique* (composé en 1673-74) :

Étudiez la cour et connaissez la ville;
L'une et l'autre est toujours en modèles fertile.
C'est par là que Molière, illustrant ses écrits,
Peut-être de son art eût remporté le prix,
Si, moins ami du peuple, en ses doctes peintures,
Il n'eût point fait souvent grimacer ses figures,
Quitté, pour le bouffon, l'agréable et le fin,
Et sans honte à Térence allié Tabarin.
Dans ce sac ridicule où Scapin s'enveloppe,
Je ne reconnais plus l'auteur du Misanthrope.

Petite rectification : dans les *Fourberies*, c'est Géronte qui se cache dans un sac, non Scapin.

Les stratagèmes du démon

Dans son sermon *De l'hypocrisie* (1670), Bourdaloue intervient dans la querelle du *Tartuffe*, mais c'est bien un jugement d'ensemble qu'il porte sur Molière — sans le nommer.

« Comme la fausse dévotion tient en beaucoup de choses de la vraie; comme la fausse et la vraie ont je ne sais combien d'actions qui leur sont communes; comme les dehors de l'une et de l'autre sont presque tout semblables, il est non seulement aisé, mais d'une suite presque nécessaire, que la même raillerie qui attaque l'une intéresse l'autre, et que les traits dont on peint celle-ci figurent celle-là, à moins qu'on n'y apporte toutes les précautions d'une charité prudente, exacte et bien intentionnée, ce que le libertinage n'est pas en disposition de faire.

Et voilà, chrétiens, ce qui est arrivé, lorsque des esprits profanes, et bien éloignés de vouloir entrer dans les intérêts de Dieu, ont entrepris de censurer l'hypocrisie, non point pour en réformer l'abus, ce qui n'est pas de leur ressort, mais pour faire une espèce de diversion dont le libertinage pût profiter, en concevant et faisant concevoir d'injustes soupçons de la vraie piété par de malignes représentations de la fausse.

Voilà ce qu'ils ont prétendu, exposant sur le théâtre et à la risée publique un hypocrite imaginaire, ou même, si vous voulez, un hypocrite réel, et tournant dans sa personne les choses les plus saintes en ridicule : la crainte des jugements de Dieu, l'horreur du péché, les pratiques les plus louables en elles-mêmes et les plus chrétiennes. Voilà ce qu'ils ont affecté, mettant dans la bouche de cet hypocrite des maximes de religion faiblement soutenues, au même temps qu'ils les supposaient fortement attaquées; lui faisant blâmer les scandales du siècle d'une manière extravagante; le représentant consciencieux jusqu'à la délicatesse et au scrupule sur des points moins importants, où toutefois il le faut être, pendant qu'il se portait d'ailleurs aux crimes les plus énormes; le montrant sous un visage de pénitent, qui ne servait qu'à couvrir ses infamies; lui donnant, selon leur caprice, un caractère de piété la plus austère, ce semble, et la plus exemplaire, mais, dans le fond, la plus mercenaire et la plus lâche.

Damnables inventions pour humilier les gens de bien, pour les rendre tous suspects, pour leur ôter la liberté de se déclarer en faveur de la vertu, tandis que le vice et le libertinage triomphaient; car ce sont là, chrétiens, les stratagèmes et les ruses dont le démon s'est prévalu; et tout cela fondé sur le prétexte de l'hypocrisie. »

Un dangereux ennemi de l'Église

Pierre Bayle ayant inclu dans son *Dictionnaire* (1695-1697) une notice sur Molière, pour nous sans grand intérêt, mais de tonalité élogieuse, il s'attira cette réplique d'Adrien Bayet, dans *Jugements des savants sur les principaux ouvrages des auteurs* (1686). Bayle reflétait l'opinion du public, Bayet celle des maîtres à penser en place. Bayet nous fait l'amitié de résumer l'éloge de Bayle en le réfutant.

« M. de Molière est un des plus dangereux ennemis que le Siècle ou le Monde ait suscités à l'Église de Jésus-Christ, et il est d'autant plus redoutable qu'il fait encore après sa mort le même ravage dans le cœur de ses lecteurs qu'il avait fait de son vivant dans celui de ses spectateurs...

Il faut convenir que personne n'a reçu de la nature plus de talents que Monsieur de Molière, pour pouvoir jouer tout le genre humain, pour trouver le ridicule des choses les plus sérieuses, et pour l'exposer avec finesse et naïveté aux yeux du public...

(Cependant) il faut avoir une envie étrange de se munir du nom des auteurs graves et de se donner des garants d'importance, pour vouloir nous persuader, par l'autorité de quelques critiques de réputation qui ont eu de l'indulgence pour Molière, que ces vices qu'il a corrigés fussent autre chose que des manières extérieures d'agir et de converser dans le monde. Il faut être bon jusqu'à l'excès pour s'imaginer qu'il a travaillé pour la discipline de l'Église et la réforme de nos mœurs. Tous ces grands défauts à la correction desquels on veut qu'il se soit appliqué ne sont pas tant des qualités vicieuses et criminelles que quelques faux goûts, quelque sot entêtement, quelques affectations ridicules, telles que celles qu'il a reprises assez à propos dans les prudes, les précieuses, dans ceux qui outrent les modes, qui s'érigent en marquis, qui parlent incessamment de leur noblesse, qui ont toujours quelque poésie de leur façon à donner aux gens.

Voilà, dit M. Bayle, les désordres dont les comédies de Molière ont un peu arrêté le cours. Car, pour la galanterie criminelle, l'usure, la fourberie, l'avarice, la vanité et les autres crimes semblables, il ne faut pas croire, selon l'observation du même auteur, qu'elles leur ait fait beaucoup de mal. Au contraire, il n'y a rien de plus propre pour inspirer la coquetterie que ces sortes de pièces, parce qu'on y tourne perpétuellement en ridicule les soins que les pères et les mères prennent de s'opposer aux engagements amoureux de leurs enfants. La galanterie n'est pas la seule science qu'on apprend à l'école de Molière; on apprend aussi les maximes les plus ordinaires du libertinage contre les véritables sentiments de la religion, quoi qu'en veuillent dire les ennemis de la bigoterie; et nous pouvons assurer que son *Tartuffe* est une des moins dangereuses pour nous mener à l'*irréligion*, dont les semences sont répandues d'une manière si fine et si cachée dans la plupart des autres pièces qu'on peut assurer qu'il est plus difficile de s'en défendre que de celle où il joue pêle-mêle bigots et dévots, le masque levé. »

Malheur à vous qui riez !

Bossuet partage entièrement l'opinion de Bourdaloue et de Bayet. Dans une *Lettre au Père Caffaro* (qui avait défendu la comédie), il condamne nettement le théâtre, tout le théâtre :

« Songez seulement si vous oserez soutenir à la face du ciel des pièces où la vertu et la piété sont toujours ridicules, la corruption toujours défendue et toujours plaisante, et la pudeur toujours offensée ou toujours en crainte d'être violée par les derniers attentats; je veux dire par les expressions les plus impudentes, à qui l'on ne donne que les enveloppes les plus minces. »

Les passions du cœur, l'amour et ses égarements, constituent l'essentiel des spectacles.

(…) « Mais tout cela, dites-vous, paraît sur les théâtres comme une faiblesse, comme la faiblesse des héros et des héroïnes, enfin comme une faiblesse si artificieusement changée en vertu qu'on l'estime, qu'on lui applaudit sur tous les théâtres, et qu'elle doit faire une partie essentielle des plaisirs publics, qu'on ne peut souffrir de spectacle où non seulement elle ne soit, mais encore où elle ne règne et n'anime toute l'action. »

La même année (1694) Bossuet publie aussi ses *Maximes et Réflexions sur la Comédie* où se trouve la page célèbre, qu'on pardonne si difficilement :

« Je crois qu'il est assez démontré que la représentation des passions agréables porte naturellement au péché, quand ce ne serait qu'en flattant et en nourrissant de dessein prémédité la concupiscence, qui en est le principe. On répond que, pour prévenir le péché, le théâtre purifie l'amour ; la scène, toujours honnête dans l'état où elle paraît aujourd'hui, ôte à cette passion ce qu'elle a de grossier et d'illicite, et ce n'est, après tout, qu'une innocente inclination pour la beauté, qui se termine au nœud conjugal. Du moins donc, selon ces principes, il faudra bannir du milieu des chrétiens les prostitutions dont les comédies italiennes ont été remplies, même de nos jours, et qu'on voit encore toutes crues dans les pièces de Molière : on réprouvera les discours, où ce rigoureux censeur des grands canons, ce grave réformateur des mines et des expressions de nos précieuses, étale au plus grand jour les avantages d'une infâme tolérance dans les maris, et sollicite les femmes à de honteuses vengeances contre leurs maris jaloux. Il a fait voir à notre siècle le fruit qu'on peut espérer de la morale du théâtre, qui n'attaque que le ridicule du monde, en lui faisant cependant toute sa corruption. La postérité saura peut-être la fin de ce poète comédien qui, en jouant son *Malade imaginaire* ou son *Médecin par force*, reçut la dernière atteinte de la maladie dont il mourut peu d'heures après, et passa des plaisanteries du théâtre, parmi lesquelles il rendit presque le dernier soupir, au tribunal de celui qui dit : *Malheur à vous qui riez, car vous pleurerez…* »

Il n'a manqué à Molière…

Le jugement de La Bruyère, dans ses *Caractères* (1688) est plus positif, mais non sans réticences (les mêmes que celles de Boileau, en somme) :

« Il n'a manqué à Térence que d'être moins froid : quelle pureté, quelle exactitude, quelle politesse, quelle élégance, quels caractères.

Il n'a manqué à Molière que d'éviter le jargon et le barbarisme, et d'écrire purement : quel feu, quelle naïveté; quelle source de la bonne plaisanterie, quelle imitation des mœurs, quelles images, et quel fléau du ridicule!

Mais quel homme on aurait pu faire de ces deux comiques! »

Un écho de tous ces jugements se retrouve dans ce que Fénelon dit de Molière dans une *Lettre sur les Occupations de l'Académie*. Ce texte date de 1714, c'est-à-dire peu avant l'extinction définitive des derniers feux du XVIIᵉ siècle.

On y remarquera cette phrase : « je le trouve grand : mais ne puis-je pas parler en toute liberté sur ses défauts? » Fénelon s'étendra bien plus longuement sur les défauts que sur les qualités, mais il éprouve le besoin de s'en excuser. Les « grands » n'ont pas encore tout à fait admis l'existence de Molière, mais la pression de l'opinion générale est si forte...

« Il faut avouer que Molière est un grand poète comique. Je ne crains pas de dire qu'il a enfoncé plus avant que Térence dans certains caractères; il a embrassé une plus grande variété de sujets; il a peint par des traits forts presque tout ce que nous voyons de déréglé et de ridicule. Térence se borne à représenter des vieillards avares et ombrageux, de jeunes hommes prodigues et étourdis, des courtisanes avides et impudentes, des parasites bas et flatteurs, des esclaves imposteurs et scélérats. Ces caractères méritaient sans doute d'être traités suivant les mœurs des Grecs et des Romains. De plus, nous n'avons que six pièces de ce grand auteur. Mais enfin Molière a ouvert un chemin tout nouveau. Encore une fois, je le trouve grand : mais ne puis-je pas parler en toute liberté sur ses défauts?

En pensant bien, il parle souvent mal; il se sert des phrases les plus forcées et les moins naturelles. Térence dit en quatre mots, avec la plus élégante simplicité, ce que celui-ci ne dit qu'avec une multitude de métaphores qui approchent du galimatias. J'aime bien mieux sa prose que ses vers. Par exemple, *L'Avare* est moins mal écrit que les pièces qui sont en vers. Il est vrai que la versification française l'a gêné; il est vrai même qu'il a mieux réussi pour les vers dans l'*Amphitryon*, où il a pris la liberté de faire des vers irréguliers. Mais, en général, il me paraît, jusque dans sa prose, ne parler point assez simplement pour exprimer toutes les passions.

D'ailleurs, il a outré souvent les caractères : il a voulu, par cette liberté, plaire au parterre, frapper les spectateurs les moins délicats, et rendre le ridicule plus sensible. Mais quoiqu'on doive marquer chaque passion dans son plus fort degré et par ses traits les plus vifs, pour en mieux montrer l'excès et la difformité, on n'a pas besoin de forcer la nature et d'abandonner le vraisemblable. Ainsi, malgré l'exemple de Plaute où nous lisons *Cedo tertiam*, je soutiens, contre Molière, qu'un avare qui n'est point fou ne va jamais jusqu'à vouloir regarder dans la troisième main de l'homme qu'il soupçonne de l'avoir volé.

Un autre défaut de Molière, que beaucoup de gens d'esprit lui pardonnent, et que je n'ai garde de lui pardonner, est qu'il a donné un tour gracieux au vice, avec une austérité ridicule et odieuse à la vertu. Je comprends que ses défenseurs ne manqueront pas de dire qu'il a traité avec honneur la vraie probité, qu'il n'a attaqué qu'une vertu chagrine et qu'une hypocrisie détestable, mais, sans entrer dans cette longue discussion, je soutiens que Platon et les autres législateurs de l'antiquité païenne n'auraient jamais admis dans leur république un tel jeu sur les mœurs.

Enfin, je ne puis m'empêcher de croire, avec M. Despréaux, que Molière, qui peint avec tant de force et de beauté les mœurs de son pays, tombe trop bas quand il imite le badinage de la comédie italienne :

Dans ce sac ridicule où Scapin s'enveloppe,
Je ne reconnais plus l'auteur du Misanthrope. »

Telles étaient les opinions des contemporains, et de cette première postérité, généralement sévère et injuste, que constituent les cadets de la génération.

En 1715 commence, pour Molière, la vraie postérité. L'atmosphère a bien changé : après la grisaille morose et conformiste de la fin du règne de Louis XIV, c'est la légèreté poudrée, l'immoralisme souriant de la Régence, et puis du règne du Bien-aimé, Louis XV. Il n'y aura cependant aucune révision radicale des jugements portés sur Molière. Les critiques reprennent les arguments de leurs prédécesseurs, quitte à les élaborer quelque peu, à assouplir des sévérités désormais excessives, voire à laisser entendre, entre les lignes, qu'il ne faut pas prendre tout cela trop au sérieux, que ce n'est, en fin de compte, que du théâtre...

Molière apparaît désormais comme un génie incontestable, classé. Mais, paradoxalement, il continue à avoir besoin de justifications et de défenses, alors même qu'on le dit « l'homme de la vérité ».

Législateur des bienséances

En 1734, Voltaire avait écrit une *Vie de Molière*, et des notices sur ses œuvres, pour une édition du *Théâtre Complet* (imprimée par Paul Parault pour la Compagnie des Libraires, illustrations gravées par Louis Cars d'après Boucher). Les éditeurs refusèrent le texte de Voltaire, qui parut dans une autre édition du *Théâtre*, en 1773.

Vie et notices sans grand intérêt : Voltaire ne comprend pas Molière et dissimule cette incompréhension, peut-être malveillante, sous la banalité.

Il suffira de citer ici la courte notice qu'on trouve dans *Le Siècle de Louis XIV* (chap. XXXII), paru en 1751. Ici aussi, Molière est législateur des bienséances du monde.

« La singulière destinée de ce siècle rendit Molière contemporain de Corneille et de Racine. Il n'est pas vrai que Molière, quand il parut, eût trouvé le théâtre absolument dénué de bonnes comédies. Corneille lui-même avait donné *Le Menteur*, pièce de caractère et d'intrigue, prise du théâtre espagnol comme *Le Cid*; et Molière n'avait encore fait paraître que deux de ses chefs-d'œuvre lorsque le public avait *La Mère coquette* de Quinault, pièce à la fois de caractère et d'intrigue, et même modèle d'intrigue : elle est de 1664; c'est la première comédie où l'on ait peint ceux que l'on a appelés depuis les *marquis*. La plupart des grands seigneurs de la cour de Louis XIV voulaient imiter cet air de grandeur, d'éclat et de dignité qu'avait leur maître; ceux d'un ordre inférieur copiaient la hauteur des premiers; et il y en avait enfin, et même en grand nombre, qui poussaient cet air avantageux et cette envie dominante de se faire valoir jusqu'au plus grand ridicule.

Ce défaut dura longtemps. Molière l'attaque souvent, et il contribua à défaire le public de ces importants subalternes, ainsi que de l'affectation des *précieuses*, du pédantisme des *femmes savantes*, de la robe et du latin des médecins. Molière fut, si on ose dire, un législateur des bienséances du monde. Je ne parle ici que de ce service rendu à son siècle : on sait assez ses autres mérites. »

Molière, poète philosophe

En 1769 — à peu près un siècle après la mort de Molière — l'Académie Française proposait en concours un *Éloge de Molière*. Le lauréat fut Nicolas-Sébastien Roch, qui allait devenir illustre sous le nom de Chamfort.

Cet *Éloge* mérite d'être largement cité. Toutes les académies, à l'époque, mettaient en concours des éloges analogues. C'était un genre classé, où l'on n'attendait évidemment pas des vues neuves, ni même une présentation originale. Les académiciens accordaient les palmes aux auteurs qui exprimaient, de la manière la plus brillante, l'opinion commune. L'*Éloge de Molière*, par Chamfort alors âgé de vingt-huit ans (et c'était son premier ouvrage) nous restitue, je crois, très fidèlement, le visage de Molière, tel que le voit généralement le XVIIIe siècle.

« Le prodigieux succès des *Précieuses*, en apprenant à Molière le secret de ses forces, lui montra l'usage qu'il en devait faire. Il conçut qu'il aurait plus d'avantage à combattre le ridicule qu'à s'attaquer au vice. C'est que le ridicule est une forme extérieure qu'il est possible d'anéantir ; mais le vice, plus inhérent à l'âme, est un Protée, qui, après avoir pris plusieurs formes, finit toujours par être le vice. Le théâtre devint donc en général une école de bienséance plutôt que de vertu, et Molière borna quelque temps son empire pour y être plus puissant. Mais combien de reproches ne s'est-il pas attiré, en se proposant ce but si utile, le seul convenable à un poète comique, qui n'a pas, comme de froids moralistes, le droit d'ennuyer les hommes, et qui ne prend sa mission que dans l'art de plaire ? Il n'immola point tout à la vertu, donc il immola la vertu même ; telle fut la logique de la prévention ou de la mauvaise foi. On se prévalut de quelques détails nécessaires à la constitution de ses pièces, pour l'accuser d'avoir négligé les mœurs : comme si des personnages de comédie devaient être des modèles de perfection, comme si l'austérité, qui ne doit pas même être le fondement de la morale, devait devenir la base du théâtre. Eh ! que résulte-t-il de ses pièces les plus libres, de l'*École des maris* et de l'*École des femmes* ? Que le sexe n'est point fait pour une gêne excessive ; que la défiance l'irrite contre des tuteurs et des maris jaloux. Cette morale est-elle nuisible ? N'est-elle pas fondée sur la nature et sur la raison ? Pourquoi prêter à Molière l'odieux dessein de ridiculiser la vieillesse ? Est-ce sa faute, si un jeune homme amoureux est plus intéressant qu'un vieillard, si l'avarice est le défaut d'un âge avancé, plutôt que de la jeunesse ? Peut-il changer la nature et renverser les vrais rapports des choses ? Il est l'homme de la vérité. S'il a peint des mœurs vicieuses, c'est qu'elles existent ; et quand l'esprit général de sa pièce emporte leur condamnation, il a rempli sa tâche, il est un vrai philosophe et un homme vertueux.

(...)

C'est ce désir d'être utile qui décèle un poète philosophe.

Molière, après le *Misanthrope*, d'abord mal apprécié, mais bientôt mis à sa place, fut sans contredit le premier écrivain de la nation. Lui seul réveillait sans cesse cette admiration publique. Corneille n'était plus *le Corneille et du Cid et d'Horace*. Les apparitions du lutin qui, selon l'expression de Molière même, lui dictait ses beaux vers, devenaient tous les jours moins fréquentes. Racine encouragé par les conseils, et même par les bienfaits de Molière, qui par là donnait un grand homme à la France, n'avait encore produit qu'un seul chef-d'œuvre. Ce fut dans ce moment qu'on attaqua l'auteur du *Misanthrope*.

(...)

Au milieu de ces vaines intrigues, Molière, s'élevant au comble de son art, et au-dessus de lui-même, songeait à immoler les vices sur la scène, et commença par le plus odieux. Il avait déjà signalé sa haine pour l'hypocrisie, et la chaire n'a rien de supérieur à la peinture des faux dévots dans le *Festin de Pierre*. Enfin il rassembla toutes ses forces, et donna le *Tartuffe*. C'est là qu'il montre l'hypocrisie dans toute son horreur, la fausseté, la perfidie, la bassesse, l'ingratitude qui l'accompagnent, l'imbécilité, la crédulité ridicule de ceux qu'un Tartuffe a séduits, leur penchant à voir partout de l'impiété et du libertinage, leur insensibilité cruelle, enfin l'oubli des nœuds les plus sacrés. Ici le sublime est sans cesse à côté du plaisant. Femmes, enfants, domestiques, tout devient éloquent contre le monstre, et l'indignation qu'il excite n'étouffe jamais le comique. Quelle circonspection! quelle justesse dans la manière dont l'auteur sépare l'hypocrisie de la vraie piété. C'est à cet usage qu'il a destiné le rôle du frère. C'est le personnage honnête de presque toutes ses pièces, et la réunion de ces rôles de frères formerait peut-être un cours de morale à l'usage de la société. Cet art qui manque souvent aux Satires de Boileau, de tracer une ligne nette et précise entre le vice et la vertu, la raison et le ridicule, est le grand mérite de Molière.

(...)

Molière se délassait de tous ces chef-d'œuvres par des ouvrages d'un ordre inférieur, mais qui, toujours marqués au coin du génie, suffiraient pour la gloire d'un autre. Ce genre de comique où l'on admet des intrigues de valets, des personnages d'un ridicule outré, lui donnait des ressources dont l'auteur du *Misanthrope* avait dû se priver. Ramené dans la sphère où les Anciens avaient été resserrés, il les vainquit sur leur propre terrain. Quel feu! quel esprit! quelle verve! Celui qui appelait Térence un demi-Ménandre, aurait sans doute appelé Ménandre un demi-Molière. Quel parti ne tire-t-il pas de ce genre pour peindre la nature avec plus d'énergie! Cette mesure précise qui réunit la vérité de la peinture et l'exagération théâtrale, Molière la passe alors volontairement, et la sacrifie à la force de ses tableaux. Mais quelle heureuse licence! Avec quelle candeur comique un personnage grossier, dévoilant des idées ou des sentiments que les autres hommes dissimulent, ne trahit-il pas d'un seul mot la foule de ses complices! Naïveté d'un effet toujours sûr au théâtre, mais que le poète ne rencontre que dans les états subalternes, et jamais dans la bonne compagnie, où chacun laisse deviner tous ses ridicules avant que de convenir d'un seul. »

Chamfort conclut sa longue étude par un appel, qu'on retrouve souvent, au terme de travaux sur Molière:

« La nation demande un poète comique; qu'il paraisse, le trône est vacant. »

Une école de mauvaises mœurs

Chamfort répond à des détracteurs : non tant à Bayet, Bossuet ou Fénelon qu'à Jean-Jacques Rousseau.

En 1758, d'Alembert avait publié, dans le huitième volume de l'Encyclopédie, un article sur *Genève*, où il soutenait un projet d'établissement d'un théâtre de comédie dans cette ville. Rousseau prit feu et publia un pamphlet : *J.-J. Rousseau, citoyen de Genève, à M. d'Alembert, sur son article Genève et particulièrement sur le projet d'établir un théâtre de comédie en cette ville.*

La lettre entière — 150 pages — pourrait être versée à ce dossier. C'est une condamnation sans appel du théâtre, tant tragique que comique. Rousseau a une conscience assez nette de la nature véritable du théâtre : force de contestation, exutoire relativement ordonné d'un anarchisme partout ailleurs contenu par les mœurs. L'opinion commune, dont Chamfort était la voix, pense qu'on peut intégrer cette force de contestation à la civilisation, et la faire servir à la consolidation des valeurs. Rousseau n'y veut voir qu'un ferment de désordre, un moyen de démoralisation. Molière lui apparaît comme l'une des incarnations le plus dangereuse, le plus redoutable, de ce mauvais esprit. Aussi l'attaquera-t-il avec une violence qui égale, au moins, celle des plus dévots du clan dévot d'autrefois.

J'isole deux extraits de cette fameuse *Lettre*, la faisant suivre de la réponse de d'Alembert — qui possédait les vertus de calme et de concision manquant si regrettablement à Rousseau, mais ne manifeste qu'une admiration assez tiède pour Molière, qu'il défend peut-être pour rester logique avec lui-même plus que par conviction.

« On convient, et on le sentira chaque jour davantage, que Molière est le plus parfait auteur comique dont les ouvrages nous soient connus; mais qui peut disconvenir aussi que le théâtre de ce même Molière, des talents duquel je suis plus l'admirateur que personne, ne soit une école de vices et de mauvaises mœurs, plus dangereux que les livres mêmes où l'on fait profession de les enseigner? Son plus grand soin est de tourner la bonté et la simplicité en ridicule et de mettre la ruse et le mensonge du parti pour lequel on prend intérêt; ses honnêtes gens ne sont que des gens qui parlent, ses vicieux sont des gens qui agissent et que les plus brillants succès favorisent le plus souvent; enfin l'honneur des applaudissements, rarement pour le plus estimable, est presque toujours pour le plus adroit.

Examinez le comique de cet auteur : partout vous trouverez que les vices de caractère en sont l'instrument et les défauts naturels le sujet; que la malice de l'un punit la simplicité de l'autre et que les sots sont les victimes des méchants : ce qui, pour n'être que trop vrai dans le monde, n'en vaut pas mieux à mettre au théâtre avec un air d'approbation, comme pour exciter les âmes perfides à punir sous le nom de sottise la candeur des honnêtes gens. (…)

Voyez comment, pour multiplier ses plaisanteries, cet homme trouble tout l'ordre de la société; avec quel scandale il renverse tous les rapports les plus sacrés sur lesquels elle est fondée; comment il tourne en dérision les respectables droits des pères sur leurs enfants, des maris sur leurs femmes, des maîtres sur leurs serviteurs! Il fait rire, il est vrai, et n'en devient que plus coupable, en forçant par un charme invincible les sages mêmes de se prêter à des railleries qui devraient attirer leur indignation. J'entends dire qu'il attaque les vices; mais je voudrais bien que l'on comparât ceux qu'il attaque avec ceux qu'il favorise. Quel est le plus blâmable d'un bourgeois sans esprit et vain qui fait sottement le gentilhomme, ou du gentilhomme fripon qui le dupe? Dans la pièce dont je parle, ce dernier n'est-il pas l'honnête homme? N'a-t-il pas pour lui l'intérêt? et le public n'applaudit-il pas à tous les tours qu'il fait à l'autre? Quel est le plus criminel d'un paysan assez fou pour épouser une demoiselle, ou d'une femme qui cherche à déshonorer son époux? Que penser d'une pièce où le parterre applaudit à l'infidélité, au mensonge, à l'impudence de celle-ci, et rit de la bêtise du manant puni? C'est un grand vice d'être avare et de prêter à usure; mais n'en est-ce pas un plus grand encore à un fils de voler son père, de lui manquer de respect, de lui faire mille insultants reproches, et, quand ce père irrité lui donne sa malédiction, de répondre d'un air goguenard qu'il n'a que faire de ses dons? Si la plaisanterie est excellente, en est-elle moins punissable? et la pièce où l'on fait aimer le fils insolent qui l'a faite en est-elle moins une école de mauvaises mœurs? »

Des vérités utiles

A cette attaque bien pensée, encore qu'un rien excessive, d'Alembert répond :

« Je viens, Monsieur, à vos objections sur la comédie. Vous n'y voyez qu'un exemple continuel de libertinage, de perfidie et de mauvaises mœurs; des femmes qui trompent leurs maris, des enfants qui volent leurs pères, d'honnêtes bourgeois dupés par des fripons de cour. Mais je vous prie de considérer un moment dans quel point de vue ces vices nous sont représentés sur le théâtre. Est-ce pour les mettre en honneur? Nullement;

il n'est point de spectateur qui s'y méprenne; c'est pour nous ouvrir les yeux sur les sources de ces vices; pour nous faire voir dans nos propres défauts, dans des défauts qui en eux-mêmes ne blessent point l'honnêteté, une des causes les plus communes des actions criminelles que nous reprochons aux autres. Qu'apprenons-nous dans *Georges Dandin?* que le dérèglement des femmes est la suite ordinaire des mariages mal assortis où la vanité a présidé; dans le *Bourgeois gentilhomme?* qu'un bourgeois qui veut sortir de son état et avoir un grand seigneur pour ami n'aura pour ami qu'un honnête voleur; dans les scènes d'*Harpagon* et de son fils? que l'avarice des pères produit la mauvaise conduite des enfants; enfin, dans toutes, cette vérité si utile, que *les ridicules de la société sont une source de désordres*. Et quelle manière plus efficace d'attaquer nos ridicules, que de nous montrer qu'ils rendent les autres méchants à nos dépens? »

Rousseau corrige Molière

Rousseau cependant poursuit :

« Ce caractère si vertueux *(Le Misanthrope)* est présenté comme ridicule. Il l'est, en effet, à certains égards, et ce qui démontre que l'intention du poète est bien de le rendre tel, c'est celui de l'ami Philinte, qu'il met en opposition avec le sien. Ce Philinte est le sage de la pièce; un de ces honnêtes gens du grand monde, dont les maximes ressemblent beaucoup à celles des fripons; de ces gens si doux, si modérés, qui trouvent toujours que tout va bien, parce qu'ils ont intérêt que rien n'aille mieux; qui sont toujours contents de tout le monde, parce qu'ils ne se soucient de personne; qui, autour d'une bonne table, soutiennent qu'il n'est pas vrai que le peuple ait faim; qui, le gousset bien garni, trouvent fort mauvais qu'on déclame en faveur des pauvres; qui, de leur maison bien fermée, verraient voler, piller, égorger, massacrer tout le genre humain sans se plaindre, attendu que Dieu les a doués d'une douceur très méritoire à supporter les malheurs d'autrui.

On voit bien que le flegme raisonneur de celui-ci est très propre à redoubler et faire sortir d'une manière comique les emportements de l'autre : et le tort de Molière n'est pas d'avoir fait du Misanthrope un homme colère et bilieux, mais de lui avoir donné des fureurs puériles sur des sujets qui ne devaient pas l'émouvoir. Le caractère du misanthrope n'est pas à la disposition du poète; il est déterminé par la nature de sa passion dominante. Cette passion est une violente haine du vice, née d'un amour ardent pour la vertu, et aigrie par le spectacle continuel de la méchanceté des hommes. Il n'y a donc qu'une âme grande et noble qui en soit susceptible.
(...)

Au risque de faire rire aussi le lecteur à mes dépens, j'ose accuser cet auteur d'avoir manqué de très grandes convenances, une très grande vérité, et peut-être de nouvelles beautés de situation; c'était de faire un tel changement à son plan que Philinte entrât comme acteur nécessaire dans le nœud de sa pièce, en sorte qu'on pût mettre les actions de Philinte et d'Alceste dans une apparente opposition avec leurs principes, et dans une conformité parfaite avec leurs caractères. Je veux dire qu'il fallait que le misanthrope fût toujours furieux contre les vices publics, et toujours tranquille sur les méchancetés personnelles dont il était la victime. Au contraire, le philosophe Philinte devait voir tous les désordres de la société avec un flegme stoïque, et se mettre en fureur au moindre mal qui s'adressait directement à lui.

(...)

Il me semble qu'en traitant les caractères en question sur cette idée, chacun des deux eût été plus vrai, plus théâtral, et que celui d'Alceste eût fait incomparablement plus d'effet : mais le parterre alors n'aurait pu rire qu'aux dépens de l'homme du monde; et l'intention de l'auteur était qu'on rît aux dépens du misanthrope. »

D'Alembert répond à Rousseau

Ici encore, d'Alembert soupire, tout en écrivant : « Ces idéalistes prennent tout beaucoup trop au sérieux ! » Et il répond :

« Je viens au *Misanthrope*. Molière, selon vous, a eu dessein, dans cette comédie, de rendre la vertu ridicule. Il me semble que le sujet et les détails de la pièce, que le sentiment même qu'elle produit en nous prouvent le contraire. Molière a voulu nous apprendre que l'esprit et la vertu ne suffisent pas pour la société, si nous ne savons pas compatir aux faiblesses de nos semblables et supporter leurs vices mêmes; que les hommes sont encore plus bornés que méchants, et qu'il faut les mépriser sans le leur dire. Quoique le misanthrope divertisse les spectateurs, il n'est pas pour cela ridicule à leurs yeux; il n'est personne au contraire qui ne l'estime, qui ne soit porté même à l'aimer et à le plaindre. On rit de sa mauvaise humeur, comme de celle d'un enfant bien né et de beaucoup d'esprit. La seule chose que j'oserais blâmer dans le rôle du Misanthrope, c'est qu'Alceste n'a pas toujours tort d'être en colère contre l'ami raisonnable et philosophe que Molière a voulu lui opposer comme un modèle de la conduite qu'on doit tenir avec les hommes. Philinte m'a toujours paru, non pas absolument, comme vous le prétendez, un caractère odieux, mais un caractère mal décidé, plein de sagesse dans ses maximes et de fausseté dans sa conduite. Rien de plus sensé que ce qu'il dit au Misanthrope dans la première scène, sur la nécessité de s'accommoder aux travers des hommes; rien de plus faible que sa réponse aux reproches dont le Misanthrope l'accable sur l'accueil affecté qu'il vient de faire à un homme dont il ne sait pas le nom. Il ne disconvient pas de l'exagération qu'il a mise dans cet accueil et donne par là beaucoup d'avantage au Misanthrope. Il devait répondre, au contraire, que ce qu'Alceste avait pris pour un accueil exagéré n'était qu'un compliment ordinaire et froid, une de ces formules de politesse dont les hommes sont convenus de se payer réciproquement lorsqu'ils n'ont rien à se dire. »

Indécence ou conformisme?

Au tout début du XIXe siècle, deux condamnations, prononcées par des « grands » viennent encore s'ajouter à celles de Bossuet, Fénelon, Rousseau et autres. Pour immoralité, toujours. Mais avec des considérants assez contrastés.

Voyons d'abord ce que Napoléon pense de *Tartuffe*, comme le rapporte le *Mémorial de Sainte-Hélène :*

« Après dîner il nous a lu *Le Tartuffe*, mais il n'a pu l'achever. Il se sentait trop fatigué; il a posé le livre, et après le juste tribut d'éloges donnés à Molière, il a terminé d'une manière à laquelle nous ne nous attendions pas. Certainement, a-t-il dit, l'ensemble du *Tartuffe* est de main de maître. C'est un des chefs-d'œuvre d'un homme inimitable. Toutefois, cette pièce porte un tel caractère, que je ne suis nullement étonné que son apparition ait été l'objet de fortes négociations à Versailles et de beaucoup d'hésitations de la part de Louis XIV. Si j'ai le droit de m'étonner de quelque chose, c'est qu'il l'ait laissé jouer. Elle présente, à mon avis, la dévotion sous des couleurs odieuses, une certaine scène offre une situation si décisive, si complètement indécente, que, pour mon propre compte, je n'hésite pas à dire que si la pièce eût été faite de mon temps, je n'aurais pas permis la représentation. »

Si Napoléon Bonaparte condamne Molière pour avoir été trop Molière, Stendhal — dans *Racine et Shakespeare* — ne lui pardonne pas de ne l'avoir pas été assez!

« *Molière est immoral*. A ce mot, je vois les pédants me sourire. Non, messieurs, Molière n'est pas immoral, parce qu'il prononce le mot de *mari trompé* ou de *lavement;* on disait ces mots-là de son temps, comme du temps de Shakespeare l'on croyait aux sorcières. (...) Encore moins Molière est-il immoral, parce que le fils d'Harpagon manque de respect à son père, et lui dit :

Je n'ai que faire de vos dons.

Un tel père méritait un tel mot, et la crainte de ce mot est la seule chose qui puisse arrêter un vieillard dans son amour immodéré de l'or.

L'immoralité de Molière vient de plus haut. Du temps de madame d'Épinay et de madame de Campan, il y avait la manière approuvée et de bon goût de mourir, de se marier, de faire banqueroute, de tuer un rival, etc. Les lettres de madame du Deffand en font foi. Il n'y avait pas d'action de la vie, sérieuse ou futile, qui ne fût comme emprisonnée d'avance dans l'imitation d'un modèle, et quiconque s'écartait du modèle excitait le *rire*, comme se dégradant, comme donnant une marque de sottise. On appelait cela « être de mauvais goût » (...) C'est justement cette horreur de n'être pas comme tout le monde qu'inspire Molière, et voilà pourquoi il est *immoral*. (...)

Sous un roi, la mode n'admet qu'un modèle, et, si l'on me permet de traiter la mode comme un habit, qu'un *patron;* sous un gouvernement comme celui de Washington, dans cent ans d'ici, lorsque l'oisiveté, la vanité et le luxe auront remplacé la tristesse presbytérienne, la mode admettra cinq ou six *patrons* convenus, au lieu d'un seul. En d'autres termes, elle tolérera beaucoup plus d'originalité parmi les hommes, et cela dans la tragédie comme dans le choix du boguey, dans le poème épique comme dans l'art de nouer la cravate, car tout se tient dans les têtes humaines. Le même penchant à la pédanterie, qui nous fait priser, avant tout, en peinture, le dessin, qui n'est presque qu'une science exacte, nous fait tenir à l'alexandrin et aux règles précises dans le genre dramatique, ou à la symphonie instrumentale durement raclée et sans âme dans la musique.

Molière inspire l'horreur de n'être pas comme tout le monde. Voyez, dans l'*École des maris*, Ariste, le frère raisonneur, parler de la mode des vêtements à Sganarelle, le frère original. Voyez Philinte prêchant le misanthrope Alceste sur l'art de vivre heureux. Le principe est toujours le même : *être comme tout le monde*.

Cette tendance de Molière fut probablement le motif politique qui lui valut la faveur du grand roi. Louis XIV n'oublia jamais que, jeune encore, la Fronde l'avait forcé à sortir de Paris. C'est depuis César que les gens du pouvoir haïssent les originaux qui, tels que Cassius, fuient les plaisirs vulgaires et s'en font à leur guise. Le despote se dit : Ces gens-là pourraient bien avoir du courage; d'ailleurs, ils attirent les regards et pourraient bien, en un besoin, être chefs de parti. Toute notabilité qu'il ne consacre pas est odieuse au pouvoir.

(...)

Éteindre le *courage civil* fut évidemment la grande affaire de Richelieu et de Louis XIV. »

Un homme pur

Goethe, lui, admire sans réserve. Il le traduit en allemand et le défend contre la critique formaliste. Il est l'un des premiers à faire gloire à Molière — au lieu de le lui reprocher comme une faute technique et esthétique —, de n'être pas un comique pur, de traiter en comédie des sujets en fait tragiques.

Voici quelques réflexions recueillies par Eckermann en 1825 et 1826.

« Molière est si grand que l'on éprouve un nouvel étonnement chaque fois qu'on le lit. C'est un homme tout à fait à part. Ses comédies confinent à la tragédie. Elles émeuvent, et nul n'a le courage de faire comme lui. Son *Avare*, où le vice détruit toute pitié entre père et fils, est particulièrement grand et tragique au plus haut sens du mot. (...)

Je relis tous les ans quelques pièces de Molière, de même que de temps en temps je regarde quelques gravures d'après les grands maîtres italiens. Nous autres, petits comme nous le sommes, nous ne pouvons guère conserver longtemps en nous-mêmes l'impression de si grandes choses et, par conséquent, nous devons y revenir de temps en temps pour la rafraîchir. (...)

Je me réconforte en lisant Molière. J'ai traduit l'*Avare* et m'occupe en ce moment de son *Médecin malgré lui*. Quel grand homme que Molière, qu'il est pur! Oui, un homme pur, voilà le mot qui lui convient. Il n'y a en lui rien de faussé, rien de déformé, et quelle grandeur est la sienne! Il a dominé les mœurs de son temps et châtié les hommes en les dessinant tels qu'ils sont. »

L'esthéticien Schlegel, qui dénigrait Molière comme tous les critiques allemands de l'époque, avait dit : « Je médite une terrible vengeance contre les Français : je leur prouverai que Molière n'est pas un poète. »

Goethe lui répond :

« Pour un être comme Schlegel, une nature solide comme Molière est une vraie épine dans l'œil; il sent qu'il n'a pas une seule goutte de son sang, et il ne peut le souffrir. Il a de l'antipathie contre le *Misanthrope* que, moi, je relis sans cesse comme une des pièces du monde qui me sont les plus chères; il donne au *Tartuffe*, malgré lui, un petit bout d'éloge, mais il le rabat tout de suite autant qu'il est possible. (...) Il est probable, comme un de ses amis l'a remarqué, qu'il sent que, s'il avait vécu de son temps, il aurait été de ceux que Molière vouait à la moquerie. (...) Sa critique est essentiellement étroite; dans presque toutes les pièces il ne voit que le squelette de la fable et sa disposition; toujours il se borne à indiquer les petites ressemblances avec les grands maîtres du passé; quant à la vie et à l'attrait que le poète a répandus dans son œuvre, quant à la hauteur et à la maturité d'esprit qu'il a montrées, tout cela ne l'occupe absolument en rien. »

Sa seule passion : la vérité

C'est aussi une réponse à des critiques, à des détracteurs, que fait Musset dans la fameuse *Soirée perdue* (juillet 1840) reprise dans les *Poésies Nouvelles*. Le poème est à rapprocher de la fin de l'étude de Chamfort : Musset aussi constate que le trône est vacant.

J'étais seul, l'autre soir, au Théâtre-Français,
Ou presque seul; l'auteur n'avait pas grand succès.
Ce n'était que Molière, et nous savons de reste,
Que ce grand maladroit, qui fit un jour Alceste,
Ignora le bel art de chatouiller l'esprit
Et de servir à point un dénoûment bien cuit.
(...)
J'écoutais cependant cette simple harmonie,
Et comme le bons sens fait parler le génie,
J'admirais quel amour pour l'âpre vérité
Eut cet homme si fier en sa naïveté,
Quel grand et vrai savoir des choses de ce monde,
Quelle mâle gaîté, si triste et si profonde
Que, lorsqu'on vient d'en rire, on devrait en pleurer!
Et je me demandais : « Est-ce assez d'admirer?
Est-ce assez de venir, un soir, par aventure,
D'entendre au fond de l'âme un cri de la nature,
D'essuyer une larme, et de partir ainsi,
Quoi qu'on fasse d'ailleurs, sans en prendre souci? »
(...)
Puis je songeais encore (ainsi va la pensée)
Que l'antique franchise, à ce point délaissée,
Avec notre finesse et notre esprit moqueur,
Ferait croire, après tout, que nous manquons de cœur;
Que c'était une triste et honteuse misère
Que cette solitude à l'entour de Molière,
Et qu'il est *pourtant temps*, comme dit la chanson,
De sortir de ce siècle ou d'en avoir raison;
Car à quoi comparer cette scène embourbée,
Et l'effroyable honte où la muse est tombée?
La lâcheté nous bride, et les sots vont disant
Que, sous ce vieux soleil, tout est fait à présent;
Comme si les travers de la famille humaine
Ne rajeunissaient pas chaque an, chaque semaine.
Notre siècle a ses mœurs, partant, sa vérité;
Celui qui l'ose dire est toujours écouté.
(...)
O notre maître à tous! si ta tombe est fermée,
Laisse-moi, dans ta cendre un instant ranimée,
Trouver une étincelle, et je vais t'imiter!
J'en aurai fait assez si je puis le tenter.

Apprends-moi de quel ton, dans ta bouche hardie,
Parlait la vérité, ta seule passion,
Et, pour me faire entendre, à défaut du génie,
J'en aurai le courage et l'indignation.

En ce même mois de juillet 1840, et peut-être en écho au même spectacle, qui sait? un critique dramatique nommé Geoffroy écrivait, dans son feuilleton du *Journal des Débats* :

« Molière paraît trop naturel dans un siècle aussi raffiné que le nôtre; quelques femmes délicates trouvent même ce père de la comédie un peu bête. »

Molière universel

Le xviie siècle prenait presque toujours ses points de comparaison dans l'antiquité : on rapprochait Molière de Plaute et de Térence. Au xixe siècle, l'horizon littéraire s'élargit considérablement. A un monde français, qui reçoit sans doute des influences étrangères mais les intègre et reste replié sur lui-même, se substitue un monde européen, avec un panthéon de génies universels. C'est à Shakespeare désormais, qu'on comparera Molière.

Une anecdote comme celle que raconte Paul Stapfer dans son *Molière et Shakespeare* (1887) ajoute un élément neuf au portrait mouvant que les siècles tracent de Molière.

« En l'année 1800, un célèbre acteur anglais, Kremble, vint à Paris. Ses confrères de la Comédie-Française lui offrirent un banquet. A table on causa d'abord des poètes tragiques des deux nations; la supériorité de Shakespeare sur Racine et sur Corneille était vivement soutenue par l'Anglais contre ses hôtes, qui, par politesse ou par conviction, commençaient à céder le terrain, quand tout à coup le comédien Michot s'écria : « D'accord, d'accord, Monsieur; mais que diriez-vous de Molière? » Kremble répondit tranquillement : « Molière? c'est une autre question. Molière n'est pas un Français. — Bah! un Anglais peut-être? — Non, Molière est un homme. Le bon Dieu voulut un jour faire goûter au genre humain dans toute leur perfection, dans toute leur plénitude, les joies dont la comédie peut être la source. Il fit alors Molière et lui dit : « Va, dépeins les hommes tes frères et amuse-les; rends-les meilleurs si tu peux. » Puis il le lança sur la terre. Sur quel point du globe allait-il tomber? au nord ou au midi? de ce côté-ci ou de l'autre côté de la Manche? Le hasard a fait qu'il est tombé chez vous, mais il nous appartient autant qu'à vous-mêmes. N'a-t-il peint que vos mœurs? n'amuse-t-il que vous? Non, il a peint tous les hommes, et nous jouissons tous également de ses œuvres et de son génie. Devant lui s'évanouissent les petites différences de temps et de lieux; aucun peuple, aucun siècle ne peut le revendiquer comme sien : il est à tous les âges et à toutes les nations. »

Molière et Shakespeare

Dans *William Shakespeare* (écrit en exil, publié en 1864) Victor Hugo établit son panthéon de l'esprit humain. Il admet quatorze génies. Shakespeare s'y trouve, mais pas Molière. Pourtant, Hugo aimait et respectait Molière. La page que voici, tirée du dossier de reliquats du *William Shakespeare* publié sous le titre *Post-scriptum de ma vie*, explique pourquoi. Elle précise aussi les perspectives nouvelles où l'on situe Molière.

«L'observation donne Sedaine. L'observation, plus l'imagination, donne Molière. L'observation, plus l'imagination, plus l'intuition, donne Shakespeare. Pour monter sur la plateforme d'Elseneur et pour voir le fantôme, il faut l'intuition.

Ces trois facultés s'augmentent en se combinant. L'observation de Molière est plus profonde que l'observation de Sedaine, parce que Molière a, de plus que Sedaine, l'imagination. L'observation et l'imagination de Shakespeare creusent plus avant et montent plus haut que l'observation et l'imagination de Molière, parce que Shakespeare a, de plus que Molière, l'intuition.

Comparez Shakespeare et Molière par leurs créations analogues, comparez Shylock à Harpagon et Richard III à Tartuffe, Timon d'Athènes même à Alceste, et voyez quelle philosophie plus sagace et plus vivante! C'est que Shakespeare vit la vie tout entière. Il est au zénith. Rien n'échappe à cet œil culminant. Il est en haut par la prunelle et en bas par le regard. Il est tragédie en même temps que comédie. Ses larmes foudroient. Son rire saigne.

Essayez une autre confrontation plus saisissante encore. Mettez la statue du commandeur en présence du spectre de Hamlet. Molière ne croit pas à sa statue, Shakespeare croit à son spectre. Shakespeare a l'intuition qui manque à Molière. La statue du commandeur, ce chef-d'œuvre de la terreur espagnole, est une création bien autrement neuve et sinistre que le fantôme d'Elseneur; elle s'évanouit dans Molière. Derrière l'effrayant soupeur de marbre, on voit le sourire de Poquelin; le poète, ironique à son prodige, le vide et le détruit; c'était un spectre, c'est un mannequin. Une des plus formidables inventions tragiques qui soient au théâtre avorte, et il y a à cette table du Festin de Pierre si peu d'horreur et si peu d'enfer qu'on prendrait volontiers un tabouret entre Don Juan et la statue. Shakespeare, avec moins, fait beaucoup plus. Pourquoi? parce qu'il ne ment pas; parce qu'il est tout le premier saisi par sa création. Il est son propre prisonnier. Il frissonne de son fantôme et il vous en fait frissonner. Elle existe, elle est vraie, elle est incontestable, cette figure noire qui est là debout avec son bâton de commandement. Ce spectre est de chair et d'os; chair de nuit et os de sépulcre. Toute la nature est convaincue, est terrible autour de lui. La lune, face pâle à demi cachée sous l'horizon, ose à peine le regarder.

Mettez au contraire Shakespeare à côté d'Eschyle, l'approche est redoutable, même pour Shakespeare. C'est lion contre lion. Vous confrontez deux égaux. Oreste n'a pas moins de vie funèbre que Hamlet. Et si Shakespeare essaye de terrifier Eschyle avec les sorcières, Eschyle lui montre du doigt les Euménides. »

Sainte-Beuve place Molière plus haut encore. Dans les *Portraits littéraires*, il dit :

« Molière est, avec Shakespeare, l'exemple le plus complet de la faculté dramatique et, à proprement parler, créatrice... Corneille, Crébillon, Schiller, Ducis, le vieux Marlowe, sont sujets à des émotions directes et soudaines dans les accès de leur veine dramatique. Souvent sublimes et superbes, ils obéissent à je ne sais quel cri de l'instinct et à une noble chaleur du sang, comme les animaux généreux, lions ou taureaux; ils ne savent pas bien ce qu'ils font. Molière, comme Shakespeare, le sait; comme ce grand devancier, il se meut, on peut le dire, dans une sphère plus librement étendue, et par cela supérieure, se gouvernant lui-même, dominant son feu, ardent à l'œuvre, mais lucide dans son ardeur. Et sa lucidité néanmoins, sa froideur habituelle de caractère au sein de l'œuvre si mouvante, n'aspirait en rien à l'impartialité calculée et glacée, comme on l'a vu de Goethe, le Talleyrand de l'art : ces raffinements critiques au sein de la poésie n'étaient pas alors inventés. Molière et Shakespeare sont de la race primitive. »

Aimer Molière

Un deuxième texte de Sainte-Beuve, tiré des *Nouveaux Lundis* est une assez étonnante déclaration d'amour — étonnante sous la plume d'un Sainte-Beuve —, où les moliéristes d'aujourd'hui, comme ceux d'hier, retrouvent leurs propres sentiments. La page, de plus, aligne très objectivement des raisons critiques d'aimer.

« Aimer Molière, en effet, j'entends l'aimer sincèrement et de tout son cœur, c'est, savez-vous? avoir une garantie en soi contre bien des défauts, bien des travers et des vices d'esprit. C'est ne pas aimer d'abord tout ce qui est incompatible avec Molière, tout ce qui lui était contraire en son temps, ce qui lui eût été insupportable du nôtre.

Aimer Molière, c'est être guéri à jamais, je ne parle pas de la basse et infâme hypocrisie, mais du fanatisme, de l'intolérance et de la dureté en ce genre, de ce qui fait anathémiser et maudire; c'est apporter un correctif à l'admiration même pour Bossuet et pour tous ceux qui, à son image, triomphent, ne fût-ce qu'en paroles, de leur ennemi mort ou mourant; qui usurpent je ne sais quel langage sacré et se supposent involontairement, le tonnerre en main, au lieu et place du Très-Haut. Gens éloquents et sublimes, vous l'êtes beaucoup trop pour moi!

Aimer Molière, c'est être également à l'abri et à mille lieues de cet autre fanatisme politique, froid, sec et cruel, qui ne rit pas, qui sent son sectaire, qui, sous prétexte de puritanisme, trouve moyen de pétrir et de combiner tous les fiels, et d'unir dans une doctrine amère les haines, les rancunes et les jacobinismes de tous les temps. C'est ne pas être moins éloigné, d'autre part, de ces âmes fades et molles qui, en présence du mal, ne savent ni s'indigner, ni haïr.

Aimer Molière, c'est être assuré de ne pas aller donner dans l'admiration béate et sans limite pour une Humanité qui s'idolâtre et qui oublie de quelle étoffe elle est faite et qu'elle n'est toujours, quoi qu'elle fasse, que l'humaine et chétive nature. Ce n'est pas la mépriser trop pourtant, cette commune humanité dont on rit, dont on est, et dans laquelle on se replonge chaque fois avec lui par une hilarité bienfaisante.

Aimer et chérir Molière, c'est être antipathique à toute *manière* dans le langage et dans l'expression; c'est ne pas s'amuser et s'attarder aux grâces mignardes, aux finesses cherchées, aux coups de pinceau léchés, au marivaudage en aucun genre, au style miroitant et artificiel.

Aimer Molière, c'est n'être disposé à aimer ni le faux bel esprit ni la science pédante; c'est savoir reconnaître à première vue nos Trissotins et nos Vadius jusque sous leurs airs galants et rajeunis; c'est ne pas se laisser prendre aujourd'hui plus qu'autrefois à l'éternelle *Philaminte*, cette précieuse de tous les temps, dont la forme seulement change et dont le plumage se renouvelle sans cesse; c'est aimer la santé et le droit sens de l'esprit chez les autres comme pour soi. — Je ne fais que donner la note et le motif; on peut continuer et varier sur ce ton.

Molière, homme de théâtre

Tous les critiques cités jusqu'à présent avaient lu Molière. Pour eux, Molière était un écrivain. Un écrivain de théâtre, soit, dont on jouait *aussi* les pièces. Mais ces pièces, on les connaissait, on voulait les connaître, par la lecture.

Et l'admiration, la considération n'empêchaient nullement les réticences du public devant les textes joués sur une scène, comme celles qu'évoquaient Musset et Geoffroy.

1873 apparaît dès lors comme une date importante dans la vie posthume de Molière. A l'occasion du deuxième centenaire de sa mort, on organisa de grandes représentations de la plupart de ses œuvres. Il y eut des conférences, des publications (les *Œuvres complètes*, entre autres, préparées par Despois et Ménard pour la collection *Grands Écrivains de France*, en treize volumes et un album ; publication achevée en 1900). Dans les années suivantes, l'intérêt pour Molière grandit constamment, devenant, dans certains milieux, presque une religion. Une revue parut, de 1879 à 1889, dont le titre est un programme : *Le Moliériste*.

C'est à ce moment aussi que s'amorce un mouvement de pensée qui tend à sortir Molière du texte imprimé, qui cherche Molière dans le texte joué. Dans l'ordre de la critique, ce mouvement aboutira (provisoirement s'entend) aux grands travaux de René Bray ; et dans l'ordre du spectacle à la résurrection d'un Molière vivant par Copeau, Jouvet, Planchon, Vilar, etc.

Dans certaines de ses formes extrêmes, ce mouvement aboutit à la négation pure et simple de tout contenu moral ou philosophique des œuvres. A la thèse traditionnelle d'un Molière, critique des mœurs ou libertin militant, se substitue la thèse d'un Molière homme de spectacle, utilisant une matière, des thèmes, pour construire des pièces, mais parfaitement indifférent à leur portée.

Molière, penseur

C'est à cette thèse déjà que répond Brunetière, dans son grand article sur *La Philosophie de Molière*, publié en août 1890 et repris dans les *Études Critiques* (tome 4). Article hélas trop long pour être repris in-extenso. En voici du moins un extrait.

« Allons, Baptiste, fais-nous rire, » disait Molière à Lulli quand il éprouvait le besoin de rire d'autres bouffonneries que les siennes — lesquelles ne sont pas, au surplus, toujours gaies, — et la légende raconte que le Florentin s'y employait de son mieux. Pareillement, à celui que son siècle appelait le *contemplateur*, il semble qu'aujourd'hui nous ne demandions plus, nous, que de nous divertir. Bouffon il fut, bouffon qu'il reste ! Toute son affaire est de nous amuser, et, si ce n'est pas nous, nos pères l'ont payé pour cela ! On oublie seulement qu'il serait mort, aussi lui, comme tant d'autres, qui n'ont pas laissé pourtant de faire rire les « honnêtes gens » de leur temps, s'il n'y avait rien de plus dans son œuvre que dans la leur; et que, parce qu'il nous faut, pour comprendre *L'École des femmes* ou *Tartuffe*, ce qu'on a appelé ironiquement des « lumières », et un « esprit », qui sont tout à fait superflus pour entendre *la Cagnotte*, c'est pour cela qu'il est Molière.

(...)

Puisque ce n'est ni par la complication ou par l'ingéniosité de l'intrigue, ni par la qualité du style, ni par la nouveauté de l'invention que Molière est aussi supérieur à son premier modèle qu'à ses imitateurs, que reste-t-il et que faut-il conclure? Il reste que ce soit par la profondeur avec laquelle il a enfoncé dans les caractères; il reste que ce soit par la vérité d'une imitation de la vie qui ne saurait aller sans une certaine manière, personnelle et originale, de voir, de comprendre, et de juger la vie même; il reste en un mot que ce soit par la portée, ou, si l'on veut encore, par la « philosophie » de son œuvre.

(...)

Il ne semble pas qu'il ait pris aucun souci de la dissimuler, ni, par suite, qu'elle soit bien difficile à reconnaître ou à nommer. *Naturaliste* ou *réaliste*, ce que la comédie de Molière prêche de toutes les manières, par ses défauts autant que par ses qualités, c'est l'imitation de la nature; et la grande leçon d'esthétique et de morale à la fois qu'elle nous donne, c'est qu'il faut nous soumettre, et, si nous le pouvons, nous conformer à la nature. Par là, par l'intention d'imiter fidèlement la nature, s'explique, dans son théâtre, la subordination des situations aux caractères; la simplicité de ses intrigues, dont la plupart ne sont que des « scènes de la vie privée »; l'insuffisance de ses dénouements, qui, justement parce qu'ils n'en sont point, ressemblent d'autant plus à la vie, où rien ne commence ni ne finit. Par là encore s'expliquent l'espèce et la profondeur du comique de Molière. Entre tant de moyens qu'il y a de provoquer le rire, si Molière savait trop bien son triple métier d'auteur, d'acteur et de directeur pour en avoir dédaigné ou négligé aucun, sans en excepter les plus faciles et les plus vulgaires, il y en a pourtant un qu'il préfère; et ce moyen, c'est celui qui consiste à nous égayer aux dépens des conventions ou des préjugés vaincus par la toute-puissance de la nature. Enfin, par là toujours, par la confiance qu'il a dans la nature, s'explique encore et surtout le caractère de sa satire, si, comme on le sait, il ne l'a jamais dirigée que contre ceux dont le vice ou le ridicule est de masquer, de fausser, d'altérer, de comprimer, ou de vouloir contraindre la nature.

C'est ainsi qu'il ne s'en est point pris au libertinage ou à la débauche; il ne s'en est point pris à l'ambition : on ne voit pas même qu'il ait manifesté l'intention de les attaquer jamais. En effet, ce sont vices qui opèrent dans le sens de l'instinct, conformément à la nature; ce sont vices qui s'avouent et au besoin dont on se pare. Quoi de plus naturel à l'homme que de vouloir s'élever au-dessus de ses semblables, si ce n'est de vouloir jouir des plaisirs de la vie? Mais en revanche, précieuses de toute espèce et marquis ridicules, prudes sur le retour et barbons amoureux, bourgeois qui veulent faire les gentilshommes et mères de famille qui jouent à la philosophie, sacristains ou grands seigneurs qui couvrent de l'intérêt du ciel leur fier ressentiment; les don Juan et les Tartuffe, les Philaminte et les Jourdain, les Arnolphe et les Arsinoé, les Acaste et les Madelon, les Diafoirus et les Purgon, voilà ses victimes. Ce sont tous ceux qui fardent la nature; qui, pour s'en distinguer, commencent par en sortir; et qui, se flattant d'être plus forts ou plus habiles qu'elle, ont affecté la prétention de la gouverner et de la réduire.

Inversement, tous ceux qui suivent la nature, la bonne nature, les Martine et les Nicole, son Chrysale et sa Mme Jourdain, Agnès, Alceste, son Henriette, avec quelle sympathie ne les a-t-il pas toujours traités!

Voilà ses gens, voilà comme il faut en user.

Tels qu'ils sont, ils se montrent; et, rien qu'en se montrant, ils font ressortir, ils mettent dans son jour la complaisance universelle et un peu vile de Philinte, l'égoïsme féroce d'Arnolphe, la sottise de M. Jourdain, les minauderies prétentieuses d'Armande ou la préciosité solennelle de sa mère Philaminte. La leçon n'est-elle pas assez claire? Du côté de ceux qui suivent la nature, du côté de ceux-là sont aussi la vérité, le bon sens, l'honnêteté, la vertu; et de l'autre côté le ridicule, et la prétention, et la sottise, et l'hypocrisie, c'est-à-dire du côté de ceux qui se défient de la nature, qui la traitent en ennemie, et dont la morale est de nous enseigner à la combattre pour en triompher.»

Alceste et Philinte : deux visages de Molière

Ferdinand Brunetière était critique littéraire, jugeait textes en main.

Jules Lemaître, lui, était critique dramatique et passait au moins autant d'heures au théâtre que dans son cabinet de travail. Il a consacré de charmantes et fines chroniques à la plupart des grandes œuvres de Molière. Voici, pour clôturer ce chapitre, ce qu'il disait du *Misanthrope* (10 mai 1886).

«On ne saurait s'y tromper : dans la pensée de l'auteur du *Misanthrope*, Alceste est un rôle comique et qui doit faire rire la plupart du temps. Apparemment Molière jouait ce rôle comme les autres, avec ses roulements d'yeux, ses contorsions et son hoquet. Il est vrai que ce personnage ridicule est aussi un personnage sympathique. Molière nous dit expressément, par la bouche d'Eliante, son sentiment sur Alceste :

Dans ses façons d'agir il est fort singulier ;
Mais j'en fais, je l'avoue, un cas particulier,
Et la sincérité dont son âme se pique
A quelque chose en soi de noble et d'héroïque.

Cela est évident. Et l'on ne voit pas trop comment Molière lui-même, avec la meilleure volonté du monde, pouvait trouver moyen de faire rire en disant certaines parties du rôle ; et sans doute, en plus d'un endroit, une émotion le serrait à la gorge, qu'il n'avait pas prévue. Mais enfin, je le répète, le rôle pris dans l'ensemble, était un rôle comique. Je suis obligé de reconnaître qu'il ne l'est presque plus aujourd'hui. Nous savons bien encore, si vous voulez, qu'Alceste est ridicule ; mais nous n'avons pas le cœur de rire de lui : voilà la différence. Ce qui frappait les contemporains de Molière et Molière tout le premier, c'étaient les « singularités » du misanthrope. Ce qui nous frappe le plus aujourd'hui, c'est ce « quelque chose de noble et d'héroïque » qu'il y a dans sa « sincérité ».

Pourquoi cela ? Pourquoi aimons-nous Alceste au point de ne plus vouloir qu'il soit risible ? A cause de l'eau qui a passé sous les ponts. C'est ainsi. Après Rousseau, après la Révolution, après le romantisme, après Faust, après Lara, après René, Alceste ne peut plus être pour nous ce qu'il était pour les gens du xviie siècle. C'est qu'Alceste est un de ces types comme les poètes en ont créé en petit nombre : assez particuliers pour rester vivants à travers les âges, — assez généraux, assez largement humains, assez peu déterminés dans quelques-uns de leurs traits pour être grandis tour à tour au gré des générations successives, et enrichis de sentiments et d'idées dont leurs créateurs n'avaient peut-être pas songé à les doter. En réalité, l'Alceste de Molière n'est qu'un honnête bourru, estimable et ridicule, aux colères vertueuses et disproportionnées, insurgé contre l'hypocrisie de la politesse mondaine. Notre Alceste à nous, celui que nous avons repétri en mêlant à sa pâte l'âme de deux siècles, souffre du mal universel ; ce n'est plus un misanthrope, c'est un pessimiste ; ce n'est plus contre le mensonge inoffensif de Philinte qu'il se soulève, c'est contre le mensonge atroce de l'éternelle Maya.

(…)

Et ce n'est pas seulement Alceste qui s'est transformé, enrichi, assombri avec le temps ; le doux Philinte n'a pas échappé à ce travail d'alluvion morale. La pensée de Molière est assez claire quand on lit sa comédie avec simplicité. Il a de la sympathie pour Alceste : il lui prête quelque chose de lui-même, principalement dans la scène où ce sauvage est si faible devant la femme aimée. Mais s'il a pitié de ce fou, c'est bien Philinte qui est son homme. On n'en saurait douter quand on se rappelle la vie de Molière : ce n'est certes pas Alceste qui eût été un si habile directeur de théâtre, un amoureux si éclectique ni un si souple amuseur du roi. Alceste eût eu, je pense, quelque scrupule d'écrire *Amphitryon*, au moment du moins où la pièce fut écrite. La sagesse de Philinte, sagesse d'épicurien, faite de beaucoup d'expérience et de scepticisme et d'un peu de mépris des hommes, faite aussi d'indulgence et de bonté réelle, est proprement la sagesse de Molière. Mais il faut croire que Philinte avait, lui aussi, des parties malléables, ou mieux, des dessous indéterminés ; car, dans les temps cruels et grossièrement idéalistes où Alceste était devenu le juste, le philosophe, le citoyen intègre et le bon jacobin, Philinte était considéré par Fabre d'Eglantine et par les terroristes comme un lâche, un traître, un hypocrite, un « modérantiste ». Aujourd'hui nous avons réconcilié Alceste et Philinte. Nous disons : Philinte, le philosophe accommodant, c'est encore Alceste, un Alceste mûri et plus renseigné, qui, après la protestation douloureuse contre le mensonge et l'injustice et contre le mal universel, nous propose en exemple la résignation ironique et la curiosité détachée : si bien que l'âme de Molière est également dans l'un et dans l'autre et qu'ils présentent tour à tour les deux attitudes du poète. Philinte, plus savant, a plus d'amertume au fond ; Alceste, plus naïf, en a plus à la surface. Mais voici qu'avec le temps les deux se sont fondus en un, soit que Philinte ait emprunté à Alceste sa mélancolie, soit qu'il lui ait prêté son dilettantisme. Alceste, après être devenu Saint-Preux, Werther, Bénédict et je ne sais qui encore, a été gagné, vers 1850, par la raillerie froide de Philinte. Il a gardé l'intégrité de son jugement moral, mais il a beaucoup perdu de sa naïveté. Philinte l'a conduit dans de mauvais endroits pour y faire des expériences, et Alceste, n'ayant plus le droit de s'indigner, a donné dans l'ironie à outrance... Et comme il y a deux façons de prendre la vie, nous avons nous-mêmes reconnu que nous avions en nous un Alceste et un Philinte ; que nous étions l'un ou l'autre, suivant les heures, et peut-être les deux à la fois dans nos meilleurs jours. Car, s'il est beau de s'indigner contre la vie, il est excellent de vivre.

Comment voulez-vous que, avec ces idées en tête et une vision si peu nette de ces deux figures pourtant si simples, nous recevions du *Misanthrope* une impression directe et claire et que nous sachions au juste ce qu'il faut en penser ? »

MOLIÈRE
HIER ET AUJOURD'HUI

Tout au long de ce dossier, j'ai dû me résoudre, et toujours à regret, à sacrifier les neuf dixièmes des documents intéressants, importants, qui s'offraient. Dans le chapitre précédent, ce sont les quatre-vingt-dix-neuf centièmes qu'il a fallu couper. Pour l'époque contemporaine — hier et aujourd'hui, les trois quarts de siècle qui se sont écoulés depuis que Jules Lemaître écrivait ses merveilleuses chroniques — il sera préférable de ne même plus essayer d'évaluer le pourcentage de ce qui sera écarté. Le but, aussi, n'était pas d'accumuler un monceau de citations, fouillis inutilisable, ou alors nouvel ouvrage, mais de jalonner, par quelques témoignages significatifs, le dialogue qui se poursuit, entre Molière et ceux qui l'aiment... et ceux qui ne l'aiment pas.

Depuis trois quarts de siècle, ce dialogue s'est singulièrement étendu et approfondi. La gloire de Molière a grandi, éclipsant celle de tous ses contemporains. Sa présence vivante est permanente.

Il n'avait jamais cessé d'être joué, et en voici une preuve chiffrée : la seule Comédie-Française, de 1680 à nos jours, mit Molière à son affiche environ 28 000 fois (environ 9 000 fois Racine, et environ 7 000 fois Corneille). Mais ce succès continu ne fut pas uniforme, n'eut pas toujours la même signification. Il ne fait pas de doute que, souvent dans le passé, Molière parut au programme au titre de classique *classé* plutôt qu'à celui de classique *vivant*.

Au XVIIIᵉ siècle, à partir, en gros, de 1750, et au début du XIXᵉ, la gloire et le prestige de Molière furent immenses, solides, inentamés, mais un peu, peut-être, à la manière des statues de bronze cimentées sur un socle de granit. Molière était figé, académisé, et ses vrais amis le cherchaient, et le trouvaient, dans le « théâtre en liberté » de leur bibliothèque, plutôt que sur la scène.

C'est pendant la seconde moitié du XIXᵉ siècle que le dialogue avec le texte joué, interprété, ranimé, se substitue de plus en plus au dialogue avec le texte lu. Non seulement on joua plus souvent les pièces, mais on s'efforça de les jouer mieux, de les sortir du ronron de la récitation académique, d'en retrouver le rythme vivant, le jaillissement humain. Des comédiens s'avisèrent soudain du contenu comique de *Tartuffe* et donnèrent au personnage un tic grotesque, l'accent auvergnat ou l'habitude de se moucher à grandes trompettes. Des critiques, un directeur, le public enfin, accordèrent attention à la tragédie atroce qui se dissimule sous les traits de farce de l'*Avare*. Des comédiens remirent en question la nature de Don Juan... Et cela s'accompagna de réflexions sur les costumes, les décors, le respect de l'unité de lieu, ou d'action, ou de temps.

En fait, pendant ces derniers trois quarts de siècle, nous assistions à une transformation du théâtre lui-même, presque à une renaissance. Et on ne s'étonne pas trop de ce que cette transformation s'opéra, pour une large part, en rapport et même en référence à Molière, lorsqu'on constate le parallélisme des critiques que Molière adressait, sur leur jeu et leur conception du théâtre, à ses confrères de l'Hôtel de Bourgogne, et celles que les rénovateurs

Un comédien
XVIIIe siècle,
Grandmesnil,
e « L'Avare ».
En médaillon,
Charles Dullin
(ci-dessus)
et Georges
Chamarat
(ci-dessous)
dans le rôle
d'Harpagon.

Une version arabe
des « Fourberies de Scapin »,
jouée par le théâtre marocain
de Rabat.

de France, d'Europe, du monde entier, adressent à l'académisme bourgeois.

Tous les rénovateurs de la scène, en effet, en viennent toujours à « essayer » leurs théories à propos d'un Molière, et très souvent, c'est en pensant à Molière, avec des exemples choisis dans Molière, qu'ils les formulent. Antoine comme Copeau et Dullin, Baty comme Brecht, Jouvet et Vilar comme Barrault et Planchon s'imposent toujours une « explication », généralement déterminante, avec Molière. Lorsqu'Antoine veut éprouver la justesse de ses théories réalistes (réalisme dans le décor, le costume, l'élocution, le geste, etc.) il choisit un Molière, mais ses adversaires, symbolistes, idéalistes, etc. prennent les mêmes références. C'est avec *L'Avare* et quelques autres pièces de Molière que Jacques Copeau précise sa conception d'un théâtre épuré, d'une scène vidée, d'un décor fonctionnel, où, comme disait un humoriste « il n'y a plus rien, de sorte que tout ce qui n'est plus visible te fasse voir les mots ». Louis Jouvet remporte des triomphes avec des pièces de Jules Romains, et surtout de Jean Giraudoux, mais il livre ses grandes batailles avec *Tartuffe* et *Don Juan*. Bertolt Brecht écrit lui-même le répertoire d'un théâtre qu'il veut didactique et politiquement engagé, mais il essaie ses doctrines sur les classiques, et principalement sur Molière. Jean Vilar rêve d'un théâtre populaire de masse et, à Chaillot comme à Avignon, propose en exemple, aux auteurs qu'il aimerait voir écrire pour le T N P, des classiques et, entre autres, Molière. Et c'est avec Molière encore que Planchon provoque ses grands éclats.

Aujourd'hui, sauf pour quelques auteurs de manuels qui persistent à voir en lui le réalisateur d'une perfection qu'il ne faut même pas songer à imiter, Molière a cessé d'être statue de bronze.

Et il en va de même pour la critique, celle des journaux et des périodiques, qui fait écho aux expériences des hommes de théâtre, comme celle des livres qui continue la recherche de vérité inaugurée par les moliéristes passionnés du XIXe siècle.

L'œuvre ne cesse d'être expliquée, discutée, exaltée, contestée, tirée dans un sens et puis dans l'autre. C'est vraiment un dialogue qui se poursuit, partant presque toujours d'une contestation, et qui respire en attaque et en défense. Jadis, Fénelon reprenait les arguments de Bayet et Bossuet; Jean-Jacques Rousseau reformulait les arguments de Fénelon, Brunetière et Sainte-Beuve reprenaient la discussion où Chamfort l'avait laissée. Aujourd'hui, François Mauriac fait écho à Jules Lemaître, Gabriel Marcel à Stendhal. Antoine Adam et René Bray reprennent tout à la base, Pierre Brisson impose une vision classique. Alfred Simon dégage l'œuvre de la biographie alors que Georges Mongrédien les montre inséparables. La querelle de l'*École des femmes*, du *Tartuffe*, de *Misanthrope*, n'est pas finie. Chaque génération, chaque école dramatique, chaque tendance sociale et politique, conçoivent l'Alceste, le Tartuffe, le Jourdain et l'Argan qui les satisfait, qu'ils méritent. Les problèmes que pose Molière sont les problèmes du théâtre contemporain lui-même.

Il ne peut être question ici, je le répète, d'accumuler les citations, mais il convenait pourtant de jalonner les diverses directions où s'est engagé, aujourd'hui, le dialogue vivant de Molière avec ses interprètes et ses commentateurs.

Dans les pages qui suivent on trouvera, successivement, l'opinion d'un comédien qui a joué presque tout le répertoire moliéresque, et qui est aussi professeur d'histoire du théâtre, René Rongé; quelques réflexions d'un décorateur, qui décora plusieurs pièces de Molière, à Paris et à Bruxelles, Serge Creuz; la réaction, devant *Don Juan*, d'un critique littéraire d'aujourd'hui, qui tient compte de l'existence scénique des textes qu'il analyse, Jean-Louis Bory; et enfin une petite revue de presse, qui ouvre largement l'éventail des réactions possibles, aujourd'hui devant les interprétations traditionnelles ou révolutionnaire des grandes œuvres.

Mais avant de donner ainsi la parole des techniciens et des critiques, voici un texte assez curieux, et assez révélateur, non seulement de la manière d'aborder Molière, mais de la façon aussi de présenter un spectacle au public. Il est de Roger Planchon, directeur-fondateur du Théâtre de la Cité à Villeurbanne, dans la banlieue de Lyon, et il figurait dans la brochure-programme d'un spectacle *George Dandin*. C'est le résumé, en somme, des notes de travail du metteur en scène — une manière d'*Impromptu de Villeurbanne*, si j'ose dire, où Planchon trace les grandes lignes de sa conception du théâtre à propos d'un cas particulier.

UN METTEUR EN SCÈNE
PRÉSENTE GEORGE DANDIN

par

Roger Planchon

Dandin : Ce riche propriétaire, si riche qu'il peut renflouer une famille ruinée qui, elle, « s'offre le divertissement de courre un lièvre » — ce qui suppose un train de vie assez conséquent — est, dans toutes les représentations classiques traditionnelles, déguisé en paysan. Et pourtant, Dandin n'a rien d'un paysan; c'est, répétons-le, un très riche propriétaire, dont le costume doit signifier, par conséquent, l'opulence, la richesse, avec un je ne sais quoi de parvenu. Mais pas de préciosité : où l'aurait-il apprise?

Clitandre : Pourquoi notre roué ne cesse-t-il pas de parader sur les tréteaux avec ce costume de cour? Il s'agit d'un Gentilhomme en vacances. C'est un homme de cour, mais qui passe à la campagne ce mois de septembre. Je le vois plutôt en costume de chasse. Très « chic », bien sûr : que lui aura coupé un grand couturier.

Les Sotenville : On les représente d'ordinaire en costumes surchargés et ridicules : encore un méfait de la tradition. Pourquoi ce jaune, ces rubans, etc.? Ce ne sont pas des grotesques. Contemporains de Louis XIII, ce sont des gens attachés à l'étiquette.

D'ailleurs, les Sotenville ne sont pas sans parenté avec Saint-Simon qui passa sa vie à décrire l'étiquette et à dénoncer les manquements à cet égard. Non, Monsieur de Sotenville n'a rien d'un grotesque, je le vois plutôt comme un ancien combattant. N'est-ce pas sous cet aspect qu'il se présente à Clitandre? Je pense donc que c'est sous cet aspect qu'il s'affectionne. Regardons « l'ancien combattant » d'aujourd'hui : le ridicule qui s'en dégage vient de l'excès de rigueur, et non de la précosité ou de l'exubérance du personnage. Quant à Madame de Sotenville, pourquoi serait-elle toujours « fofolle »? Si j'en crois la rumeur publique, les femmes d'officiers très supérieurs ne sont pas forcément des « Marie-Chantal ». Non, ces deux Sotenville ne sont pas les fantoches que l'on voit.

Angélique et Madame de Sotenville : Ces deux-là sont toujours présentées en costumes de cour. N'est-ce pas une faute? Elles vivent à la campagne. Je les vois donc moins guindées. Et en blanc : c'est la couleur de l'été. Et avec des éléments de costumes qui rappelleront nos estivantes. Par exemple, Angélique pourra porter un délicieux faux grand chapeau en paille paysan, comme un « chapeau de plage ».

Lubin : Est-ce un paysan? Oui et non. Il cherche à se différencier des autres. Il ne se veut pas paysan. Le rôle est rempli de considérations sur la langue latine, l'écriture et la philosophie. Je crois qu'il s'agit d'un voyou de village : il cherche donc lui-même à éviter dans son vêtement ce qui rappellerait trop manifestement sa véritable condition.

★

Il faut non seulement que les comédiens entrent dans la « personnalité » de leur personnage (lors des répétitions, non lorsqu'on jouera en public), mais que le décorateur, la costumière se posent des questions comme celles-ci :

« Voyons : si j'étais riche propriétaire, ancien combattant, voyou de village, gentilhomme en week-end de chasse, etc., que pourrais-je bien porter pour me définir comme je m'aime? De toutes façons, pas quelque chose de trop épais, car en ce mois de septembre qui est si chaud à la campagne, on peut tout de même se laisser un peu aller...

Action, temps, lieu

La règle des trois unités est la fierté des classiques, pas question d'y échapper. Une pièce premièrement avait une action unique, deuxièmement un temps unique et troisièmement un lieu unique. Mais que de difficultés pour respecter cette morale dramatique. Il faut faire des efforts, les moralistes le savent c'est l'immoralité qui va de soi.

L'unité de temps a été très peu respectée sur nos scènes. Il se glisse toujours des entractes qui d'une certaine façon la nient. Comment s'y tenir et ne pas avoir des ennuis avec les ouvreuses, nous avons trouvé une solution. Les films à épisodes, *Les Mystères de New York* de Louis Gasnier ou *Judex* de Feuillade déjà l'employaient en représentant au début, la dernière bobine de la semaine précédente. Nous avons ainsi concilié les bonbons glacés avec le respect des classiques.

Les apartés aussi brisent la règle : ainsi, lorsque deux personnages bavardent ensemble, l'un entend l'aparté que dit l'autre, et nous nous sommes aperçus que (presque toujours) la chose était possible. Nous l'avons fait car ce temps-dialogue personnage-public brisait le temps-dialogue personnage-personnage.

Les monologues (acte premier, acte deux, acte trois dans *Dandin*) respectent la première clause : une action unique, ainsi que la troisième : un lieu unique. Mais dans la mesure où ils sont intérieurs, ils introduisent un autre temps, et voilà la clause deux non respectée. Mieux, mise en cause par Molière. Des temps divers qui cohabitent, c'est la règle des trois unités du moins, qui sur un point bascule. C'est grave.

Pour le premier : le personnage s'adresse directement au public, on introduit un nouveau temps, mais pour compenser, nous l'avons placé devant une page du petit classique Larousse, qui, nous l'espérons, rappellera qu'il s'agit bien d'une pièce classique, et non d'une manie brechtienne où l'acteur s'adresse directement aux spectateurs. Cette page-estampille doit rassurer.

Pour le second et le troisième monologue de *Dandin*, l'adresse au public est moins nette. Molière le fait ruminer. Un temps intérieur, dirait-on en langue moderne. Inadmissible pour un classique. Nous y avons paré en montrant bien qu'il s'agit d'une enclave à l'intérieur d'une action, mais que celle-ci n'est nullement interrompue. A la fin du monologue, le personnage se retrouve au point de départ. De cette façon, le personnage a projeté des mots et des images sans que pour autant il ait ouvert la bouche, ni qu'il se soit déplacé. Les romanciers du début du siècle, Faulkner et Joyce, affectionnaient de tels procédés qu'évidemment réprouvent les promoteurs de la règle des trois unités. Et à laquelle, il faut bien le dire, Molière ne s'est pas conformé avec son temps intérieur.

Sur l'unité de lieu. Allio (le décorateur) s'en est chargé. C'est le XVIIe siècle réaliste. Les classiques exigeant un certain conventionnel, nous l'avons réintroduit en plaçant le décor au centre du plateau, en laissant une zone franche où il n'y a *rien*. Prolongé jusqu'au cadre de scène, ce réalisme aurait introduit l'illusion réaliste. Donc, tout ce qui touche le corps du comédien est vrai, mais tout ce qui touche les murs du théâtre est donné comme *théâtral* au sens classique du mot.

Classique = vivant

Ceci dit, cette pièce est merveilleuse. Comment la jouer après trois siècles? En la sortant du musée pour retrouver un George Dandin dans une vision actuelle, la seule que nous puissions avoir. Cette histoire cruellement amusante de paysan enrichi qui a voulu échapper à sa classe en épousant une « damoiselle » bien née — situation sans issue — s'élargit avec les beaux-parents, entichés d'étiquette et cherchant à dorer leur blason, le Monsieur de la ville (ce petit Don Juan) suivi de son homme de main, voyou de village.

Et surtout cette terre grasse et épaisse, terre d'une riche province française, présente par ses ouvriers agricoles d'il y a trois siècles autour de ce nœud sentimental et social.

Nous aimons cette pièce car elle a été écrite le mois dernier : c'est pour nous la définition d'un classique.

UN COMÉDIEN S'EXPLIQUE

par

René Rongé

« Un texte dramatique est un jeu en puissance. La chose théâtrale n'est pas chose littéraire » : la primauté du jeu ainsi formulée par Henri Gouhier, c'est Molière qui, le premier, s'en avisa.

Il la signalait déjà dans la préface des *Précieuses ridicules* en protestant que les « grâces » qu'on y avait trouvées‑ dépendaient « de l'action et du ton de voix » des comédiens. Il la confirma dans son « Avis au lecteur » en tête de *L'Amour médecin :* « On sait bien, dit-il, que les comédies ne sont faites que pour être jouées. » Une simple lecture ne saurait, en effet, révéler aux profanes « tout le jeu du théâtre », c'est-à-dire l'interprétation de l'acteur, la lumière qu'elle projette sur le texte et la vie authentique qu'elle infuse au personnage.

Une mise au point s'impose tout de suite. C'est évidemment en grande partie grâce à la richesse de son style que Molière a survécu : la primauté du jeu n'implique donc nullement que les qualités littéraires d'un texte théâtral soient indifférentes à son destin. Henri Gouhier le souligne également. « Si la beauté est la raison d'être de l'art, dit-il, le théâtre doit être création de beauté dans toutes ses parties. » Ce qu'il repousse, c'est l'opinion de Pierre Brisson selon qui « les grandes œuvres dramatiques demeurent des œuvres de bibliothèque », la représentation n'étant pour elles qu'un surcroît.

Molière, pour qui le surcroît, sinon le superflu, consistait au contraire dans l'édition de ses pièces, ne se doutait guère des discussions que devait plus tard provoquer l'« interprétation » de maintes d'entre elles.

Comment Molière interprétait Molière

Comment entendait-il, lui, qu'elles fussent interprétées? Comment les interprétait-il lui-même? Avec, me dira-t-on, un maximum de naturel et de vérité. Certes. Ses théories là-dessus sont bien connues, et nul ne les a jamais contestées. Il les formula du reste explicitement dans *L'Impromptu de Versailles* où il ne ménageait pas les sarcasmes à ses concurrents de l'Hôtel de Bourgogne emphatiques à l'extrême et s'appliquant à « frissonner des bajoues » comme écrit plaisamment Louis Péricaud.

Mais le problème qui m'occupe dépasse celui de la simple diction. Il consiste à déterminer si, dans l'esprit de leur auteur, les pièces de Molière étaient franchement comiques ou foncièrement amères. Autrement dit, si leur « interprétation » devait stimuler chez le spectateur la joie ou la tristesse, le rire ou l'indignation vertueuse. Or, ici les opinions ont souvent divergé, et Molière comptait tellement sur le « jeu du théâtre » pour préciser sa pensée, qu'il a toujours négligé d'y consacrer la moindre notation. Voyez avec quelle minutie Beaumarchais peint le caractère de ses personnages en tête du *Mariage de Figaro*, voyez le soin qu'il prend, dans le cours de l'action, d'indiquer aux acteurs leur exact état d'âme et, partant, la juste inflexion de voix qui leur convient. Jamais Molière ne s'y est astreint. Il est vrai qu'à l'époque aucun de ses confrères n'y songeait davantage. Et puis, il ne s'attendait pas que, près de trois cents ans après sa mort, nous nous poserions encore tant de questions à son sujet.

En tout cas, si l'on en croit ses contemporains, il s'efforçait avant tout d'amuser, ne craignant même pas, pour y mieux parvenir, de forcer les effets. Et chacune de ses pièces — hormis une seule, *Don Garcie de Navarre* qui, d'ailleurs, échoua — en apportait un nouveau témoignage.

Je ne vais pas transcrire les nombreux jugements formulés à ce propos par les gazetiers d'alors; j'épinglerai seulement deux réflexions édifiantes de Molière lui-même. « C'est une étrange entreprise que celle de faire rire les honnêtes gens », dit-il dans *La Critique de l'École des femmes.* Et dans son premier « Placet » sur la comédie du *Tartuffe*, il ajoute : « Le devoir de la comédie étant de corriger les hommes en les *divertissant*, j'ai cru que, dans l'emploi où je me trouve, je n'avais rien de mieux à faire que d'attaquer par des peintures *ridicules* les vices de mon siècle. »

Voilà, me semble-t-il, qui est concluant. Je n'y saurais ajouter que des redites.

Peut-on, du reste, imaginer que Molière, qui n'avait acquis droit de cité dans la capitale que grâce au plaisant *Docteur amoureux* dont il avait « régalé les provinces » avant d'en divertir le roi, qui avait séduit les Parisiens avec la joie exubérante de ses *Précieuses ridicules* pour, ensuite, les décevoir par l'ennui d'une tragi-comédie racheté de justesse par la robuste alacrité de *L'École des Maris*, imagine-t-on, dis-je, que cet avisé directeur de troupe, soucieux des intérêts de ses acteurs autant que des siens propres, aurait inconsidérément résolu et entrepris d'assombrir le moins du monde le seul répertoire qui lui assurât le succès?

Le « premier farceur de France », ainsi que l'appelait Somaize, avait peut-être, avait même sûrement l'ambition d'enrichir, d'ennoblir la scène comique. Mais où prend-on que la comédie puisse se hausser en renonçant au rire? Son rire peut gagner en qualité, voilà tout, mais non s'éteindre. Et c'est la qualité de ce rire que Molière releva en dotant de la mobilité de la vie les masques rigides de la *commedia dell'arte* qui, jusqu'alors, n'avaient connu que les hasards comiques de maintes intrigues artificiellement compliquées.

Mais, manifestement, il avait pris à tâche de « divertir les hommes ». Et il y réussissait à ce point que, de son temps, ce qu'on lui reprochait le plus volontiers, c'était de manquer de sérieux.

Au XIXᵉ siècle : fini de rire!

Les gens bien pensants et les esprits chagrins le lui reprochèrent même jusqu'au XVIIIᵉ siècle. Preuve que les successeurs directs de Molière, c'est-à-dire les plus sûrs gardiens de sa tradition, et les mieux avertis, persistèrent à jouer ses rôles en en accentuant le comique. Si le parterre n'avait pas été invité à se gausser de la vertu bilieuse d'Alceste, Jean-Jacques Rousseau ne se serait pas indigné que l'on bafouât « un véritable homme de bien ». Le rire dru et sain de Molière exaspérait le farouche ermite qui, de sa vie, n'avait goûté que le prêchi-prêcha.

Au XIXᵉ siècle, ce rire continuera de froisser les âmes délicates. Elles le qualifieront de « tragique », voire d'« atroce »! Et Musset, se faisant un scrupule d'avoir ri quand peut-être il eût été plus séant qu'il pleurât, Musset suggérera l'idée saugrenue d'habiller de noir l'homme aux rubans verts qui, par parenthèse, portait, à la création du *Misanthrope*, un haut-de-chausses et un justaucorps de brocart rayé d'or et de soie grise, outre une veste de brocart d'or.

L'étrange souhait du poète d'*Une soirée perdue* ne tardera pas à être exaucé. Les interprètes d'Alceste mettront désormais un point d'honneur à présenter ce héraut de « l'âpre vérité » comme le Juste brimé par la société marâtre.

Fini de rire, maintenant. Place à l'indignation frémissante! Et répandons, s'il vous plaît, d'abondantes et généreuses larmes!

Bien entendu, *Le Misanthrope* ne sera pas la seule œuvre de Molière qui pâtira de cette trop sublime conception. *Don Juan*, et surtout *le Tartuffe*, connaîtront immédiatement un sort tout pareil. Même, certaines pièces plus incontestablement drôles encore, telles que *L'École des femmes* et *Le Malade imaginaire*, seront noblement transposées en simili-tragédies. Maints acteurs, prenant la sensiblerie pour une manifestation de l'intelligence, se sauront bon gré de se révéler philosophes et s'estimeront d'autant plus profonds qu'ils seront ennuyeux. Et jusque dans les farces les plus bouffonnes, ils iront, avec une touchante délectation, découvrir des drames sous-jacents.

C'est l'époque que raille Édouard Pailleron dans *Le Monde où l'on s'ennuie*, l'époque où le peuple français, ayant perdu sa foi dans le bon sens de son vieux rire, s'en laissa « imposer par la morgue pédante et la nullité prétentieuse des pontifes de la cravate blanche, en politique comme en science, comme en art, comme en littérature, comme en tout! » L'époque, enfin, où l'on ne pouvait risquer un pas sans piétiner une convenance et où les choses graves ne pouvaient affecter un ton léger sans être taxées de frivolité.

L'erreur fondamentale, celle qui engendra toutes les autres, fut de prétendre que Molière s'était douloureusement confessé dans ses œuvres et surtout d'admettre, sur la foi de la biographie suspecte de Grimarest, que Molière était morose. L'on en tira des conclusions fausses, mais tellement flatteuses pour l'entendement de ceux qui s'y ralliaient qu'elles convainquirent presque tout le monde.

Or, en réalité, le caractère de Molière nous est inconnu. Et ses malheurs eussent-ils été ce que l'on imagine qu'il n'aurait jamais songé à nous apitoyer sur eux. Quoi! cet homme qui s'indignait hautement d'être attaqué par ses ennemis dans sa vie privée en aurait donc fait lui-même complaisamment étalage? Bon pour Musset, cet exhibi-tionnisme moral. « Du massacre de notre littérature classique, si les romantiques exceptent Molière, dit René Doumic, c'est à condition de le tirer à eux et de l'habiller à leur manière. Attrister le rire de Molière, quelle erreur et quelle faute! » Où allez-vous trouver Molière dans toutes ses pièces? demande de son côté Constant Coquelin. « Je ne trouve rien de plus agaçant que la perpétuelle préoccupation de personnalités dont nos écrivains d'aujour-d'hui remplissent leurs ouvrages et rien ne me paraît plus contraire au génie de nos pères. »

Molière sans parti-pris

Dès la fin du siècle, heureusement, une réaction se produisit qui, chose curieuse, fut surtout provoquée par ceux-là qui y semblaient le moins favorables : les critiques universitaires. En 1893, Jules Lemaître avoua : « Il m'est arrivé, au temps où j'étais crédule, d'écrire ces vers de professeur :

> On ne rit pas toujours, maître, à ta comédie.
> Lorsque George Dandin, que ta farce châtie,
> Bafoué par sa femme et largement cocu,
> Récite à ses genoux, d'un ton peu convaincu,
> Le long confiteor dicté par Sotenville,
> C'est sans doute un énorme et parfait imbécile.
> Mais il souffre, après tout, et désespérément,
> Et hors de l'atellane il m'emporte un moment.
> Sa douleur de jocrisse encorné m'émeut presque.
> Ce niais est navrant encor qu'il soit grotesque.
> Pour peu que l'on y songe, on entrevoit soudain
> Un drame sous la farce, un martyr chez Dandin.

Oh! là, là, que d'affaire, ajoute Jules Lemaître. Je relis *Georges Dandin*, et je n'y retrouve rien de tout cela. C'est une farce, à peu près improvisée, cela est visible, sur un vieux sujet de fabliau; une farce assez brutale, très directe, je dirais presque simpliste, avec des ressouvenirs de la Comédie italienne et de la farce de tréteaux. Amère? Oh! Dieu, non. »

Et voici venir tout à coup, pour la lecture, une revanche qui eût sans doute confondu Molière tout le premier : c'est elle qui va permettre de redécouvrir le sens réel de ses pièces, peu à peu travesti, dénaturé par le « jeu du théâtre ».

On se met, en effet, à relire Molière, comme Jules Lemaître, sans parti-pris; et dans les œuvres qu'une interprétation tendancieuse avait assombries, attristées, alourdies de prolongements philosophiques illusoires ou excessifs, on s'aperçoit, « oh! là, là, qu'on ne retrouve rien de tout cela »!

Amer, Molière? Oh! Dieu, non.

Pas exclusivement bouffon, certes. Du moins dans ses plus grandes œuvres. Ce n'était pas un optimiste béat à la façon de Bernardin de Saint-Pierre. Au demeurant, la peinture de certains vices tels que l'hypocrisie de Tartuffe et l'avarice d'Harpagon, ou même de certains travers tournant à la manie tyrannique tels que la vanité de Jourdain et le pédantisme de Philaminte, cette peinture ne pouvait être entièrement comique puisque ces travers

et ces vices menacent d'entraîner les pires conséquences
pour l'individu, la famille et la société.

Mais peut-on ignorer, et est-il permis de dissimuler,
avec quelle adresse, et quelle obstination aussi, dès que la
situation menace de devenir trop tendue, trop grave,
Molière la corrige, la redresse par des scènes franchement
drôles? Chez lui, la philosophie, quand philosophie il y a,
n'est jamais ennuyeuse, car il sait toujours l'égayer à propos,
fût-ce par les procédés les plus traditionnels.

Et qu'on ne s'y trompe pas : s'il consentait à certaines
plaisanteries un peu lourdes, ce n'était pas uniquement
pour satisfaire le vulgaire : la cour en réclamait aussi.
C'est pour elle que Molière écrivit plusieurs de ses farces,
et c'est sur la demande du roi qu'il introduisit, dans une
comédie de la qualité du *Bourgeois gentilhomme*, la mascarade grotesque de la cérémonie turque.

Rejetant les idées préconçues, le xxᵉ siècle va donc
s'attacher à dépouiller les pièces de Molière de tout ce que
les modes et les préjugés antérieurs y avaient surajouté.

Je sais bien que Lucien Guitry présentera encore un
Alceste douloureux, véritable personnification de la vertu
outragée. « Un masque immobile, dit René Doumic.
Une statue de la douleur et du dédain, de l'amertume
remâchée et de l'ironie recuite. Un air extatique qui se
change en attaques brusquées. Un surhomme, martyr
de sa supériorité et qui se venge. »

Mais le même Lucien Guitry imaginera de jouer
Tartuffe avec l'accent auvergnat. Il ne refusait donc pas
d'égayer à l'occasion une pièce qui avait trop longtemps
oublié d'être plaisante. Sans doute peut-on discuter la
valeur ou contester la pertinence du procédé auquel il
recourait; mais cela, c'est une autre question sur laquelle
je ne tarderai pas à revenir.

Toujours est-il que de grands acteurs, la plupart
cumulant les fonctions de metteurs en scène, s'efforceront
désormais d'en revenir à l'authentique tradition moliéresque.

Rajeunir Molière?

Ce sera l'objectif de Jacques Copeau, par exemple
(Les Fourberies de Scapin), de Charles Dullin *(L'Avare)*,
de Louis Jouvet *(L'École des femmes)*, de Fernand Ledoux
(Le Tartuffe), et d'autres et d'autres, qu'il serait inutile
et fastidieux de citer. Ce qu'il est bon de signaler, en

revanche, c'est que la Comédie-Française, si elle a manqué à prendre l'initiative de ce mouvement de « dépoussiérage », ne l'en a pas moins suivi. Sous la direction de M. Pierre-Aimé Touchard, plusieurs mises en scène ont été rajeunies, revigorées. Celles, par exemple, du *Misanthrope* par Pierre Dux, de *L'Avare*, du *Bourgeois gentilhomme*, de *Don Juan* et des *Fourberies de Scapin* par Jean Meyer, des *Précieuses ridicules* par Robert Manuel.

Ces hommes de théâtre, aimant Molière comme Molière les eût aimés, s'appliqueront de surcroît à faire bénéficier les œuvres du grand comique de toutes les ressources nouvelles d'un dispositif scénique perfectionné. Ils suggéreront de plaisants décors dans lesquels les personnages évolueront avec plus de vraisemblances que dans le rudimentaire salon dont disposaient les scènes de jadis pauvrement éclairées par des chandelles. Les deux plus réussis furent sans doute celui de Jouvet pour *L'École des femmes* et celui de Dullin pour *L'Avare*, où la pluralité des lieux préconisée déjà par Jacques Arnavon se trouvait ingénieusement réalisée.

Hélas, d'autres metteurs en scène, aussi bien intentionnés peut-être, mais à coup sûr moins bien inspirés, se rendront parfois suspects de cabotinage par d'excessives ou stériles « audaces ». Ils tenteront par exemple, exploitant une idée que Francisque Sarcey lançait un jour en guise de boutade, de prouver l'éternelle actualité de Molière en le jouant en costumes modernes. L'expérience n'était point sotte, sans doute, ni tout à fait dépourvue d'intérêt; mais elle ne révéla qu'une chose, c'est que la permanence des caractères ne dissimule point la disparité des langages, et qu'il est déconcertant d'entendre un Alceste en habit de soirée débiter les alexandrins du *Misanthrope*. Évidemment, quand cet Alceste au langage anachronique — car c'est son langage qui paraît alors anachronique et non son vêtement — quand cet Alceste est servi par le talent d'un Jacques Dumesnil, le mal est léger.

Mais lorsque des acteurs médiocres se mêlent d'en faire autant…! Et lorsqu'ils s'autorisent à en faire davantage, oubliant que, « quand sur une personne on prétend se régler, c'est par les beaux côtés qu'il lui faut ressembler », alors on ne sait plus où l'on va. On ne le sait plus, mais on ne le devine que trop.

Je me suis naguère indigné de voir un Horace, vêtu d'un

« blue-jeans », mâcher inlassablement du « chewing-gum », et Arnolphe s'attabler à la terrasse d'un bistrot pour offrir l'apéritif à Chrysalde.

J'étais près de crier au scandale; mais je suis aussitôt revenu de mon mouvement d'humeur. Ne faut-il pas, parmi le monde, une vertu traitable?

Certes, depuis qu'il est avéré que le ridicule ne tue plus, bien des gens sont devenus par trop téméraires. Mais, tout bien considéré, notre époque ne vaut ni plus ni moins que celle du « monde où l'on s'ennuie ». Elle a remplacé les « pontifes de la cravate blanche » par d'autres, soigneusement débraillés, qui, si leur syntaxe est moins châtiée, affichent des prétentions également ridicules. Bien sûr, la scène est souvent victime de prétendus esthètes qui trouvent en elle une tribune accueillante à leurs théories absconses. Mais qu'un metteur en scène ou, pour employer un vocable plus distingué, qu'un « animateur », courant après le génie, s'essouffle dans cette course vaine aux applaudissements frénétiques des snobs, qu'importe au fond, du moment que l'on entende malgré tout le verbe du caustique de celui que son siècle appelait le « contemplateur »? Est-il plus exaltant d'ouïr des acteurs relégués dans des poubelles échanger, à la faveur de cette congruente posture, des propos désabusés sur nos consciences fangeuses? Non, n'est-ce pas? Il vaut bien mieux que l'on joue Molière, et que l'on entretienne autour de lui une constante curiosité, dût-elle à l'occasion se résoudre en stupeur. Ses pièces s'accommoderaient-elles davantage de la trop respectueuse poussière des bibliothèques?

Quoi qu'il arrive, la gloire de Jean-Baptiste Poquelin est désormais à l'abri de toute atteinte. Et c'est là l'essentiel.

Molière, disait déjà l'abbé Prévost, « est à ce point de réputation auquel les éloges n'ajoutent rien, et où la beauté même et la délicatesse des louanges ne sert qu'à l'honneur de celui qui les donne. »

Ne puis-je prétendre aujourd'hui qu'il est incontestablement à ce point de célébrité auquel les avanies ne retranchent rien et où l'incohérence d'une interprétation ne nuit qu'à la réputation de celui qui s'en rend coupable?

Un miroir pour chaque génération

Je viens de me relire, et je ne puis vaincre un scrupule qui ressemble étrangement à un doute.

Ai-je été équitable? N'ai-je pas témoigné trop d'intransigeance?

Et que prouve, au surplus, ce que je pense, moi, de l'interprétation de Molière? J'ajouterai même, avec mille excuses préalables : que prouve ce que vous en pensez, vous, et ce qu'en pensèrent les autres?

Car enfin, si chaque époque a cru trouver dans l'œuvre de Molière un reflet de son âme, un écho de ses aspirations, et découvrir dans son auteur un ami toujours affectueux, un confident toujours attentif, à quel titre l'un quelconque d'entre nous s'en formaliserait-il? De quel droit prétendrait-il détenir seul le secret d'une pensée peut-être impénétrable, non par manque de clarté, certes, mais par excès de richesse?

N'oublions-nous pas trop volontiers que Molière s'appliquait à peindre beaucoup plus qu'à philosopher? Ne confondons-nous pas les peintures, qui sont de lui, avec la philosophie que nous y surajoutons inconsciemment? La philosophie est changeante comme versatiles sont nos idées; mais le portrait est toujours ressemblant parce que nos caractères sont immuables et que le peintre eut du génie.

Aussi les générations qui se sont succédé de Louis XIV à Charles de Gaulle ont-elles toutes reconnu leurs traits dans le « miroir public » que Molière leur tendait. Et, s'étant identifiée à ses personnages, chacune d'elles a pu légitimement les confronter avec les problèmes de son siècle.

Voilà, du reste, pourquoi Molière est sans conteste le seul auteur dramatique contemporain de chacun à chaque époque. Où trouvons-nous encore Perrichon, et Poirier, et Armand Duval, et Giboyer, et tant d'autres, ailleurs que dans leur cadre suranné? Mais Jourdain, Alceste, Tartuffe, Harpagon, Philaminte, Célimène, Arsinoé, Elmire, nous les rencontrons encore chaque jour dans la rue. C'est lui, c'est elle, c'est vous, c'est moi. La comédie de nos caractères n'a point varié; seule la comédie de nos mœurs a changé de décor et de costumes.

Louis Jouvet avait donc bien raison d'écrire : « Votre Tartuffe n'est pas le mien, c'est tout ce qu'on peut dire. Au-delà de cette affirmation, il n'y a ni verdict ni condamnation possibles... On jouera encore Tartuffe de façon différente, ajoute-t-il, et rien n'est définitif dans ces matières si ce n'est la bonne foi et ce but que Molière appelait le grand art de plaire. »

A la table de Molière, tout homme trouve sa place et toutes les opinions sont reçues. N'en sont irrévocablement exclus que les hypocrites et les snobs.

UN DÉCORATEUR S'INTERROGE

par

Serge Creuz

Qu'inspire Molière au décorateur que je suis? Cette question donne l'envol à bien des points d'interrogation.

Il faudrait commencer par préciser qu'il n'est pas question de décorer Molière, mais bien chacune de ses pièces. A chaque fois le propos est autre et cela ferait, s'il fallait analyser chaque ouvrage un volume de réflexions, qui lasserait votre patience, dépasserait sans doute notre projet et sûrement ma compétence. Un artiste, en effet, n'est pas fait pour penser : le recul stérilise. Il nous faut le problème immédiat, concret, pour que viennent les idées. Or ces idées, si nous les traduisons en intentions plastiques, couleurs et formes, c'est que notre langage est celui-là et non celui des mots.

Néanmoins ayant, bien légèrement, promis d'écrire, j'écris. Au fond, je suis heureux d'être obligé de m'arrêter un peu pour réfléchir à mon métier.

« *Molière, dit-on, ferma un jour Plaute et Térence; il dit à ses amis :* « *J'ai assez de ces modèles : je regarde à présent en moi et autour de moi.* » (Eugène Delacroix, *Journal*).

Pour Molière le théâtre était la vie. Sa gloire vient de ce que son théâtre est aussi notre vie. Après trois siècles, il est encore notre miroir.

Molière est notre morale. Il est la santé de notre art. Chacun de nous devrait retourner à lui souvent, comme il irait aux sources faire une cure.

En effet, notre auteur soigne tout : la rate mais plus encore le cœur et l'esprit.

C'est vrai pour les spectateurs. Ce l'est aussi pour les travailleurs du spectacle.

Les poètes écrivent des pièces comme on jette les bouteilles à la mer. Leurs rêves demeurent lettres mortes tant que personne ne les incarne sur les planches du théâtre. Et cela prend quelquefois beaucoup de temps.

La démarche de Molière fut inverse. C'est pour le besoin immédiat de sa troupe qu'il écrivait. Ses pièces étaient jouées avant que l'encre fut sèche. De cette nécessité absolue, de ces personnages voués dès l'ébauche à leurs protagonistes et à leur public, vient une grande part de la vigueur, de la justesse de ses œuvres.

Oui, Molière est notre morale, pour nous décorateurs tout autant que pour nos frères les metteurs en scène et les comédiens.

Partant de lui, c'est une véritable charte de notre métier que l'on pourrait écrire.

Notre époque voit triompher la manie de moderniser systématiquement tout ce que l'on aborde. Or à les vouloir actualiser trop et surtout trop extérieurement, on porte à des textes, pourtant solides, des coups mortels. Une pièce trahie meurt aussitôt ou change de destination, ce qui revient au même.

Il ne s'agit pas d'aborder *Dandin* ou *Le Misanthrope* à genoux et confit de respect. Non. Ce ne sont pas des momies sanctifiées par l'âge. Ces pièces et ces personnages sont bien vivants et s'il importe de servir, en conscience, les multiples intentions de l'auteur rien ne justifie cependant une dévotion sclérosante, moins encore la tartufferie de la « tradition ».

Décorer un ouvrage de Molière est la synthèse exemplaire de nos devoirs et de nos joies.

Il faut se mettre en état réceptif, au diapason. Il faut inventer des formes, trouver des couleurs, des matières dont chacune contribue à *servir*. Servir les personnages et leurs situations.

Le décorateur qui voudra briller aux dépens de l'œuvre fera sombrer le navire.

La force du théâtre de Molière c'est sa vérité. Cette vérité est aussi éloignée de la simple réalité que de l'abstraction. Elle est profonde. C'est l'essence de la vérité.

Dans chaque pièce et de manière chaque fois différente.

Un décorateur ne peut « déguiser » cette vérité. Jamais.

Le théâtre de nos jours, s'il connaît un nouvel essor, n'en subit pas moins les violences de certains metteurs en scène sans pudeur, de décorateurs trop voyants, trop « décoratifs ». Ces messieurs prennent un texte, comme à regret, non pour le servir mais pour s'en servir. Leur grande question semble être : « Comment, au départ de cette pièce, démontrer mon intelligence? Comment agirai-je pour affirmer mon génie et son actualité? » Leur souci majeur est de tirer vers eux toute l'attention. A n'importe quel prix.

Cela nous vaut des spectacles étranges ou l'auteur (mort de préférence) a été utilisé, tel un tremplin, pour les « idées » de ces messieurs.

On verra ainsi *Scapin* enfourcher une vespa, Othello en général parachutiste, que sais-je encore de gratuit et, pour tout dire, de sot qui s'interposera sans cesse entre l'écrivain et le spectateur.

Quelquefois des intentions plus nobles n'aboutissent pas davantage. On a vu, par exemple, jouer *le Misanthrope* en costume moderne sous prétexte de discrétion. Mais cette discrétion devient ostentatoire et dès lors elle nuit à l'entendement. Pour ma part, il me gêne d'entendre dire par un monsieur en habit d'aujourd'hui :

« Mes yeux sont trop blessés, et la cour et la ville
Ne m'offrent rien qu'objets à m'échauffer la bile »

Alceste en costume du XVIIe siècle m'entraîne tout naturellement à penser que le monde n'a guère changé. S'il est au contraire vêtu à notre mode, le divorce entre son vêtement et sa façon de s'exprimer s'affirme. Ce procédé m'écartèle entre 1666 et 1963, et je ne peux dès lors me fixer ni à l'une ni à l'autre date.

Il faut servir le texte et le spectateur. Une sauce contemporaine ne renforcera jamais l'actualité d'un personnage. Si celui-ci est profondément vrai et si le décorateur est réellement un contemporain, le spectacle sera actuel.

Voilà, je ne pourrais plus que me répéter et surtout redire ce qu'ont dit, bien mieux, ceux qui parlent de théâtre. Bien sûr, nous nous entendons, j'évoque ceux qui pensent *bien* le théâtre. Ils sont rares. Les autres... les bruyantes légions de théoriciens, elles ne manquent pas, ni les revues où l'on pense pour penser, ni les laboratoires où se cultive l'expérience pour elle-même. Et au fond c'est très bien ainsi. Ceux là prouvent aussi à leur façon la perpétuelle actualité des pédants et des précieuses ridicules. C'est une manière comme une autre de servir Molière et le théâtre!

Ceci dit et pour conclure, car rien n'est simple heureusement dans notre métier, il faut garder ouverte la porte aux vraies aventures, à celles qui se basent sur de vraies cartes et faisant réellement le point, peuvent nous mener vers des rivages inconnus et nous faire découvrir de nouveaux aspects de Molière, aussi authentiques que ceux que nous connaissons déjà.

Paradoxalement dans cet art de l'illusion, des masques, du mensonge, ce qui doit compter avant tout c'est la probité et le respect des vérités multiples.

UN CRITIQUE DIALOGUE AVEC DON JUAN
par
Jean-Louis Bory

Dom Juan gêne. Les professeurs et les comédiens considèrent avec respect — c'est-à-dire de loin — ce lieu bizarre, comme réservé, du théâtre classique, cette machine tranchante, aigue, brillante comme une vraie machine de métal, et sèchement pétaradante. Quant aux élèves des lycées, abrutis par l'abus des préjugés qu'on leur entonne à propos du classicisme, devant ce cocktail de fantastique, de sérieux et de bouffon, ils béent : cette Sicile espagnole et beauceronne? Cette forêt dont les arbres se transforment en colonnade funèbre? Ce tombeau qui bâille, cette statue qui bouge, cette pluie de feu vengeresse, cette trappe finale? Comme l'autre, ils ne reconnaissent plus l'auteur du *Misanthrope*.

★

Il faut tout de suite écarter la tentation à laquelle trop de critiques et d'acteurs ont cédé, de prendre le Don Juan de *Dom Juan* pour un contemporain des philosophes

du XVIIIᵉ siècle, un frère aîné de Sade ou de Valmont ;
se garder aussi de vouloir que Molière, poussé par quelque
impérieuse nécessité intérieure, ait entrepris d'« étudier »
le caractère de Don Juan comme il serait naturel que le fasse
un auteur conservé par les littératures de deux siècles
dans le bocal « Comédie classique » sous l'étiquette *grand
créateur de caractères et de types*. L'*Avare*, le *Misanthrope*,
le *Cocu*, l'*Athée*, et allez donc.

Il est difficile de l'ignorer aujourd'hui après les remarquables travaux de Lancaster, de R. Bray, d'A. Adam :
tout, de *Dom Juan*, a *d'abord été* déterminé par les exigences
de la scène¹. Si Molière a écrit *Dom Juan*, c'est parce que
ses finances et ses camarades l'exigeaient et que choisir
Dom Juan, c'était choisir un sujet en or. Cette fabuleuse
et excitante histoire de statue qui déjeune et d'athée
« fulminato », déjà exploitée par les Espagnols, les Italiens
plus récemment par les Français, occupe dans les années
1660 la scène de trois théâtres parisiens. Elle permet
l'emploi des machines et des « changements de théâtre »
dont le public raffole. Molière est sûr de remplir sa caisse.
Voilà le premier point.

Deuxième point. Le personnage de Don Juan court,
sinon les rues, du moins les couloirs du palais de Versailles :
le Don Juan de *Dom Juan* est un courtisan, Molière insiste
(ne pas oublier la minutieuse description, par Pierrot,
du costume de « marquis »). Les petits marquis de l'Œil-
de-Bœuf, élégamment cyniques et qui dédaignent de penser
comme le vulgaire, aiment jouer à l'esprit fort. Certains
même se sentent assez forts pour mêler à un libertinage
poussé jusqu'à l'athéisme le goût des pratiques occultes ;
ils ne craindraient pas d'accepter une occasion d'explorer
ce qui est encore inconnu. Don Juan donne sans hésiter
la main à la statue.

Enfin², et c'est à ce détour que notre Don Juan naît
vraiment, ces éléments divers, parfois hétéroclites, Molière,
avec toute la liberté que lui permet le baroque de son sujet,
les cuisine à la sauce Molière. Oui, oui, il n'est pas fâché
de brocarder plus ou moins discrètement ses adversaires :
la Compagnie du Saint-Sacrement soutient la croisade
contre le tabac ? Burlesque éloge initial du tabac par

---

¹ Ceci me paraît valable pour toutes les pièces de Molière.
² Ne faut-il pas toujours trois points à un raisonnement ?

Sganarelle; la Compagnie du Saint-Sacrement empêche qu'on joue *Le Tartuffe?* Pendant le cinquième acte de *Dom Juan*, Don Juan jouera Tartuffe. D'accord. Mais Molière, suffisamment empoisonné avec son *Tartuffe*, n'a aucun intérêt à soulever un scandale[1], mais la sauce Molière est d'abord et surtout une sauce comique. Molière a voulu faire jouer une comédie, il n'a pas écrit une tragi-comédie. Le meurtre du Commandeur, les duels, les rapts ont cédé la place aux scènes susceptibles de communiquer à cette légende soi-disant édifiante la *vis comica*, fût-ce en recourant aux procédés les plus rebattus de la farce de foire, et pourquoi pas? puisque « ça rend »? Sganarelle, personnage nécessaire du valet bouffon, occupe autant de place que Don Juan, et il est comique selon le comique « d'époque », comme dirait un antiquaire : sa tirade sur le tabac ouvre le spectacle — comme à l'accoutumée — sur une parade à la Tabarin; Sganarelle disserte sur les bienfaits de l'herbe à Nicot avec la même pédanterie grotesque que Tabarin sur la question de savoir pourquoi les chiens lèvent la jambe en pissant; Sganarelle, dès qu'il raisonne avec Don Juan, culbute dans les galimatias cher à Bruscambille. Sans doute, Sganarelle ne va pas, comme Arlequin, jusqu'à montrer son sexe ou faire péter des vessies, mais il tombe sur le cul, pirouette, esquive des gifles; la scène du souper avec Don Juan appartient à la plus pure tradition de l'arlequinade; arlequinades, le naufrage et la pastorale burlesque; et comique traditionnel que la tirade contre les médecins et le sketche du marchand bafoué. La composition déconcertante de *Dom Juan* tient à ce que Molière a choisi d'exploiter dramatiquement son personnage et son histoire par sketches, composition qui lui permet, par la juxtaposition franche de scènes disparates, une grande liberté d'action et une exécution plus rapide. Quant au cri final de Sganarelle « mes gages! mes gages[2]! » c'est une bouffonnerie dans laquelle il ne faut pas chercher des abîmes de subtilité philosophique, mais la très nette volonté chez Molière de terminer en faisant rire son public malgré le coup de foudre divin — et,

---

[1] Dès la première représentation, Molière édulcorera son texte.

[2] Je me réfère à l'édition des *Œuvres complètes de Molière* établie par R. Bray et J. Scherer, et publiée par le *Club du Meilleur Livre*. Elle me paraît la plus « au point ».

peut-être même, *du* coup de foudre *divin*. Mais n'anticipons pas.

Le doute n'est pas permis : Molière a créé une pièce drôle. Il n'a pas eu en tête une étude psychologique, encore moins une tragi-comédie édifiante, ni quelque monstre hybride tenant à la fois de Shakespeare et du drame romantique. Déterminé par les conditions dramatiques de son spectacle, il s'est placé au-delà du réel, sur le plan de l'imaginaire, mais (sinon Molière ne serait pas Molière) d'un imaginaire qui se révèle plus vrai que le vrai.

Maintenant, rien ne nous empêche de rêver sur *Dom Juan*. L'auteur propose, le public dispose. Ce que Molière a mis dans son *Dom Juan*, peut-être sans le savoir — ce que Gide aurait voulu appeler la « part de Dieu », expression qui, appliquée à *Dom Juan*, ne manque pas de piquant — chaque génération l'imagine différemment. Ce qui fait l'exceptionnelle grandeur de *Dom Juan*, c'est cette marge laissée pour l'interprétation des autres et qui ne cesse pas de « vivre ».

C'est entendu : arlequinades + pièces de Dorimon et de Villiers + traits observés sur le vif + quelques méchancetés décochées (Molière l'espère) impunément + sauce comique = *Dom Juan*. Mais il n'en reste pas moins que le résultat de cette addition, Molière l'eût-il voulu ou non, est extraordinaire. Le Don Juan de *Dom Juan* est autre chose que le père de cette lamentable entreprise de séduction à la chaîne, qu'on appelle donjuanisme; autre chose que le libertin effréné dressé contre Dieu et contre la patrie parce qu'il refuse d'admettre aucune borne à ses désirs[1]. Il y a cela. Il y a plus que cela. Quel homme est Don Juan? Un marquis, oui, un séducteur, bon, un esprit fort, d'accord. J'y verrais l'homme armé « jusqu'aux dents » par l'intelligence et qui se pose devant les valeurs humaines courantes : l'amour, le respect conjugal, le respect filial, le respect « commercial », le respect divin, bref : tous les respects ordinaires. Et il raisonne sans oublier que 2 + 2 = 4 et qu'il est gentilhomme (le point d'honneur ne joue pas pour un Monsieur Dimanche alors qu'il joue quand il s'agit de duel, de défi, de porter secours à des voyageurs en péril). Devant la Femme, la Famille, le Bourgeois,

---

[1] Tel est le héros, fort curieux, terriblement hardi, du *Festin de Pierre*, de Villiers (1659), et du *Festin de Pierre*, de Dorimon (1661).

le Surnaturel, le Ciel et la Mort, Don Juan veut comprendre, et comme il estime que le respect ordinaire n'est qu'une vaste rigolade, un excellent attrape-nigaud indigne d'un homme de sa qualité, il rit, refuse de jouer le jeu ou plutôt le joue pour son compte personnel. Rien que de normal si à ce petit jeu il se heurte vite aux hommes puis à Dieu. On peut voir, dans *Dom Juan*, un duel entre le Ciel et un homme qui, n'admettant pas les hypocrisies et les incohérences du monde, n'obéit en toute liberté qu'à ses insolentes volonté et volupté d'être. Duel qui se termine sur le fulgurant face à face du dernier acte, lorsque Dieu, las d'avertir en vain, se manifestera directement et que Don Juan, dressé par son honneur de gentilhomme et son intense curiosité, ne se dérobera pas. Champion de la curiosité, de l'intelligence, du plaisir humains, relevant le défi posé par l'absurdité divine, Don Juan se tient résolument du côté de l'Homme[1].

Mais voilà où Molière (et cela Molière l'a voulu) me paraît un homme — j'allais écrire « dangereux » comme s'il s'agissait d'un héros de Peter Cheyney — mettons : admirable. En face du gentilhomme irrespectueux, c'est Sganarelle qu'il pose en champion des sentiments obligatoires. Sganarelle! qui tient beaucoup plus d'une espèce de Sancho Pança lâche, gourmand, égoïste, hâbleur, bavard, stupide, que d'un Scapin coquin mais habile, plaisant et somme toute sympathique. C'est cet ignoble Sganarelle l'homme de cœur, l'homme qui pleure. C'est à lui que Molière confie la défense des préjugés élémentaires bafoués par Don Juan — le foyer, l'honnêteté, la pitié et le reste. C'est ce lamentable grotesque, plus fieffé coquin que son maître, car il n'a ni intelligence ni courage, qui sermonne et quelles parodies de sermon! Bref, c'est

---

[1] On n'a pas fini de méditer sur la fameuse scène du mendiant. Oui, c'est entendu : Molière utilise une anecdote vraie, le chevalier de Roquelaure s'amusait à pousser un pauvre à la damnation à raison de cinq sols le blasphème. Mais ne peut-on voir dans ce sketch plus que cela? Le pauvre prie Dieu, Dieu ne répond pas, Don Juan tente le pauvre, le pauvre cède, mais parce que Don Juan est supérieur à ce genre d'échec, et parce que cela l'amuse de paraître donner à l'idée de Dieu que se fait le mendiant une leçon de charité, il donne le louis, et le donne (dernière insolence) non pour l'amour de Dieu, formule ordinaire, mais, formule digne de et propre à Don Juan, pour l'amour des hommes.

Sganarelle l'homme qui croit. A tout d'ailleurs, à la caste comme à la famille, au loup-garou comme à Dieu. Méli-mélo bien impertinent. Lâche sur le plan physique, Sganarelle est lâche aussi sur le plan intellectuel et moral, puisqu'il croit. Ce refus de reconnaître une différence entre croyance et crédulité, et cette volonté d'enfermer tous les conformismes dans le même sac me paraissent une insolence plus violente que les élégants cynismes de Don Juan.

Et Sganarelle, lui, n'est pas foudroyé. Et c'est Sganarelle qui tire la « moralité » de l'histoire, et qui la tire en Sganarelle, plainte d'une cupidité ridicule, explosion bouffonne qui double le cri horrifié de Don Juan, le couvre, empêche qu'on prenne au sérieux l'éclair et son châtiment. Il s'en faut de bien peu, même, qu'elle ne ridiculise ce « ministre de la vengeance divine », le transformant en pétard de foire.

La belle légende édifiante n'existe pas. Je vois plutôt dans *Dom Juan* une impertinente parade, une farce parodique. Les contemporains ne s'y sont pas trompés. Ils ont été scandalisés. Ils avaient raison. *Dom Juan* est merveilleusement scandaleux.

★

Continuons de rêver sur *Dom Juan*... Nocturne fantastique et drôle, traversé de lueurs baroques, grâce auquel le spectateur du XXe siècle peut soulever les plus grandes questions qui se posent à l'homme sur son destin et qui le confrontent, venu du bord de la mer à travers la broussaille des bois, à cette statue orgueilleuse et blanche qui marche immanquablement vers lui du fond des forêts et qui s'appelle la Mort.

MOLIÈRE VIVANT

Le texte est sacré

On dira que le théâtre est fait pour combiner la chose à voir et la chose à entendre. Fort bien, si la qualité du spectacle ajoute à la beauté du texte joué et récité. Mais s'il en détourne d'une manière agressive, dans une intention en somme très primaire,

(...) il y a lieu de se fâcher et de demander : Qui a voulu cette sottise? (...)

Quand il s'agit d'un texte majeur — comme *Phèdre*, comme *Bajazet*, comme *Tartuffe* ou le *Misanthrope*, un respect absolu est dû au texte seul. Au texte sacré.

Émile Henriot (Le Soir, 30-12-59)

Écrit dans la salle

Je crois que les pièces de Shakespeare ont été écrites dans la salle, à l'avant-scène, au cours des répétitions. Et Molière refaisait, à partir des répétitions également, les comédies dont il avait jeté l'essentiel sur le papier auparavant.

Jacques Fabbri (Interview. Le Monde, 12 novembre 1959)

Quel respect ?

A un critique qui lui reprochait de ne pas avoir respecté les intentions de Molière, Jouvet répondit : « Tu lui as téléphoné? » Hélas, POQuelin 00-00 ne répond pas.

Quand certains crient au manque de respect lors de la représentation de *L'Avare* par le T N P, nous avons bien le droit de demander de quel respect il est question. Le respect de Molière? Mais lui-même était-il si respectueux? Voyons un peu.

On sait que Molière avait trouvé le canevas de *L'Avare* dans *L'Aululaire* de Plaute. On sait aussi que la scène où Maître Jacques accuse Valère provient de *Lélio et Arlequin*, ainsi que l'épisode de Valère et d'Élise; que le passage où Frosine fait croire à Harpagon qu'il est bâti pour vivre cent ans, est extrait, mot pour mot, d'une comédie de l'Arioste, *Gli Suppositi;* que la scène entre Valère et Maître Jacques est copiée de *La Suivante de qualité;* enfin, que la conclusion est un démarquage pur et simple de cette farce italienne du cardinal da Bibbiena, *La Calendria*, que nous avons présentée, l'été dernier, en Avignon. On sait tout cela.

Mais au fait, le sait-on vraiment? La vérité est que certains ne nous pardonnent pas d'avoir sans théorie ni préméditation rendu à *L'Avare* la saveur de la farce. Et cela, en dépit de l'invraisemblable tradition du XIXe siècle qui décida d'en faire un drame comico-réaliste, celui « d'enfants épris de libertés dressés contre la contrainte égoïste des pères. » Quelle sottise et quel pensum! Le travail des répétitions m'a conduit à l'interprétation d'une œuvre qui n'est pas loin d'être un vaudeville. C'était le jugement de Jouvet. J'ai dû me rendre à cette évidence à mon tour.

Jean Vilar (Pneumatique à un auteur, 1944.
Repris dans De la Tradition Théâtrale)

Avec des yeux neufs

Il faut voir l'œuvre avec des yeux neufs. Nous ne pouvons nous en tenir à cette façon routinière et dépassée de représenter la pièce, que nous a léguée une bourgeoisie rétrograde. Et nous ne saurions non plus nous fixer pour tâche des « innovations » purement formelles, extérieures, étrangères à l'œuvre. Il nous faut mettre à jour le contenu idéologique original de la pièces comprendre sa signification nationale — d'où elle tire sa valeur internationale — et à cette fin, étudier la situation historique au moment où la pièce a été écrite, ainsi que la position prise alors par l'auteur classique et voir ce qui fait son originalité propre. Cette étude présente maintes difficultés : on l'a dit souvent et on en parlera longtemps encore. Mon propos ici n'est pas de m'y étendre : je veux plutôt parler d'un autre obstacle que j'appelle l'effet d'intimidation de l'œuvre classique. Cet effet d'intimidation résulte d'une conception fausse, superficielle du classicisme d'une œuvre. La grandeur des classiques réside dans leur grandeur humaine, non dans je ne sais quelle « grandeur » extérieure, entre guillemets. La tradition des représentations « bien léchées » telles qu'on les a longtemps pratiquées aux théâtres de cour, s'est éloignée de plus en plus, sur les scènes de la bourgeoisie décadente et rétrograde, de cette grandeur humaine, et les expériences des formalistes n'ont fait que favoriser cette évolution. Le pathos valable des grands humanistes bourgeois a été remplacé par le faux pathos des Hohenzollern, l'idéal par l'idéalisation, l'élan, qui donnait des ailes au texte, par les répliques à effet, la solennité par l'onction, etc. etc. Il en est résulté une fausse grandeur, qui sonne creux, tout simplement.

Bertolt Brecht (Lettres Françaises, 14-7-55)

Survie

Les œuvres dramatiques survivent dans la mesure où elles s'adressent à l'homme et lui restituent son sentiment humain. Les œuvres de Molière ont gagné leur survie par le pouvoir d'atteindre au plus intime de l'homme, par les correspondances et les similitudes qui font du spectateur d'une époque un homme de tous les temps.

Comme toute grande pièce de théâtre, une pièce de Molière est un message, la délivrance d'un état intérieur. Elle est un moyen de fuir la vie, de l'amplifier même en la raillant. Elle est le moyen d'établir entre les hommes une communication, un lien de sympathie et d'amitié : une communion.

Louis Jouvet (Nouvelles Littéraires, 15-11-51)

Un rappel à l'ordre ?

L'École des Femmes est une leçon, une leçon magistrale donnée par M. Jean Meyer non dans sa chaire du Conservatoire, mais sur la scène du Théâtre-Français. Louis Jouvet avait réalisé une œuvre trop personnelle pour être imitable. Au T N P, M. Georges Wilson fait ressortir la farce que la comédie n'est pas, mais qu'elle pourrait devenir. M. Jean Meyer enseigne la manière de jouer la pièce avec une justesse qui limite les risques du contre-sens. Cette représentation est une sorte de rappel à l'ordre, peut-être nécessaire au moment où une jeune troupe joue la pièce en costumes de notre temps au Théâtre de Lutèce. Elle est presque trop exemplaire. Ici encore, aucune négligence dans l'interprétation. Mais Mlle Danielle Ajoret *joue* Agnès : or, elle *serait* Agnès si l'art n'ajoutait à la nature une très légère trace de son travail. Remarquable dans le cours d'Arnolphe sur les devoirs de la femme au foyer, émouvant et vrai dans la misère de l'amour bafoué, M. Jean Meyer ne permet guère à son personnage d'être *aussi* celui d'une histoire gaie : rarement ridicule et risible furent si nettement séparés. Peut-être y a-t-il là moins un parti pris de l'acteur qu'une réaction de la sensibilité contemporaine si prompte à déceler l'envers dramatique du comique.

Henri Gouhier (La Table Ronde, janvier 1960)

L'école des femmes...
comme l'eût faite Édouard Bourdet !

J'avais, je l'avoue, de grandes craintes. Tant de bruits avaient couru, dans « le milieu », sur cette *École des femmes* modernisée par le metteur en scène Robert Marcy que je craignais exactement le pire. De la représentation qui en avait été donnée au Festival de Liège, j'avais eu des échos rigoureusement contradictoires. Je ne voyais pas du tout ce que le texte de Molière pouvait gagner à une transposition dans le temps qui paraissait pleine de périls. (...)

Or, Robert Marcy a évidemment gagné. (...) Sans toucher, ai-je besoin de le dire, à un mot du texte de Molière, Robert Marcy a créé pour elle un climat neuf, auquel elle s'adapte parfaitement. Il me semble qu'Édouard Bourdet eût, sur le thème de l'*École des femmes*, construit la pièce que nous avons vue comme l'a fait Molière. C'est une idée que ne m'avait encore jamais donné une représentation de *L'École des femmes*.

(...) Il y a d'abord une terrasse de café de petite ville (...) Ce café est suivi d'une grille de jardin qui, lorsqu'il le faudra, s'ouvrira largement, du même mouvement que les murs construits par Bérard pour *L'École des femmes* de Jouvet et nous laissera pénétrer dans ce jardin d'Arnolphe, qui est la basse-cour où il entend maintenir Agnès à l'engrais. (...) C'est à cette terrasse de bistrot qu'Arnolphe et Chrysalde échangeront leurs premiers propos...

Jacques Lemarchand (Figaro Littéraire, 28 novembre 1959)

Tartuffe est-il comique ?

Tartuffe est-il ou non un personnage comique? Ce qui me frappe c'est ceci qui est, avant tout, d'ordre technique : pour des raisons, dont certaines sont évidentes, Molière a fait en sorte que nous soyons prévenus de l'imposture du personnage avant même qu'il soit entré en scène. Disons que c'était là une précaution qu'il était tenu de prendre pour se garantir du reproche d'impiété, pour qu'il fût, somme toute, impossible de prétendre qu'il s'en prenait à la dévotion véritable. Tout est donc aménagé comme pour nous convaincre d'avance que l'homme est un faux dévot.

Il me paraît évident qu'un moderne, qui n'aurait pas ces craintes, un moderne vivant dans un pays non soumis à une dictature cléricale, procéderait tout à fait autrement : j'imagine qu'il prendrait soin de nous laisser d'abord hésitants, et de ne nous révéler que progressivement l'ignominie du personnage. Dans une semblable perspective, ce serait une grave erreur d'accentuer l'aspect comique du personnage. Dans celle qu'a adoptée Molière, je ne pense pas qu'il en soit de même. Tartuffe peut être comique parce qu'il est immédiatement percé à jour, parce que l'auteur a mis le spectateur dans la confidence, et l'a ainsi placé dans des conditions telles que rien des manèges de l'imposteur ne lui échappe. C'est pour cela d'ailleurs que la première scène avec Elmire, où Tartuffe se démasque complètement, vient si vite après l'entrée du personnage, ce qui, dans ce que j'ai appelé la perspective moderne, serait, au contraire, tout à fait injustifiable.

Il y a, à vrai dire, un instant qui est, à mon avis, un des instants suprêmes du théâtre universel, où le personnage semble échapper en quelque façon à la volonté préméditée de l'auteur : c'est celui où, démasqué par Damis devant Orgon encore incrédule, Tartuffe, non seulement reconnaît son indignité, mais semble s'y vautrer. Pendant quelques secondes, le spectateur, stupéfait et comme désarçonné, peut s'interroger sur la sincérité de Tartuffe et se demander s'il ne serait pas en présence de cette sincérité de mauvaise foi dont l'auteur de l'*Être et le Néant* nous a présenté de si remarquables analyses. Cependant, la porte entrebâillée se referme, et Tartuffe finira par devenir un traître de mélodrame, la comédie s'achève en un drame bourgeois, qui prendrait des proportions catastrophiques sans l'intervention parfaitement déplorable, il faut l'avouer, du *deus ex machina*. Déplorable même au point de vue moral, dirai-je, car il est trop clair que Molière se prosterne devant le roi pour qu'on lui pardonne son audace.

Gabriel Marcel (Nouvelles Littéraires, 25 janvier 1951)

Un monde de catastrophe

Bien que *Tartuffe* soit une grande comédie et qui tourne même à la tragédie à partir du bouleversant point d'orgue qu'est, à la fin du IVe acte, la fameuse réplique : « C'est à vous d'en sortir », il ne faut pas oublier que nous sommes ici dans l'univers de Molière, c'est-à-dire dans un univers spécifiquement théâtral. Quelles que soient les préoccupations de Molière et sa maturité au moment où il écrit *Tartuffe*, les tréteaux de la foire ne sont pas loin. Molière leur a-t-il résolument tourné le dos ? Je ne le pense pas, et son génie réside précisément dans l'étonnant équilibre qu'il a su instaurer et maintenir entre une observation lucide et une hantise de l'homme aux prises avec sa destinée, d'une part, et d'autre part, les lois d'un art qui ne peut se passer d'outrance et de simplification.

Or, hanté, semble-t-il, par les résonnances et par le réalisme psychologique de *Tartuffe*, Louis Jouvet a fait évoluer dans le décor de Braque une humanité de bonne compagnie et créé un monde sans note discordante, un monde où tout est mesuré, calculé, nuancé à l'extrême : tout y est en intentions, en allusions discrètes; les ridicules y sont légers, les passions contenues. On pense à un tableau de Philippe de Champaigne. C'est bien là, sans doute, une image qui nous est chère du siècle de Louis XIV, mais ce n'est pas là l'image que nous en montre le théâtre de Molière.

On a découvert, au XIXe siècle, la tragédie moliéresque à partir de l'*École des Femmes*. Et il est certain que le monde d'Arnolphe, de Don Juan, d'Alceste, de George Dandin, d'Harpagon et d'Argan est un monde de catastrophe. Mais l'univers tragique exige-t-il le clair obscur dans quoi tout se feutre ? L'univers tragique se pare-t-il de lumières tamisées, de couleurs estompées ? Certes non. L'univers tragique d'un auteur comique comme Molière — et celui de *Tartuffe* tout particulièrement — est, au contraire, fait de contrastes : la scène d'exposition, la scène du « pauvre homme », l'entrée de Tartuffe, l'épisode de la table sont autant de moments du plus haut comique, tout en mouvements, en effets (que Molière, d'ailleurs, a pris soin d'indiquer) qui, peut-être, se pourraient suffire à eux-mêmes, mais qui prennent surtout toute leur signification lorsqu'ils apparaissent comme des rehauts destinés à mettre en valeur les menaces effroyables qui pèsent sur les victimes de l'imposteur.

Or, tous ces moments ont été fondus, entraînés dans le mouvement général de la pièce par Jouvet, qui a pourchassé le moindre rehaut, le plus petit effet de contraste.

André Alter (Terre Humaine, janvier 1951)

Tartuffe, au lendemain du 13 mai...

C'était bien un Français engagé, déchiré, de ce sombre printemps et de ce dramatique 15 mai, qui occupait mon fauteuil. C'était lui qui observait Tartuffe et Orgon. L'imposteur et sa dupe ont ce trait commun, me disais-je, de s'en rapporter l'un et l'autre à « un prince ennemi de la fraude ». Ce ne sont pas des citoyens, mais des sujets, libres de vaquer à leurs affaires et à leurs devoirs particuliers. Ils n'ont aucune obligation politique, en dehors de l'obéissance au Roi et de son service.

Et, de même, il leur est loisible de contenter leurs passions ou de les combattre, sauf une seule qui doit rester sur sa faim : la passion politique. Ils en avaient été possédés autant que nous-mêmes. Ils n'étaient pas d'autres Français que ceux d'aujourd'hui : la Fronde laissait des traces partout encore, et précisément chez Orgon. Que contenait la cassette confiée à ce nigaud par un ami frondeur? De quoi le faire embastiller, voilà le sûr. Pour les guerres de religion, elles duraient encore sourdement. Quant à ce qui nous déchire aujourd'hui, les sujets du « prince ennemi de la fraude » avaient vu pire : ce n'est rien de faire sécession au prix de ce qu'osèrent Condé et Turenne, et de cette épée qu'ils mirent au service de l'ennemi.

Nous croyons appartenir à une autre espèce que ces Parisiens à perruque, gibier de Molière; au vrai la perruque seule fait la différence. L'espèce de détente que *Tartuffe* me donnait, ce soir du 15 mai 1958, tenait à cette similitude. Une grande œuvre classique est un miroir d'eau où se reflète et demeure fixée la noble façade éphémère, derrière laquelle, durant un temps très court — entre la prise du pouvoir par le jeune Louis XIV et les premiers grondements de la Révolution : un siècle à peine — les Français mirent une sourdine à leurs divisions et à leurs inimitiés, à cette fureur que tout alimente, à qui tout profite : une guerre perdue, l'occupation étrangère, un innocent condamné injustement, une querelle d'évêques, une opinion sur la grâce efficace; car il n'est rien qui ne leur soit prétexte à se définir pour mieux s'opposer...

Ce miroir d'eau de *Tartuffe*, l'autre soir, j'y reposais donc mes yeux. (...) La maison d'Orgon et cet aventurier gluant qui s'y love et que le prince démasque, toute cette famille française aux solides assises, aux principes clairement définis, elle m'apparaissait comme une éphémère réussite qui, tant qu'elle a duré, n'a cessé d'être minée, que le grand roi n'a maintenue d'ailleurs, au-dedans et au-dehors, que par une suite ininterrompue de guerres et de violences.

François Mauriac (Figaro Littéraire, 24 mai 1958)

Elmire est-elle jolie ?

Il semble qu'on veuille expliquer, par la splendeur d'Elmire, la concupiscence de Tartuffe. C'est prendre vraiment un soin superflu. Tartuffe est, comme le dit Dorine « prompt à la tentation », il ne saurait voir sans frémir le sein à demi découvert d'une servante qui habite depuis longtemps la maison (...) Notons aussi que ce voluptueux joue un rôle difficile de dévôt, de chaste, et que ses plaisirs, qui doivent être rares, auprès des femmes, sont en outre clandestins. Il s'est mis chez Orgon à un régime alimentaire copieux, riche en viande et en vin. Faut-il une Elmire radieuse et éblouissante pour éveiller sa salacité? Non, certes! Il me semble même qu'une Elmire vraiment déesse doit dépasser ses plus ardentes délectations moroses, ainsi que parlent les confesseurs. Et par sa splendeur même, intimider ce raté, cet aventurier fort bas dans ses actes et ses pensées. (...)

(...) Tartuffe pourrait, à la rigueur, penser qu'il a de l'attrait, l'attrait d'un mâle robuste et enflammé, croire qu'il impressionnera une bourgeoise sevrée par l'âge de son grison d'époux, des plus légitimes plaisirs et, si l'on veut, lectrice de romans, excitée par la *Clélie*, par exemple, et toutes les productions de Mlle de Scudéry. Peut-il imaginer un instant qu'une femme de la beauté d'Annie Ducaux ne trouverait pas, pour la divertir, cent partenaires, ou mille, moins crasseux et moins dégoûtants que lui? Orgon, lui aussi, malgré une fortune bien capitonnée, aurait-il, veuf avec deux enfants, installé dans son austère demeure, avec un train de vie qui, somme toute, paraît modeste (...) une jeune femme comme Elmire, et lui faire accepter un jeune beau-fils et une petite belle-fille difficiles à mener; sans compter une belle-mère comme Mme Pernelle, bigote et grognonne! Admettons que son Elmire soit une gentille femme, lasse de la pauvreté, qui ait souffert de sa solitude et d'une maigre chère, inquiète de n'avoir pas encore été courtisée par un prétendant sérieux, mais n'admettons rien de plus.

Robert Kemp (Le Soir, 21 juin 1958)

Don Juan, le déraciné ?

En général, il semble qu'on n'ait pas été tendre pour M. Jean Debucourt, qui interprétait le rôle de Don Juan. J'avoue que je ne vois pas ce qu'on lui reproche. On a déclaré qu'il n'était plus assez jeune pour jouer le rôle. Mais rien, dans la pièce, ne nous incite à regarder Don Juan comme un jeune homme. Je trouve, quant à moi, que M. Jean Debucourt, par son aspect et par sa diction, a parfaitement rendu ce qui m'apparaît de plus en plus comme essentiel : le fait que Don Juan est un grand seigneur en quelque sorte déraciné, qui a perdu le sens des traditions hors desquelles la noblesse n'est plus vraiment la noblesse. Sous ce rapport la grande scène de l'acte IV où Don Luis accable son fils de reproches nous livre vraiment une des clés essentielles de l'ouvrage. Les vertus aristocratiques essentielles, le courage, le sens de l'honneur, ne subsistent plus ici que comme leurs propres façades; je dirais volontiers qu'elles sont vidées de leur substance vitale. En ce sens, l'athéisme déclaré de Don Juan est vraiment un nihilisme au sens le plus moderne de ce mot, il ne croit plus à rien parce qu'il n'est plus lié à rien. C'est vraiment un homme sans foi ni loi.

Gabriel Marcel (*Nouvelles Littéraires*, 27 novembre 1962)

Don Juan, héros fatigué ?

Le point culminant de la représentation de Jean Vilar, c'est à mon sens le moment étonnant où don Juan, au lieu de suivre le serviteur qu'il a fait sortir du théâtre à la pointe dédaigneuse de l'épée, revient sur ses pas, comme mû par un charme (au sens sorcier), et vient faire silencieusement face à la statue. Quelle durée scénique occupe ce muet dialogue entre les deux, qui tient le spectateur sur son souffle? Je n'ai pas regardé ma montre : moins de trente secondes, sans doute. Mais cette bouleversante trouvaille oriente la représentation entière, l'ordonne (pour parler comme les théologiens) finalement à ce duo tout mozartien et très donjuanesque du Marbre et du Pêcheur.

Faut-il alors que j'avoue n'avoir pas toujours trouvé l'acteur dans le ton de son personnage? (...) Une certaine mélancolie désabusée tient ici sous nos yeux don Juan à distance de sa vie. Le *destin* donjuanesque glisse vers le *rôle*, suivant une fission, quelque peu pirandellienne. Le héros a perdu le sourire (dont Jouvet faisait un très bon usage), et beaucoup de la conviction et du dynamisme qui lui sont essentiels. Ce défaut de chaleur et de contentement, cette désadhérence, ne m'ont frappée nulle part davantage que dans la scène des deux paysannes, dont Jacques Lemarchand trouve qu'elle devient une véritable scène d'opérette. Non que Jean Vilar y manque d'élan; mais cet élan est une ferveur désolée plutôt qu'un éblouissant savoir-faire amoureux. Il n'a pas l'air d'avoir goût ni plaisir à l'entreprise, et les couplets endiablés sur la beauté de Charlotte, son visage mignon et ses lèvres appétissantes, sont psalmodiés d'une voix douloureuse. (...)

Stanislavski
dans
« Le Malade
imaginaire ».

◄ Dans ce fauteuil conservé comme une relique
à la Comédie-Française, Molière, quelques heures avant sa mort,
joua pour la dernière fois «Le Malade imaginaire».

Le 17 février 1673, le comédien-trésorier de la troupe, La Grange,
après avoir noté la recette du jour,
inscrit sur son registre la mort de Monsieur de Molière.

L'autre soir, sur la scène du Théâtre National Populaire, je voyais moins le Séducteur triomphant que l'Impie affronté au Ciel et promis à une fin terrible. Moins convaincant dans le rôle du héros d'amour, Jean Vilar s'imposait comme héros de la rébellion. Dès qu'il se retrouvait face au sacré, sous quelqu'une de ses manifestations il atteignait aussitôt à une intensité et à une vérité dramatiques que nous, spectateurs, n'avons pas si souvent l'occasion d'applaudir.

(Esprit, Février 1954)

Un libertin bourgeois

L'interprétation ancienne du *Don Juan* de Molière contient pour nous plus de richesses que son interprétation récente (qui, d'ailleurs, ne date pas d'hier). La satire (plus proche du texte de Molière) nous apporte plus que l'étude de caractères semi-tragiques. Le brillant du parasite nous intéresse moins que le caractère parasitaire de ce brillant. Des étudiants de philosophie de l'Université de Leipzig, discutant la mise en scène de Besson, trouvèrent si actuelle la satire de l'amour conçu comme une chasse, qu'ils évoquèrent à ce propos les bourreaux des cœurs d'aujourd'hui et en firent des gorges chaudes. Je suis persuadé — et j'espère — que, par exemple, la présentation d'un *Don Juan* diabolique « bourreau des âmes » les eût bien moins intéressés.

La mise en scène de *Don Juan* par Benno Besson est doublement importante. Il a rétabli le caractère comique du personnage de Don Juan — d'ailleurs, dans la troupe de Molière, c'est un acteur comique, celui qui jouait d'ordinaire les marquis comiques, qui créa le rôle — en redonnant à la pièce sa valeur de critique sociale. Dans la fameuse scène du mendiant, sur laquelle on s'appuyait jusqu'ici pour faire de Don Juan un libre-penseur, c'est-à-dire un type progressiste, Besson a fait de Don Juan un libertin, trop arrogant pour accepter quelque engagement que ce soit : ainsi il devenait évident que la caste au pouvoir faisait également bon marché de la religion imposée par l'État. Sur le plan de la forme, Besson a pris quelques libertés en rompant avec le découpage de la pièce en cinq actes, et cette petite opération a augmenté sans aucun doute le plaisir du spectateur sans sacrifier quoi que ce soit du sens de la pièce. Deuxième chose importante pour le théâtre allemand : Besson a su tirer un très heureux profit de la tradition incomparable du théâtre français. Avec ravissement, le public eut la révélation de l'universalité du comique moliéresque, cet art où le comique le plus fin — un comique de musique de chambre — se mêle à la farce la plus grossière, coupé par de petits intermèdes délicieusement sérieux, qui n'ont pas leurs pareils au monde.

Bertolt Brecht (Lettres Françaises, 14-7-55)

Alceste en habit

La mascarade de l'habit restait, en soi, un divertissement pour blasés; comme si on se blasait du *Misanthrope* ! Si l'on voulait nous démontrer que le texte, à quelques mots près dont nous ne savons plus nous servir, est incorruptible, on prenait un souci superflu. Aucun personnage de Molière n'est resté plus près de notre pensée, qui n'est pas moins amère, de notre cœur, que l'amour agite encore. Certains effets de gros comique, telles que les révérences éperdues des marquis, balayant le tapis de plumes d'autruche multicolores, devenaient impossibles, et on ne les regrettait guère. Les marquis n'avaient point de queue de pie; l'habit était blanc, ils étaient tête nue. On les eût pris pour des barmen du Savoy; ou des élèves de Cambridge au bal.

Quand Jacques Dumesnil fait rire, avouons que ce n'est jamais d'Alceste lui-même. Mais de ceux qu'il attaque, à qui il lance des vérités et des brocards au visage. On ne se demande plus si Alceste a le goût trop étroit et trop rude, quand il condamne le sonnet d'Oronte; on ne se demande pas ce qu'il eût pensé du « Si tu veux regarder le monde — Ferme les yeux Rosemonde » de Giraudoux, presque aussi précieux que « On désespère alors qu'on espère toujours » ou du « Princesse, nommez-nous berger de vos sourires » de Mallarmé. On prend ses excès de langage pour des signes de verve; les éclats d'un polémiste vigoureux : « Pour la beauté du fait d'avoir perdu ma cause… » On le voit souffrir, et sa façon de s'agenouiller brusquement devant Eliante en lui offrant son cœur, nous dévoile le désordre le vertige de l'amoureux trompé. C'était une occasion de ruminer sur l'Alceste des professeurs, ou si vous voulez, l'Alceste de Jean-Jacques Rousseau, et sur l'Alceste du public, variable d'âge, alors que le premier, le comique, est comme sclérosé depuis bientôt trois cents ans. L'Alceste tragique, ou si vous préférez dramatique. Une querelle toujours renaissante.

Robert Kemp (Le Soir, 15 mars 1956)

Alceste, jeune homme en colère ?

Tous les trois ans, la section d'art dramatique (Drama Department) de l'université de Bristol donne, en français, quelques représentations de l'un de nos chefs-d'œuvre classiques. (…) C'est ainsi que j'ai eu l'honneur d'être invité cette année aux représentations du *Misanthrope* données par ces jeunes gens à Bristol et à Londres. (…) Sous l'impulsion de leur metteur en scène, c'est un *Misanthrope* plein de jeune vivacité qu'ils ont joué. Cela, vu leur âge, peut paraître facile, mais ne l'est pas tant que cela. La tendance que nous avons

à pousser au noir cette comédie de Molière, et, comme le fait
remarquer quelque part Mme Dussane, le soin qu'ont les
Alceste qui ont réussi de conserver le rôle toute leur vie,
entraînent un vieillissement général de l'atmosphère de l'œuvre
qu'il est amusant et instructif, de voir dissiper d'un coup.
Et qu'il est agréable de voir une Célimène qui ait, précisément,
vingt ans! Grâce à ce parti pris de rajeunissement, d'ailleurs,
plusieurs scènes prennent un son nouveau et que je crois juste.
C'est ainsi que la prude Arsinoé ayant devant elle une rivale
qui a l'âge du rôle, n'a plus besoin de se transformer comme je
l'ai vu souvent en vieil épouvantail maquillé pour marquer la
différence des âges. Dix ans — mais quels dix ans! — la séparent
de Célimène; et du coup, dans la scène fameuse qui les oppose,
la férocité féminine l'emporte de loin sur le comique : railler
une femme âgée qui veut se faire passer pour jeune peut faire
rire; mais démontrer à une femme qu'elle est en train de cesser
d'être jeune, voilà l'offense vraie.

De même, un Alceste plus proche par l'âge des vingt ans
de Célimène me paraît plus juste, plus vrai, que les Alceste
quinquagénaires que nous avons coutume de voir. Une trop
grande différence d'âge entre ces amants incite à confondre
le couple Alceste-Célimène avec le couple Arnolphe-Agnès,
ce qui est un contre-sens. Contresens que la fougue juvénile
de l'Alceste de Bristol, M. Trevor Vibert, et la grâce perfide
de Célimène, Mlle Rosalind Jones, ne permettaient absolument
pas. M. Watson et son Alceste ont bien compris que l'humeur
d'Alceste est, précisément, une « humeur », qu'il a reçue du ciel
à sa naissance, et non point le fruit d'une vie que malheurs et
déceptions eussent traversée. L'homme devenu misanthrope,
c'est l'Hurluberlu de Jean Anouilh; le vrai misanthrope est
le jeune homme en colère que M. Trevor Vibert a fait vivre
et souffrir devant nous.

Jacques Lemarchand (Figaro Littéraire, 21 mars 1959)

La vertu de Célimène

Le point de vue de René Dupuy est, à ma connaissance,
relativement nouveau (...) Alceste est l'amant, au sens le plus
moderne du mot, de la jeune veuve Célimène. Ne bondissez pas.

(...) Et cela m'a contraint, ce qui n'est pas sans agrément,
à reprendre tout mon *Misanthrope* en me mettant dans la peau
de qui pense, et veut prouver, qu'Alceste a déjà vu couronner sa
flamme. Eh bien, j'en suis au regret, mais ça ne tient pas debout.
Ce n'est qu'une amusante imagination de metteur en scène,
que rien, dans le texte, ne justifie.

(...) Il est fait appel à des familiarités physiques, dont aucune,
absolument aucune, ne trouve sa justification dans le texte.

Qui sont, toutes, surajoutées, délibérément inventées. Cela va de la simple étreinte un peu frissonnante au baiser sur la bouche et — pis encore — au geste d'Alceste levant sa canne sur une Célimène apeurée. Et voilà notre atrabilaire transformé en amant brutal, simplement parce qu'il vient de dire qu'il cède au mouvement d'une juste colère et qu'il ne répond pas de ce qu'il peut faire.

(...) René Dupuy est naturellement contraint de nous introduire au plus secret de l'appartement de Célimène. Ce n'est plus dans le salon que se déroulent les deuxième, troisième et quatrième actes, mais dans la chambre à coucher... C'est d'ailleurs une chambre à coucher un peu abstraite et qui peut ressembler à une salle de séjour. Mais une salle de séjour à lit à baldaquin et coiffeuse. Le mélange, absolument insolite, des éléments de décor fait que chaque fois que Célimène se met de la poudre sur le nez, vêtue de son gracieux déshabillé, nous avons l'impression qu'elle est en train de faire sa toilette de nuit. Ou bien qu'elle attend des invités.

(...)

Et par le fait même de cette évidente torsion que René Dupuy fait subir à la situation, voilà tous les personnages — y compris Eliante, qui est l'un des personnages de Molière pour qui j'ai le plus de tendresse — rabaissés, un peu salis. Car la liaison d'Alceste et de Célimène, puisque liaison il y a, est forcément connue de tout le monde en cette maison où l'on entre par cour et jardin comme en un lieu public. Une Célimène demi-mondaine déconsidérée, une Eliante prête à prendre la succession de sa cousine, un Alceste amant de cinq à sept, des petits marquis qui ressemblent à des clients déçus — quel milieu !

Jacques Lemarchand (Figaro Littéraire, 10 novembre 1962)

Une sensuelle et un sanguin

Par goût personnel, l'animateur du théâtre Gramont (R. Dupuy) s'est plus à gommer ce que la comédie avait de signification générale sur la vie en société et ses hypocrisies, pour retenir presque exclusivement les déboires de l'homme aux rubans verts dans ses relations avec Célimène. Pour rendre son dépit encore plus poignant, il en a fait l'amant de cette dernière — au sens moderne du mot — et a paré de la coquette d'une sensualité obsédante. La pièce devient ainsi le drame d'un homme mûr affolé par une nymphette capiteuse, selon un schéma libertin plus conforme à ceux du XVIIIe siècle qu'aux pudeurs du grand siècle. On songe même à certains scénarios d'aujourd'hui en voyant les héros s'enlacer... dans le plus pur style hollywoodien.

Ce parti de dramatisation psychologique et de modernisme aboutit à laisser de côté des aspects pourtant essentiels du propos de Molière. Il entraîne également un sérieux déséquilibre dans les rapports des autres personnages et dans la représentation tout entière. D'atrabilaire renfrogné, Alceste devient, sous les traits de René Dupuy lui-même une sorte de sanguin, de coléreux frustré. On enregistre là, une fois encore, un des méfaits de la « ré-invention » des classiques. Hors la Comédie-Française, il n'y a plus de reprise du répertoire sans sollicitation tapageuse ; comme si on se méfiait du texte original, comme si on le soupçonnait de ne pas pouvoir se défendre seul.

L'entreprise a néanmoins l'intérêt, comme la plupart des « arrangements » du même genre, d'éclairer les pans d'ombre laissés dans la pièce par la tradition officielle. Il est bien vrai — et il n'était pas vain de le souligner — que le *Misanthrope* se ramène en bonne partie, sinon totalement, à l'analyse pénible d'une passion sans issue, tout comme l'*École des Femmes*.

B. Poirot-Delpech (Le Soir, 15 novembre 1962)

Le Bourgeois sans une ride ?

Je me demandais, sans trouver une réponse qui satisfasse absolument, comment il se fait que cette pièce, qui semble liée à un état très particulier des mœurs, n'ait absolument pas vieilli. Il me semble même que Molière n'a rien écrit qui ait moins « bougé » (ceci, par exemple, par opposition aux *Femmes savantes*). Il se pourrait, chose singulière, que cette sorte de pérennité, de fraîcheur dans la pérennité, soit due en grande partie au fait que le *Bourgeois gentilhomme* est vraiment une comédie-ballet, qu'elle a un rythme musical, une progression musicale. A cet égard, rien de plus significatif que l'épanouissement final. Molière ne s'est même pas donné la peine de nous montrer M. Jourdain découvrant son erreur et revenant au sens commun.

Gabriel Marcel (Nouvelles Littéraires, 1 novembre 1951)

Un Bourgeois sur mesures

C'est une bien étrange idée qu'a eue Jean-Pierre Darras — qui assume ici la mise en scène de la pièce de Molière — de faire appel à Fernand Raynaud pour tenir le rôle de Monsieur Jourdain. Je ne dis pas une mauvaise idée, je dis « étrange ». Que l'on ait jadis pensé à Raimu pour ce rôle, et à la Comédie-Française, était parfaitement naturel, Raimu étant le grand acteur que l'on savait et qui avait fait ses preuves. Et Raimu, d'autre part, entrant à la Comédie-Française, y trouvait non seulement une tradition solide, mais des partenaires pour qui

Molière et le Bourgeois étaient de vieilles connaissances, dont ils savaient tous les secrets, les forces et les lacunes. Il n'en va pas de même au Théâtre Hébertot, où le metteur en scène a visiblement tout misé sur le fantaisiste Fernand Raynaud et négligé le reste (...)

Ce qui prouve que l'idée de Jean-Pierre Darras n'était pas mauvaise, c'est que Fernand Raynaud a su ne pas écraser Molière sous des inventions et des gags que son habituel public n'eût pas manqué de trouver « hilarants ». On le voit, c'est un mérite un peu négatif, mais à l'honneur de l'auteur de « bourreau d'enfants ». Et je dirai plus, il a inventé un Monsieur Jourdain très personnel, auquel la réflexion ôte toute crédibilité, mais qui — et cela est sans doute essentiel — passe la rampe pendant presque toute la représentation. C'est un Bourgeois manquant constamment d'assurance, un Bourgeois honteux, gêné, et dont les éclats vaniteux semblent ne plus être là que comme un moyen qu'il invente pour se rassurer. Du coup disparaissent cet enivrement, cette « gloire », ce ridicule éclatant qui font la force de la comédie de Molière. En n'allant pas jusqu'au bout de Molière, Fernand Raynaud et son metteur en scène l'amenuisent singulièrement. Comment croire que ce petit bourgeois méfiant, un peu pâle, presque craintif, entre si facilement dans la farce démesurée du fils du Grand Turc, de la cérémonie « mamamouchi » — qui sont là précisément comme le couronnement d'une montée constante de la vanité aboutissant à la folie. Fernand Raynaud a compris, a senti, qu'il n'avait pas ce qu'il fallait pour assumer l'énorme personnage. Il n'a pas forcé son talent et, sagement, en a imaginé un autre, à sa mesure.

Jacques Lemarchand (Figaro Littéraire, 17 novembre 1962)

Le complexe d'Armande

Jules Lemaître remarquait que la matière offerte par Molière à ses interprètes est éminemment classique et qu'on en fait à peu près tout ce qu'on veut. Il formulait cette observation à propos d'Armande des *Femmes savantes*. Celle-ci, à en croire Lemaître, Molière l'aurait vue sèche, envieuse, vilainement jalouse, au surplus peu jolie et déjà fort montée en graine. Il l'aurait chargée de toute l'aversion qu'il éprouvait pour l'artificiel.

(...) Peu à peu, les idées et les mœurs ont évolué. Le pédantisme d'Armande s'est atténué, a semblé moins risible parce que dans le domaine de la connaissance les femmes prenaient une place plus importante. La concession de Clitandre — ce Clitandre dont on veut faire le porte-parole de l'auteur — leur donnant permission d'avoir des « clartés sur tout », a paru insuffisante et même dédaigneuse. L'accélération de notre siècle devait logiquement hâter la transformation du personnage, le plus complexe de la pièce.

Environ 1893 déjà, Marguerite Moreno, cherchant à innover, faisait, paraît-il, d'Armande, une esthète à la silhouette botticellienne parce que telle était alors la mode dans les milieux artistes, et que cette mode convenait à sa minceur flexible. Cela n'enlevait sans doute rien au comique du rôle. Et l'on sait que Marguerite Moreno excellait, quand elle le voulait, aux caricatures. Julia Bartet fut probablement la première à montrer Armande élégante, distinguée, en somme sympathique.

Distinguée, élégante, telle nous l'a aussi montrée Mlle Hélène Perdrière dans la reprise, si joliment décorée et costumée par Mme Suzanne Lalique, que vient de présenter la Comédie-Française. On approuve ce parti. Car enfin, si Armande était vraiment l'aigre pimbêche qu'on prétend, on voit mal Clitandre, ce galant homme, nullement coureur de dot, s'astreindre à lui faire deux années une cour assidue.

Mais la charmante comédienne et le metteur en scène ont été beaucoup plus loin. Je dis le metteur en scène, car il paraît évident que la conception qui nous est offerte en la circonstance, réalisée de manière parfaite par l'interprète, est celle de M. Jean Meyer. Reconnaissons là la souple intelligence et l'horreur du conventionnel qu'il apporte à tous ses travaux.

Cette conception repose sur le vers où Armande, après avoir proposé une sorte de « mariage blanc » que Clitandre rejette avec une politesse railleuse, fléchit brusquement et avoue son vœu secret. Elle se découvre comme une *refoulée* dont le pédantisme et la pruderie ne sont qu'un masque, une défense.

Roger Dardenne (La Table Ronde, avril 1956)

Une pure merveille : Amphitryon

Amphitryon est probablement une des seules comédies où le quiproquo, dont l'abus est toujours si lassant, atteigne la condition humaine en son tréfonds. C'est ce que Henri de Kleist avait bien compris quand il réalisa sa géniale et fort libre adaptation du chef-d'œuvre de Molière. Il serait intéressant de montrer que le problème du double, qui sera traité dans le registre tragique par Dostoïevski et occupera dans l'œuvre de celui-ci une place centrale, est ici abordé sous l'angle comique. Et certes rien n'est plus loin de ma pensée que de prêter à Molière une réflexion consciente sur des questions qui dépassaient infiniment son horizon. Mais il faut prendre garde ici à une confusion possible. La pensée peut fort bien ne pas emprunter les voies de la réflexion, et c'est justement le cas chez les grands créateurs.

Nous avons tous une propension déplorable à nous imaginer qu'il faut d'abord avoir pensé dans l'abstrait ce qu'on traduira ensuite sous forme de poésie, de drame ou de musique. Rien n'est vraisemblablement moins exact et moins conforme aux conditions du développement spirituel. Le signe de la création authentique — et, par définition, celle-ci ne peut être que pensée — consiste en ce qu'elle anticipe sur une réflexion ultérieure qui, dans une certaine mesure, mais non sans beaucoup de déchet, trouvera moyen de recueillir et comme de solubiliser l'essence précieuse, l'essence intelligible qui lui donne tout son prix.

Gabriel Marcel (Nouvelles Littéraires, 7 février 1946)

Argan en burnous au Théâtre des Nations

Avec les deux troupes réunies du Théâtre marocain et de la Jeunesse Ouvrière, il s'agit du *Malade Imaginaire*, « d'après Molière ». L'adaptation est beaucoup plus qu'une traduction large : c'est une transposition, avec quelques personnages nouveaux et une Toinette transformée en une sorte d'intendant cousin du riche malade. Le dépaysement est total dès le lever du rideau, quelques jours après avoir vu sur la même scène un bon bourgeois français au verbe haut, épluchant les comptes de l'apothicaire avec une rondeur autoritaire, nous trouvons un arabe qui marchande en gémissant et louvoyant, innocente victime d'une méchante persécution. Les divertissements sont naturellement ceux qui peuvent divertir un potentat de ce pays; ils représentent même ce qu'il y a de plus « couleur locale » dans ce spectacle; car, pour le jeu, il semble que les acteurs doivent beaucoup aux traditions occidentales. Quelle que soit l'influence de notre théâtre et de Molière, nous sommes ici dans un autre monde.

Henri Gouhier (La Table Ronde, juillet-août 1958)

MOLIÈRE DEMAIN?

Aucun monument du répertoire n'a été aussi surchargé, défiguré, barbouillé, au sens où on le dit des tableaux (que *Tartuffe*). Profitant de ce qu'un masque se laisse plus facilement déformer qu'un visage, les uns y ont caricaturé toutes les piétés (Coquelin), les autres y ont peint de pauvres pécheurs (Jouvet, Ledoux). Plus prudemment, on y a vu une arme contre l'hypocrisie en général (Louis Seigner, au Français), une mise en garde affectueuse de la bourgeoisie (Périer, dirigé par Anouilh) ou une simple machine comique (Parédès, dirigé par Meyer).

A la lumière de la lecture sans parti pris proposée par Planchon, toutes ces interprétations polémiques, rassurantes ou blagueuses s'effacent comme autant de retouches trahies par les rayons X. L'original surgit, insoupçonné, tant on l'avait maquillé en tout sens, incroyable de netteté; glacial aussi dans son éclat de neuf, presque insoutenable.

Car le comique, si reposant à l'œil, a disparu avec les gribouillages et la patine. Finie la fable du brave charlatan obsédé dupant un mari crédule et complaisant. Finie la satire religieuse de circonstance plus ou moins gommée ou rajeunie. Finis la psychologie débonnaire et l'éloge du juste milieu. Ce qui est en question, au pied de la lettre, ce sont des faits d'histoire — le pouvoir d'intimidation de la morale chrétienne et de la monarchie, — c'est un homme qui en découvre le commerce possible et un autre dont la vérité réduit à néant les raisons de vivre...

Voilà ce qui est dans Molière. Tout cela et rien que cela. Le cacher revient à imiter Tartuffe lui-même avec ce fameux sein qu'il ne saurait voir. (...)

Contrairement à une habitude qui lui fut souvent reprochée, Planchon laisse chacun libre de ses déductions, et se contente de matérialiser ce que tout lecteur intelligent, sensible et honnête peut découvrir chez Molière. Tout ce qu'il montre s'y trouve; rien de ce qui s'y trouve n'est oublié. (...)

Aucune réplique n'autorisant l'interprète de Tartuffe à mettre le public dans le secret de sa fourberie, Michel Auclair, plus exact en cela que tous ses devanciers, y compris Jouvet, auquel il ressemble le plus, garde son masque jusqu'à la chute du rideau. Un masque collé au visage, à la bouche à peine remuée, aux paupières lourdes, au regard infranchissable, éhonté. Le « pauvre homme » gémit-il? Le comédien pousse jusqu'au trémolo tragique. Sent-il le danger? Il rage à froid. Nous ne saurons rien de l'âme de Tartuffe; et pour cause : il n'en a pas.

Face à ce prodige de « vide » humain qui marquera la carrière de Michel Auclair, Jacques Debary campe magnifiquement le véritable Orgon selon Molière : moins épris de son protégé, sinon platoniquement, que soucieux de se cacher une réalité fatale à son cœur faible. Jamais un comédien n'a fait sentir à ce point ce que cette faiblesse a d'obscène, et de pathétique sa sanction. (...)

Grâce à la fidélité intraitable de tous, voilà Molière enfin vengé et sauvé pour longtemps de la tartufferie.

B. Poirot-Delpech (Le Monde, 11 mars 1964)

BAISSER DE RIDEAU

Dans l'*Impromptu de Versailles*, parlant avec ses comédiens de cette pièce qu'ils doivent jouer, et dont ils ne savent pas encore le texte, Molière avoue le trac qui le saisit avant chaque représentation nouvelle.

« Est-il auteur qui ne doive trembler lorsqu'il en vient à cette épreuve ? »

Et Mademoiselle Béjart, Madeleine donc, lui répond :

« Si cela vous faisait trembler, vous prendriez mieux vos précautions, et n'auriez pas entrepris en huit jours ce que vous avez fait. »

Et Molière explique :

« Ils veulent des plaisirs qui ne se fassent point attendre, et les moins préparés leur sont toujours les plus agréables. Nous ne devons jamais nous regarder dans ce qu'ils désirent de nous; nous ne sommes que pour leur plaire; et lorsqu'ils nous ordonnent quelque chose, c'est à nous à profiter vite de l'envie où ils sont. Il vaut mieux s'acquitter mal de ce qu'ils nous demandent que de ne s'en acquitter pas assez tôt; et, si l'on a la honte de n'avoir pas bien réussi, on a toujours la gloire d'avoir obéi vite à leurs commandements. »

« Ils », ce sont les rois, et en particulier le « plus grand roi du monde » devant lequel Molière et sa troupe créèrent l'*Impromptu*, le 14 octobre 1663. Il y avait là un peu de courtisanerie. Mais on peut faire assez confiance à l'intelligence et à la lucidité de Molière pour penser que, par-delà ce public royal, il visait tous les autres publics. Nous ne sommes que pour leur plaire, dit-il, et c'est à eux que nous devons penser, et non à nous, dans tout ce que nous faisons.

Molière n'écrit pas pour Dieu et pour lui-même. Et il n'écrit pas non plus pour la postérité : il connaît et aime assez le public pour savoir que celui d'aujourd'hui vaut celui de demain et qu'un artiste n'a aucune raison de mépriser l'un et de tout attendre de l'autre.

Molière a du génie, et il le sait, et il en mesure sans doute très précisément les dimensions, avec cet humble orgueil, ou cette orgueilleuse humilité, comme on voudra, qui est le signe de la grandeur authentique. Parfois il enrage : quand la bêtise, à laquelle il s'est juré de tordre le cou, s'enferme dans sa forteresse et le nargue, et le blesse, et menace d'avoir sa peau, du haut des épais remparts du conformisme. Mais, ni à ces moments, ni à aucun autre, Molière ne fait sécession, ne se drape dans la solitude consentie, ni ne se réfugie dans la consolation du mépris et du dénigrement.

Il y a là une leçon, qui n'a pas été consciemment articulée, mais n'en fut pas moins profitable au long des trois siècles qui viennent de s'écouler. Et cette leçon nous est profitable aujourd'hui plus que jamais.

« Ils veulent des plaisirs ». Car, évidemment, les rois et les publics n'en demandent expressément pas plus.

Le 24 octobre 1658, Molière joue pour la première fois devant Louis XIV, au Louvre, et comme *Nicomède* de Corneille n'a pas « marché » comme il l'avait rêvé, il endosse le manteau rouge de l'orateur de troupe, fait un compliment au roi et annonce le *Docteur amoureux*. Alors, Louis XIV lui lance : « Tu nous a émus, fais-nous rire, à présent, Molière ! »

Fais-nous rire, Jean-Baptiste!

C'est sa fonction : mais il se réserve le droit de décider de la manière.

Ceci est l'autre face de sa conscience artisanale. Il connaissait son métier, tout de son métier, comme aucun de son temps, et comme rarement, au cours des siècles, homme le connut. Il avait cette facilité qui lui permettait d'obéir vite, et bien, aux commandements d'un public dont il sentait, de toutes ses fibres, les mouvements d'âme et de viscères. Il se savait et se voulait au service de son temps. Nul ne lui demandait de prendre des risques, nul n'exigeait qu'il fasse *Tartuffe*. Il fit *Tartuffe* après *Sganarelle*, *Don Juan* et le *Misanthrope* en plus de *Scapin* et du *Fagotier*. Avec un bâton de feutre, une élocution hoquetante, son talent de mime, le mot cocu en toutes lettres et une seringue à lavements géante, il devenait la coqueluche de la cour et de Paris. Au pire de la crise du *Tartuffe*, comme plusieurs salles faisaient de grosses recettes avec des fabrications sur le thème à la mode de don Juan, la troupe, craignant des catastrophes, lui demanda de faire lui aussi un *Don Juan*. Il le fit. Il pouvait s'en tenir à une histoire fantastique, quelques effets de lumière — au feu de bengale et à la chandelle — sur une statue de plâtre, un combat à l'épée bien réglé, un séducteur convainquant à la fois deux amoureuses — venues réclamer des explications — que chacune était la seule aimée, et Sganarelle pleurant ses gages cependant que les flammes de l'enfer illuminaient le côté jardin. Qu'avait-il besoin de faire du *Don Juan* un *Tartuffe* ayant baissé le masque?

Combien de fois ses compagnons auront-ils pensé — car sans doute n'osaient-ils pas le lui dire en face — : « Il va se casser la figure! » Et il se la cassait en effet.

Qu'allait-il faire dans cette galère? Les gens sérieux le lui disaient : le théâtre n'est pas le lieu où l'on débat de ces choses graves que sont les passions humaines vivantes, le théâtre est un lieu d'illusions et de gentillesses. Cocu, clystère, et, mon Dieu, à la rigueur, tarte à la crème : voilà de quoi faire rire. N'est-ce pas cela que vous voulez, vous qui prétendez si bien connaître les besoins du public? Tenez-vous en à cela : nous fermerons les yeux, et dans nos sermons sur les excès dangereux du théâtre, nous glisserons une phrase lénifiante sur les tolérances nécessaires et, en tout cas, nous ne vous damnerons pas tout vif.

Mais pour Molière, un tel langage insultait le public.

C'est vous, répondait-il, qui marquez la hauteur du seuil au-dessus duquel rien ne passerait plus, c'est vous qui supposez que le public n'a plus aucune sensibilité au-dessus de la ceinture, c'est vous qui coupez l'art de la vie et, ignorant tout de ce qui ne correspond pas aux normes définies par vos petits esprits, faites des théories avec cette ignorance !

Il savait ce qu'était le théâtre. Cette galère était la sienne. Et comment eût-il pu se laisser ébranler par des doctrines formulées en style périodique quand le public, en masse, lui donnait raison, le justifiait ?

Car ses grands succès s'intitulent les *Précieuses ridicules*, *L'École des femmes*, *Tartuffe*, *Les Femmes savantes* — et le public des siècles ultérieurs y a joint *Le Misanthrope*, *Le Bourgeois gentilhomme* et *Don Juan*.

C'est dans l'*Impromptu*, encore, qu'on trouve cette déclaration optimiste :

« Va, va, marquis, Molière aura toujours plus de sujets qu'il n'en voudra ; et tout ce qu'il a touché jusqu'ici, n'est rien que bagatelle au prix de ce qui reste. »

A un livre comme celui-ci, un dossier où, sans trop de rigueur, on a pu explorer rapidement les principaux faits, les principales valeurs, ayant trait à Molière et à son œuvre, et qui restent matière et occasion de dialogue à travers les siècles, on pourrait donner des conclusions diverses, et toutes également intéressantes je crois.

Il m'a paru sage, et utile, de m'en tenir ici à ce seul aspect de la conscience équilibrée que Molière avait de ses devoirs envers son public et envers la vérité de son art.

Lorsqu'il s'installa définitivement à Paris, en 1658, un grand danger pesait sur la vie de l'esprit. Un danger aux visages multiples : formalisme, académisme, dilettantisme... Molière fut l'un des quelques grands hommes à déjouer, obstinément, les ruses brutales ou souriantes de cette hydre qui peut se nommer aussi bêtise universelle. Louis XIV, qui était roi, préférait ne pas attaquer de front. Molière, qui était peuple, y alla à la manière des tapissiers : à grands coups de marteau.

Comme Shakespeare, comme Rabelais, comme Balzac... Ils forment une famille dont tous les membres, êtres de vérité et de lucidité, très conscients de ce qu'il y a, dans l'homme, dans la vie, de noir et d'absurde, refusent pourtant le dilettantisme comme le désespoir, et prétendent construire une espérance.

Molière, pour moi, c'est donc toujours cela : une ombre qui glisse sur les mains, et qui vous force à vous lever, à la poursuivre et qui, vous imposant de tant explorer, tant discuter, tant dialoguer, vous fait voir qu'il importe moins, peut-être, de savoir qui est Molière, que de se convaincre de son éternelle nécessité.

APPENDICES

CHRONOLOGIE DU XVIIᵉ SIÈCLE

	Histoire	Littérature
1596		Naissance de Descartes
1598	Édit de Nantes (accordé par Henri IV)	
1601	Naissance de Louis XIII	
1606		Naissance de P. Corneille (6 juin)
1610	Avènement de Louis XIII Richelieu secrétaire d'État Expulsion définitive des Maures d'Espagne.	
1618	Début de la guerre de Trente Ans	
1622	Guerre civile en France (Huguenots)	Naissance de Molière (15 juin)
1623		Naissance de Pascal (19 juin)
1624	Richelieu ministre	
1625	Création de Port-Royal de Paris.	
1628	Prise de La Rochelle	
1630	Conquête de la Savoie	
1632	Condamnation de Galilée	
1634	Bataille de Nordlingen Création du Jardin des Plantes de Paris.	
1635	Guerre entre la France et l'Autriche	Fondation de l'Académie Française par Richelieu.
1636		Création du *Cid* de Corneille Naissance de Boileau
1637		Publication du *Discours de la Méthode* de Descartes.
1638	Mazarin, collaborateur de Richelieu. Naissance de Louis XIV.	
1639		Naissance de Racine.

1640		Publication de l'*Augustinus* Créations d'*Horace* et *Cinna* de Corneille.
1642	Conspiration de Cinq-Mars Mazarin succède à Richelieu (mort le 4 décembre) Conquête du Roussillon Guerre civile en Angleterre	Publication des *Méditations métaphysiques* de Descartes.
1643	Mort de Louis XIII Bataille de Rocroi	30 juin : Fondation de l'Illustre Théâtre.
1644	Bataille de Fribourg	Faillite de l'Illustre Théâtre
1645		Molière quitte Paris.
1647		Publication des *Remarques* de Vaugelas.
1648	La Fronde Traité de Westphalie	
1649	Exécution de Charles 1er d'Angleterre.	Publication du *Traité des Passions* de Descartes.
1650		Mort de Descartes.
1651	Majorité de Louis XIV	
1652	Bataille du Faubourg Saint-Antoine.	
1653	Cromwell, Protecteur en Angleterre.	
1655	Introduction du café en France	Entrée de Pascal à Port-Royal.
1656		Les *Provinciales* de Pascal.
1657		Publication du *Roman Comique* de Scarron.
1658	Paix des Pyrénées Mort de Cromwell	Molière et sa troupe à Rouen, ensuite à Paris.
1659		Création des *Précieuses ridicules*.
1660	Mariage de Louis XIV et de Marie-Thérèse. Fermeture des Écoles de Port-Royal. Charles II, roi d'Angleterre	*Satire I* de Boileau
1661	Mort de Mazarin (mars) Affaire Fouquet (sept.) Début des travaux de construction de Versailles.	Création des *Fâcheux*
1662	Les carrosses à 5 sols de Pascal (mars)	Mort de Pascal (août) Création de l'*École des femmes*
1663		Querelle de l'*École des femmes*.

1664	Persécution du jansénisme	Création de la *Thébaïde* de Racine.
		Début de l'affaire *Tartuffe*
1665	Transfert de Port-Royal aux champs.	Publication des *Maximes* de La Rochefoucauld
		Création de *Don Juan*
1666	Grands incendies de Londres.	Publication des *Contes* de La Fontaine.
		Création du *Misanthrope*.
1667	Guerre de Dévolution	Création d'*Andromaque* de Racine. Représentation de *Tartuffe*
1668	Paix de l'Église (fin de la persécution du jansénisme). Traité d'Aix-la-Chapelle entre la France et l'Espagne.	
1670		Publication de l'*Art Poétique* de Boileau.
		Édition de Port-Royal des *Pensées* de Pascal.
		Création du *Bourgeois gentilhomme*.
1672	Guerre de Hollande	Création des *Femmes savantes*.
1673		Création du *Malade imaginaire*
		Mort de Molière (17 févr.)
1677		Institution de la Comédie-Française.
1678	Paix de Nimègue entre la France, la Hollande et l'Espagne.	Mort de P. Corneille.
	Acte d'Habeas Corpus en Angleterre.	
1685	Révocation de l'Édit de Nantes	
1699		Mort de J. Racine.
1709	Destruction de Port-Royal	
1715	Mort de Louis XIV.	

PRINCIPALES ÉDITIONS
DES ŒUVRES DE MOLIÈRE

1663 et 1664   *Œuvres de Molière*. Paris, Charles de Sercy. 2 volumes in-12 (jusqu'à *L'École des femmes*).

1666   *Œuvres de Monsieur Molière*. Paris, Gabriel Quinet. 2 volumes in-12 avec frontispices de François Chauveau (jusqu'à *La Princesse d'Élide*).

1673   *Œuvres de Monsieur Molière*. Paris, Claude Bardin. 7 volumes in-12 avec frontispices de François Chauveau (jusqu'aux *Femmes savantes*).

1682   *Les Œuvres de Monsieur Molière*. 6 volumes in-12. *Les Œuvres posthumes de Monsieur de Molière*. 2 volumes in-12. Paris, Denys Thierry, Claude Bardin et Pierre Trabouillet.
Première édition complète, rassemblée par La Grange et Vinot, avec une préface, des stances de Boileau et des épitaphes. Gravures de Sauvé, d'après Pierre Brissart.

1734   *Œuvres de Molière*. Paris, Compagnie des Libraires. 6 volumes in-4, avec un portrait par Coypel, 32 estampes par Louis Cars d'après Boucher et 198 gravures par Joullain d'après Boucher, Blondel et Oppenor.
Voltaire avait écrit sa *Vie de Molière* pour cette édition. Texte refusé et remplacé par les *Mémoires sur Molière* par La Serre.

1773   *Œuvres de Molière*. Paris, Compagnie des Libraires Associés. 6 volumes in-8. En préface un *Discours préliminaire*, la *Vie de Molière* et le *Supplément* à cette *Vie*, par Voltaire. Avec un portrait d'après Mignard et 32 gravures de Moreau le jeune.

Éditions modernes

Hachette, Les Grands Écrivains de France. 13 volumes in-8 et un album. Édition procurée par Despois et Ménard. 1873-1900.

Cité des Livres. 10 volumes in-8. Notes de Jacques Copeau. 1926-1929.

Gallimard, Bibliothèque de la Pléiade. 2 volumes in-16. Texte établi et annoté par Maurice Rat. 1933.

Nelson, Collection Lutetia. 6 volumes. Sous la direction et avec notices d'Émile Faguet. 1936.

Club du Meilleur Livre. 3 volumes. Notes de René Bray et Jacques Schérer.

Classiques Garnier. 2 volumes. Sous la direction de R. Jouanny.

Éditions du Seuil. 1 volume. Avec une préface de P-A Touchard, la *Vie de Molière* par Grimarest, notes et index.

BIBLIOGRAPHIE

Une bibliographie de Molière, de sa vie, de son œuvre, de son temps et de sa postérité pourrait, on le devine, prendre des dimensions monumentales. Des érudits courageux et passionnés ont essayé plusieurs fois d'établir des listes complètes : aucun n'y a réussi. J'ai donc cru préférable de ne pas tenter l'impossible et de ne citer, ici, qu'un nombre limité d'ouvrages. J'ai retenu quelques ouvrages anciens, qui restent des sources indispensables, et, parmi les études plus récentes, celles qui proposent des vues neuves, ou alors des synthèses. Ce choix sera nécessairement contestable, mais ce qu'il a de subjectif est corrigé par le fait que beaucoup parmi les livres cités comportent des bibliographies et des références.

XXX : *Les Intrigues de Molière et celles de sa Femme, ou la Fameuse Comédienne*, Francfort, 1688. Réédition : Paris, Liseux, 1877.

Antoine ADAM : *Histoire de la Littérature Française au XVIIᵉ siècle*, Paris, Domat, 1952.

Jacques AUDIBERTI : *Molière dramaturge*, Paris, L'Arche, 1954.

BEFFARA : *Dissertation sur J.-B. Poquelin Molière*. Paris, 1821.

René BRAY : *Molière, Homme de Théâtre*, Paris, Mercure de France, 1954. Réédition 1963.

Pierre BRISSON : *Molière, sa Vie dans ses Œuvres*, Paris, Gallimard, 1942.

L. DUBECH, J. de MONTBRIAL, HORN-MONVAL : *Histoire Générale Illustrée du Théâtre*, Paris, Librairie de France, 1931-1935.

DUSSANE : *Un Comédien nommé Molière*, Paris, Plon, 1936.

Émile FABRE : *Notre Molière*, Paris, Albin Michel, 1951.

Ramon FERNANDEZ : *La Vie de Molière*, Paris, Gallimard, 1930.

Maurice GARÇON : *Sous le masque de Molière : Louis XIV est Molière*. 2ᵉ édition : Paris, A. Fayard, 1953.

Jean-Léonor Gallois, sieur de GRIMAREST : *Vie de Monsieur de Molière*. Paris, 1705. Réédition : Paris, La Renaissance du Livre, 1930.

Madeleine JURGENS, Élizabeth MAXFIELD-MILLER : *Cent ans de recherches sur Molière, sur sa famille et sur les comédiens de sa troupe,* Paris, Imprimerie nationale, 1964.

Georges LAFENESTRE : *Molière*, Paris, Hachette, s. d.

Charles VARLET, sieur de LA GRANGE : *Registre*, Paris, 1876. Réédition : Paris, Young, 1947.

Gustave LARROUMET : *La Comédie de Molière, L'Auteur et le milieu*, Paris, Hachette, 1887.

Le Boulanger de Chalussay : *Élomire Hypocondre*, Paris, 1670. Réédition : Paris, 1878.

Jules Loiseleur : *Les Points Obscurs de la Vie de Molière*, Paris, Liseux, 1877.

G. Michaut : *La Jeunesse de Molière; Les Débuts de Molière à Paris; Les Luttes de Molière*, Paris, Hachette, 1922, 1923, 1925.

Georges Mongrédien : *La Vie Privée de Molière*, Paris, Hachette, 1950.

Henry Poulaille : *Corneille sous le Masque de Molière*, Paris, Bernard Grasset, 1957.

Alfred Simon : *Molière par lui-même*, Paris, Le Seuil, 1957.

Paul Stapfer : *Molière et Shakespeare*, Paris, Hachette, 1887.

Stendhal : *Racine et Shakespeare* (textes de 1823 et 1825, suivis des appendices) publié par Henri Martineau, Paris, Le Divan, 1928.

Léon Thoorens : *La Vie Passionnée de Molière*, Bruxelles, Marabout, 1958.

INDEX

SOURCES DES TEXTES

Nous remercions les auteurs et les éditeurs qui nous ont autorisés à reprendre dans ce dossier les textes ci-dessous dont ils conservent le copyright :
Le texte « Les difficultés d'une jeune compagnie », de S. Wilma Deierkauf-Holsboer, a paru dans le n° 1290 des « Nouvelles Littéraires ».
Le texte « La mort de Molière », de Jean Anouilh, a paru dans le numéro 308 de Paris-Match.
Le texte « Un critique dialogue avec Don Juan », de Jean-Louis Bory, est extrait de son ouvrage « Pour Balzac et quelques autres », publié aux éditions Julliard.
Le texte « Un metteur en scène présente George Dandin » est extrait d'un programme du Théâtre de la Cité à Villeurbanne.

SOURCES DE L'ICONOGRAPHIE

Les illustrations ont pour origine : Paris-Match : couverture ; hors-texte Bernand : pl. 13, 14, 16, 18, 19, 21, 22, 24, 25, 26-27. — Bulloz : pl.1, 5, 11, 12, 13. — C.N.R.S. : pl. 14-15. — Giraudon : pl. 4, 6, 7, 8, 9, 10, 11, 12, 17, 21. — Hachette : pl. 2-3, 4, 5, 9, 15, 25. — Harcourt : pl. 25. — Lipnitzki : pl. 17, 20. — Paris-Match : pl. 8, 23, 30-31, 32. — Viollet : pl. 10, 16, 20, 24, 29.

TABLE DES MATIÈRES

DES PRESSES DE GERARD & Co
65, rue de Limbourg, Verviers (Belgique)

marabout université

Parmi les titres publiés dans la collection, nous attirons particulièrement votre attention sur les volumes suivants :

MU. 3 **LE LIVRE D'OR DE LA POESIE FRANÇAISE, par Pierre Seghers.** (488 pages dont 8 pages d'illustrations hors-texte en noir.)

... Rien n'est indifférent de ce que fait Monsieur Pierre Seghers. Non seulement la préface de son anthologie constitue l'un des plus brillants propos qu'il soit donné de lire sur la poésie, mais encore le choix même qu'il propose révèle la nature la plus intime de sa pensée...

M. Moirer - **La Voix du Nord.**

...C'est l'acte de foi d'un homme qui a rêvé à son anthologie sa vie durant : « Livre d'or » ou « Livre de pensées » ...mais un « Livres d'heures » aussi, dont chaque passage indique une pieuse méditation sur des œuvres qui ne périront pas.

J. Moulin - **Les Annales.**

...Rien de tel, pour engager à lire, que cette conviction chaleureuse. L'abondance et la qualité des textes choisis font le reste.

Le Jardin des Modes.

...Je donnerais, quant à moi, des rayons entiers, constitués au hasard des arrivages en « service de presse », pour ce seul petit livre compact...

R. Lacote - **Les Lettres Françaises.**

... Ce choix bigarré et souvent insolite donne au lecteur une extraordinaire impression de vie, et le livre est aussi différent d'un traditionnel florilège qu'un film, parlant et en couleurs, l'est d'un album de photographies de famille.

E. Nora - **Les Nouvelles Littéraires.**

MU. 17 **LE DOSSIER NAPOLEON, rassemblé par Jean Burnat, Georges H. Dumont et Emile Wanty.** (448 pages dont 32 pages d'illustrations hors-texte en noir et en couleurs.)

En constituant le présent dossier, deux historiens et un expert militaire ont tenté de réunir à votre intention tous les éléments, toutes les pièces à conviction d'un authentique « procès Napoléon ».
Livre étonnant qu'on se doit de lire.

La Libre Belgique.

La véritable université de nos jours, c'est une collection de livres (Carlyle)

ENCYCLOPEDIE UNIVERSELLE en 8 Tomes.

(Volumes de 384 pages dont 32 pages d'illustrations hors-texte en noir et en couleurs et plus de 100 dessins ou schémas in-texte.)

Réaliser une encyclopédie à la portée de tous, telle est l'ambition des éditeurs des célèbres collections Marabout, qui commencent la publication de volumes à la fois sérieux et d'accès aisé... Les textes sont de qualité, dignes de confiance. Les illustrations sont assez nombreuses, bien choisies...

Le Parisien Libéré.

L'apparition de cette nouvelle « Encyclopédie » sera saluée avec joie par tous ceux qui désirent avoir sur notre monde des connaissances à la fois diverses et approfondies...

La Tribune de Genève.

marabout université